D0801157

BASTEI
LÜBBE

Xanthia Rhodes

Erotischer Roman

Ins Deutsche übertragen
von Claudia Dorf

BASTEI LÜBBE TASCHENBUCH
Band 14 188

Erste Auflage: Februar 1999




Originaltitel: A Volcanic Affair

Titelbild: Image Bank
Umschlaggestaltung: QuadroGrafik, Bensberg
Satz: Fotosatz Steckstor, Rösrath
Druck und Verarbeitung: 99004
Groupe Hérissey, Évreux, Frankreich
Printed in France
ISBN 3-404-14188-1

Der Preis dieses Bandes versteht sich einschließlich der gesetzlichen Mehrwertsteuer

# Erstes Kapitel

**Pompeji, Italien, 79 n. Chr.**

Ihr Schoß glühte.

Sie schaute hinauf zum hohen, kegelförmigen Gipfel des Vesuv und spürte die Erschütterungen schon das zweite Mal an diesem Morgen. Kräftige Zuckungen erfaßten ihre Beinmuskeln und setzten sich in ihrem Körper fort, kosten Nacken und Brüste wie die Berührungen sanfter Finger. Die Bewegungen der Erde zerzausten ihre Haare. Unbewußt fuhr sie sich im Dunkel der Taverne mit einer Hand über die zarte Haut der Wangen und streichelte auf und ab.

»Die Götter zürnen.«

Sie starrte den alten Mann verärgert an, weil er ihre schwülstigen Gedanken gestört hatte.

»Wie der Berg schwelen auch in dir aufgestaute Energien und Leidenschaften. Wer wird wohl zuerst ausbrechen?« fragte er, während er einen schweren Weinbehälter zwischen seinen Knien und der Theke festhielt.

»Du übertreibst, Terentius. Der Berg wird nie ausbrechen«, sagte sie im Brustton der Überzeugung.

»Von dir würde ich das nicht behaupten, Marcella. Die Stadt ist voll von muskulösen Männern aus allen Ecken des Römischen Reiches, sie kommen aus Syrien, aus Gallien und vielleicht sogar aus Britannien. Ihre gestählten Körper warten ungeduldig auf die Berührung einer Frau. Auf deine Berührung.«

Sie warf ein Staubtuch nach ihm, aber er ging rechtzeitig in Deckung.

»Jeden Tag, wenn sie die öffentlichen Bäder besuchen«, fuhr er mit großem Vergnügen fort, »lassen sie sich ihre Haut von den Sklaven mit wohlriechenden Ölen polieren, und wenn sie abends hier eintreffen, haben sie in allen möglichen Ausschweifungen geschwelgt – mit anderen Frauen, nicht mit dir! Diesen Gedanken kannst du nicht ertragen, nicht wahr?«

Sie schloß die Augen, um seine spöttischen Bemerkungen auszuschalten, aber sie hatten Bilder in ihr wachgerufen, die jetzt durch ihren Kopf wirbelten. Sie begann leicht zu zittern.

»Und die Situation wird sich nicht ändern, wenn du dich nicht drastisch änderst, denn deine Tante und dein Onkel bewachen dich wie Kerkermeister. Gut, du hast keine Mitgift, aber als Jungfrau ergatterst du eine bessere Partie als eine, die läufig ist.«

»Oh, Jupiter, erhöre mein Flehen und hole mich aus dieser schäbigen Pinte heraus. Laß etwas Aufregendes geschehen!« murmelte sie halb laut.

Er beugte sich über die Theke, verschränkte die Arme vor der Brust und schaute sie ernst an.

»Du mußt etwas Positives mit deinem Leben anfangen, Marcella. Wenn die Götter dich verschonen, wirst du dich zwischen Anständigkeit und Abenteuer zu entscheiden haben. Beides kannst du nicht haben, und deine Unentschlossenheit führt dazu, daß du bedeutende Warnungen wie ein Beben der Erde nicht wahrnimmst.«

»Was soll ich denn tun?« fragte sie mit aufwallender Verzweiflung. »Frauen sind mit dem Schicksal geschlagen, daß sie entweder heiraten oder für einen Hungerlohn die Arbeiten verrichten, die kein Mann tun würde.«

»Du wirst einen Weg finden, das zu tun, was du tun willst«, sagte er. »Ob sich deine Ziele aber im Rahmen der gesellschaftlichen Konventionen erreichen lassen, ist eine zweite Frage.«

Er verschwand im Lagerraum, und sie rutschte auf dem niedrigen Hocker herum. Sie hatte wegen der außergewöhnlichen Hitze auf ihre Unterkleider verzichtet, und so klebte der Stoff des weit fließenden Kleids an ihren warmen Schenkeln. Das Feuer in ihr glühte auf unbehagliche, beharrliche Art.

»Das ist der letzte«, erklärte Terentius, als er einen weiteren Weinbehälter von den Schultern ließ und auf dem Boden absetzte. »Ist dir eigentlich schon aufgefallen, daß die Weinamphoren genau wie riesige Phalli aussehen?«

»Warum machst du nicht mal Pause«, sagte sie scharf. Sie konnte seine Gegenwart nicht länger ertragen. »Geh hinaus und tratsche mit den anderen Sklaven.«

Einen Moment lang sah es so aus, als wollte er mit ihr streiten, aber dann erwiderte er zu ihrer Erleichterung: »Es ist zu heiß, als daß ein Mensch, der seine Sinn beisammen hat, jetzt ins Freie geht, aber ich werde mir andere Gesellschaft suchen. Vergiß nicht, alles wegzuräumen. Schließlich mußt du zeigen, daß du an diesem Nachmittag irgendwas getan hast.«

Sie hörte, wie seine Schritte sich entfernten, und sie seufzte erleichtert auf und genoß die Stille und das Halbdunkel in der kleinen Taverne. Ihr Kleid rutschte höher die Schenkel hinauf, als wollte es sie daran erinnern, daß sie dringend eine Befreiung dieser ungeheuren Anspannung brauchte, die ihr Inneres erfüllte. Sie konzentrierte sich auf die Süße der Gefühle, die ihre Finger auslösten, wenn sie sich an den geheimen Stellen so geschickt bewegten.

Ein Schatten fiel durch die Tür, und dann sah Marcella in ein schelmisches Gesicht.

»Salve.«

»Lydia!« rief Marcella. »Oh, bin ich froh, dich zu sehen! Terentius hat mich mit seinem schmutzigen Reden fast in den Wahnsinn getrieben. Und ich muß hier ausharren, bis mein Onkel zurückkehrt. Als ob sich um diese Tageszeit ein einziger Gast sehen ließe!«

Lydia lachte. »Ich kann nicht lange bleiben, Marcella – ich wollte nur sagen, daß wir später ein bißchen Spaß haben können, wenn du willst. Wir können uns heimlich die Wandzeichnungen anschauen, die meine Herrin für den Salon hat anfertigen lassen. Der Künstler hat seine Arbeit heute morgen beendet.«

»Ich habe die Leute schon darüber schwatzen gehört«, sagte Marcella mit einem anzüglichen Lächeln. »Sie sagen, daß sie an Deutlichkeit nichts zu wünschen übrig lassen, und daß sie wirklich unanständig sind.« Sie füllte zwei Becher aus einem Bronzekrug mit verwässertem Wein und schob ihrer Freundin einen Becher hin.

»Der Verwalter klagt, daß sie so obszön seien, als ob sie für ein Bordell gemalt worden wären. Am liebsten hätte ich ihn gefragt, woher er das wüßte«, sagte Lydia und kicherte.

»In meinem Alter hätte ich schon ein paar Jahre verheiratet sein müssen, dann wüßten wir jetzt die

Antworten auf die Dinge, die wir wissen wollen«, sagte Marcella wehmütig.

»Du hättest doch schon ein paarmal heiraten können, aber du hast immer abgelehnt.«

»Vielleicht hätte ich tun sollen, was die Gesellschaft von mir erwartet, aber die mickrigen Kerle, die sie mir ausgesucht haben, konnten mir nicht die erotische Befriedigung bieten, die ich brauche. Verheiratete Frauen haben Kinder, viel Arbeit und keinen Spaß.«

»Frauen brauchen heutzutage keine Kinder mehr zu bekommen, wenn sie nicht wollen«, sagte Lydia und nippte an ihrem Becher. »Meine Schwester benutzt einen kleinen Schwamm, der das aufsaugt, was ihr Mann in sie hineinsprüht. Sie sagt, man muß den Schwamm nur in Olivenöl tunken. Und als zusätzliche Vorsichtsmaßnahme badet sie den Penis ihres Mannes in Wasser, das mit Pfefferminze und Honig angereichert wurde.«

»Und das hilft?« rief Marcella ungläubig.

»Das weiß ich nicht. Jedenfalls macht es ihr eine Menge Spaß – sie stand immer schon auf Süßem.«

Marcella schnaufte.

»Die mickrigen Kerlchen, die sie für mich vorgesehen hatten, wären nicht in der Lage gewesen, ihr Ding so lange steif zu halten, um herauszufinden, ob es hilft«, murrte sie. Sie wiegte auf dem Hocker hin und her und starrte versonnen auf den Wein in ihrem Becher. »Die Götter mögen meine Zeugen sein, ich kann nicht viel länger warten. Ich kann die Ungewißheit nicht mehr ertragen, nicht zu wissen, wie es ist. Der Künstler hört sich großartig an – glaubst du, daß er seinen eigenen Phallus als Modell für seine Bilder nimmt?«

Lydia kicherte. »Dann müßte er doch einen Spiegel haben!«

»Aber stell dir vor, wenn er solche unanständigen Bilder an die Wand malt, dann muß er Szenen dieser Art im wahren Leben schon gesehen haben!« Marcella spürte, wie ihr Schoß in Flammen stand. Sie beugte sich zu ihrer Freundin vor. »Ich komme mir so naiv vor, Lydia. Ich weiß in der Theorie, was Männer und Frauen miteinander treiben, aber ich weiß nichts über die Gefühle, die man dabei empfindet.«

Lydia nickte. »Ein paar Finger oder ein längliches Objekt wie ein Küchenlöffel können nicht vergleichbar damit sein.«

»Die Leute reden davon, daß ein Mann hart wird«, fuhr Marcella fort. »Aber wie hart ist hart? Amor ist grausam – er hat alle Pfeile auf mich abgeschossen, aber keinen auf einen Mann, der zu mir paßt. Warum kann ich nicht zu einer Orgie eingeladen werden, wo die Leute ihre fleischlichen Gelüste ausleben? Wo ist die Göttin Venus? Hört sie mein Flehen nicht, daß sie ein bißchen Dekadenz in mein Leben bringen soll?«

Ihre Gedanken an solche Feiern und an die Wandgemälde des Künstlers trugen nicht zu Marcellas Ruhe bei. Sie spürte, wie ihre Brüste anschwollen, und die zarten Falten ihres Geschlechts wurden feucht.

»Mein liebe Freundin, du befindest dich in einer Taverne, mitten in einen kleinen römischen Provinzstadt, und du lebst zu Zeiten des Kaisers Titus«, sagte Lydia und stellte ihren leeren Becher auf die Theke. »Finde dich mit dem Gedanken ab, daß hier nichts Aufregendes geschieht.«

»Aber Leben muß doch etwas mehr sein als das hier«, klagte Marcella, als Lydia zur Tür hinausging.

Sie richtete einige Flaschen und Krüge auf den Regalen hinter der Theke aus und stellte Tische und Stühle ordentlich zusammen. Auf dem Spieltisch lagen noch die Würfel vom letzten Spiel. Sie sammelte sie ein und wischte ein paar Pastetenkrümel vom Tisch auf den Boden. Sie wollte sie unter die Bank treten, aber dabei geriet ein harter Krümel zwischen das Leder der Sandale und ihren Zeh, und sie stieß einen lauten Fluch aus.

Sie setzte sich auf den Hocker hinter der Theke, spreizte die Beine und preßte sie fest zusammen, wobei sich der Stoff des Kleids an ihrer Klitoris rieb. Sie umfing ihren Oberkörper mit beiden Armen und rieb dabei die steifen Brustwarzen gegen den rauhen Leinenstoff. Es war leicht, sich vorzustellen, daß es Männerhände waren, die ihre Brüste streichelten, die sie zärtlich erregten und zum Orgasmus brachten. Sie wollte, daß es kräftige Männerhände waren, die sich rhythmisch zwischen ihren Schenkeln bewegten.

Sie verlagerte ihr Gewicht auf dem Hocker, und während sie ein Auge auf die Tür gerichtet hielt, tauchte eine Hand unter den langen Rock. Sie spürte die seidige Haut unter den Fingerkuppen und kam sich wie ein Kind vor, das heimlich an einer verbotenen Frucht naschte, die sich Erwachsene vorbehalten hatten.

Der Geruch ihres eigenen Verlangens stieg ihr in die Nase. Ihre Pobacken fühlten sich heiß an und rieben sich auf dem harten Holz des Hockers. Sie streckte die Beine aus, hielt sich mit einer Hand am

Sitz fest und ließ ihre Finger der anderen Hand rasch über den kahl geschorenen Venusberg hüpfen. Die Sklavenmädchen in den öffentlichen Bädern hatten ein paar Härchen übersehen, aber sie hatte jetzt keine Zeit, über die Unzulänglichkeiten der Sklavinnen zu jammern, denn ihre Finger hatten das Zentrum ihres heißen Gefühls erreicht.

Sie rieb rhythmisch auf und ab, konzentrierte sich auf die Sensationen, die ihre Berührungen in ihr auslösten, und schloß alle anderen Empfindungen aus. Sie spannte die Muskeln ihrer ausgestreckten Beine an. Als die ersten kleinen Explosionen der Lust aufbrachen, rieb sie die Schenkel gegeneinander und schloß die Lider, gab sich ganz den schwingenden Wellen hin, die ihren Körper erfaßten. Ihre inneren Muskeln schrien nach Penetration und Inbesitznahme.

Sie schob zwei Finger in die feuchte Wärme, aber in diesem ungünstigen Winkel war die Stimulation nur unvollkommen. Sie begann wieder mit dem sanften Reiben.

»Die besten Tavernen führt man zu zweit.«

Sie schaute benommen hoch.

Ihre Augen sahen einen Mann, der an der Tür stehen geblieben war und von der gleißenden Sonne angestrahlt wurde, so daß sie nur seine Kontur sehen konnte.

Er war kräftig gebaut und hatte breite Schultern. Sein wuchtiger Brustkorb verjüngte sich zu den Hüften hin, und die ausgeprägten Waden zeugten davon, daß er im Wettkampf erfahren war.

Sie setzte sich aufrecht, ließ die Beine sinken und versuchte, gegen die Wut und die Enttäuschung anzukämpfen, die sich in ihr ausbreiteten. Sie überdachte ihre Position: Er konnte unmöglich bemerkt haben, womit sie sich beschäftigt hatte, denn die Theke verbarg den Blick auf den unteren Teil ihres Körpers.

Sie blickte auf die Wachstafel in seiner Hand. »Bist du in offizieller Mission hier?« fragte sie. »Dann mußt du mit meinem Onkel reden.«

»Komm her.«

Er schob die Tür hinter sich halb zu und trat tiefer in die Taverne ein.

Sie seufzte. »Wenn es eine Diskrepanz bei den Abgaben geben sollte, fürchte ich, kann ich dir nicht helfen.« Sie glitt vom Hocker und ging zögernd auf ihn zu. Im Gehen glättete sie ihr Kleid.

Als sie sich ihm näherte, sog sie seinen männlichen Geruch ein. Sie roch Leidenschaft und Potenz, Kraft und Geschicklichkeit.

»Ich habe zufällig etwas Zeit, wenn du willst«, sagte er und legte die Wachstafel auf die Theke. »Bleib still stehen und spreize deine Beine. Wer braucht schon lange Einführungen?«

Sie starrte ihn verständnislos an.

»Du lechzt nach Lust und Liebe, nicht wahr? Um diese Tageszeit geht niemand in eine Taverne, und du hast kein langes Vorspiel mehr nötig. Ergreifen wir die Gelegenheit, die Amor uns geschickt hat!«

»Hier? Jetzt?« fragte sie im Flüsterton.

»Hier. Jetzt.«

Er blickte entschlossen drein.

Seine Hand griff unter seine Tunika und löste das Lendentuch. Auf seinem Gesicht lag ein Anflug von Vergnügtheit.

»Ich denke nicht daran, jetzt noch irgendwo anders hinzugehen. Ich bin mehr als bereit, dir die

Lust zu verschaffen, die wir beide wollen – hier, überzeuge dich selbst.«

Seine Aufforderung erhöhte noch ihre Neugier. Sie schob eine Hand unter seine Kleidung und fühlte, daß er gewaltig und hart war. Und gleichzeitig fühlte sich das Ding wunderbar weich an, so samten. Die pulsierende Wärme bewies ihr, daß ihre Experimente mit den groben Holzstielen nichts als billiger Ersatz waren. Seine Größe überraschte und erregte sie. Ja, sie wollte dieses Symbol der Manneskraft in sich spüren, sie wollte, daß es hart und kräftig in sie eindrang. Bis zum Anschlag.

»Sei nicht so schüchtern. Du kannst deine Finger bewegen. Ein Phallus fühlt sich gut an, genauso gut, wie du dich anfühlst, nur anders.«

Sie zupfte am Stoff des Lendentuchs, zog es zur Seite und konnte jetzt den Penis deutlicher sehen. Er zuckte und sprang ihr entgegen, und unwillkürlich wich sie zurück, aber dann siegte ihre Neugier und hielt ihn mit beiden Händen, als hätte sie Angst, er könnte davonrennen oder himmelwärts fliegen.

Das herrliche Gefühl der Hitze und das Versprechen von Kraft überwältigte sie. Sie bewegte ihn langsam in ihren Handflächen und labte sich an dem ungeheuren Geschehen. Behutsam legte sie einen Finger auf die Spitze und ließ ihn über die gespannte Haut kreisen. Sie drückte mit Daumen und Zeigefinger leicht gegen den geschwollenen Kopf.

Sie wußte, daß sie ihn erregte, denn der Schaft zuckte immer wieder, als ob Wellen der Wollust ihn durchliefen. Er war jetzt auch noch härter als eben noch, und wenn sie sich nicht ganz täuschte, war er auch noch ein bißchen gewachsen. Oh, er würde ohne Schwierigkeiten in sie hineingleiten.

Er zog sie an sich, legte die Hände auf ihre Brüste und drückte sie vorsichtig. Er zog geschickt das Kleid über ihre Schultern nach unten, bis ihre prächtigen Brüste entblößt waren. Er umfing sie mit seinen Händen und streichelte sie. Die Finger glitten zu den Brustwarzen, drückten sie, aber nicht zu fest. Er schien genau zu wissen, was sie am liebsten hatte, und es fiel ihr nicht schwer, sich ihm ganz zu überlassen.

»Ich weiß, wie frustrierend es sein kann«, murmelte er. »Man reibt und drückt und hofft. Ich wette, daß du manchmal bis zu einer Stunde herumstreichelst, bis du anschwillst wie eine Blase. Aber du findest die Erlösung erst, wenn sich der kleine Knopf, die Quelle deiner größten Lust, aufgeplustert hat. Dann pocht er wie wild, und du willst nicht, daß dieses Gefühl jemals aufhört.«

»Woher weißt du all diese Dinge?« flüsterte sie.

»Ich spreche mit Frauen. Ich weiß, wie sie fühlen. In der Dunkelheit deiner Schlafkammer streichelst du dich selbst, und wenn du spürst, daß du kurz davor bist, nimmst du die Hand weg, um den Augenblick hinauszuzögern. Ich kann dich vor mir sehen, ich höre deinen Atem, der immer kürzer wird. Ich wette, daß du dich in manchen Nächten wund gerieben hast. Aber selbst dann erlebst du nicht immer den Zenit.«

Sie barg ihr Gesicht an seiner Brust, verwundert und beschämt, weil er sie durchschaut hatte.

»Dann bist du älter geworden und bist auf den Gedanken gekommen, daß du etwas anderes brauchst als deine Hand, um wirklich glücklich zu werden. Und du hast herausgefunden, daß der Phallus eines Mannes genau das richtige Stück für dich wäre, nicht wahr?«

Die ganze Zeit streichelte er ihre Brüste, und Daumen und Zeigefinger rieben sanft über die Warzen. Er wandte ihre eigene Methode an, aber er bescherte ihr eine unvergleichlich höhere Lust. Seine Hände waren etwas rauher als ihre eigenen, sie kratzten sogar ein bißchen, aber es tat ihr gut, oh, so gut. Sie drückte ihren Oberkörper dichter an ihn und stöhnte auf, als er die empfindlichen Halbkugeln zu kneten begann.

»Du bist ungeduldig, nicht wahr? Aber dieses Spiel verlangt nach zweien. Du hast mich gesehen, aber ich sehe noch zu wenig von dir.«

Sie warf den Kopf zurück in den Nacken und spürte, wie der Phallus gegen ihren Bauch drückte.

»Der Sklave wird bald zurück sein«, murmelte sie. Plötzlich überkam sie ein Gefühl von Unschuld und Schüchternheit – es wurde ihr bewußt, daß das, was er mit ihr tun wollte, gegen die Regeln der Gesellschaft und gegen die Moral verstieß. Die halböffentliche Situation hier in der Taverne, wo sie jeden Augenblick überrascht werden könnten, verschlimmerte ihr Verhalten noch.

»Du hast so etwas noch nie getan, nicht wahr?« fragte er, packte einen ihrer Schenkel und hob ihn an, schlang ihn um seine Hüfte. Sie ließ es mit sich geschehen, weil sie nicht gegen das Verlangen ankämpfen konnte, das in ihrem Körper tobte. Sie spürte, daß sich ihre geheime Stelle wie eine Blume in der Sonne öffnete. Scheu schlang sie einen Arm um seinen Nacken. Sie fuhr mit der Zunge über seinen Hals. Obwohl sich ihr Gewissen meldete, wußte sie, daß sie nicht umkehren würde – sie wählte den Weg ins Abenteuer, nicht in die Anständigkeit.

Er hob ihr Bein noch höher an, so daß sie fast schwebte, und um die Balance zu halten, mußte sie sich an seinen Körper klammern. Sie schlang auch den anderen Schenkel um seine Hüfte, und mühelos hielt er ihr Gewicht, indem er beide Hände unter ihren Hintern schob und die Backen kräftig knetete. Er kniff auch ein paarmal, was sie lüstern aufschreien ließ.

Er zog sie höher und spreizte seine Beine, und nun konnte sie seinen Schaft spüren, der ungeduldig gegen ihren glatten Hügel klopfte. Er ließ ihn absichtlich über die geheime Öffnung gleiten, die in den Säften ihres Verlangens badete. Oh, was für ein Gefühl! Endlich spürte sie die pochende Männlichkeit an ihrem klaffenden Schlitz. Er schaute ihr in die Augen und lächelte sanft.

»Das gefällt dir, nicht wahr? Du willst mich haben. Du bist bereit für mich, ich spüre deinen Feuerofen. Aber du sollst noch ein bißchen länger warten.«

Sie stöhnte nur selig auf, leckte seinen Hals und knabberte an seinem Ohrläppchen.

Er hielt sie an den Backen gepackt, und seine Finger schoben sich langsam vor, bis sie die geschwollenen Falten ihres Geschlechts erreicht hatten, die vom Tau ihrer Lust feucht sein mußten, dachte sie. Einen Finger schob er weiter, forschend, reibend, testend. Sanft stieß er gegen eine Barriere.

»Du bist wirklich eine kleine Unschuld«, sagte er überrascht. »Ich werde dir die Dinge beibringen, die du so gerne wissen möchtest. Wieso hast du es so lange ohne Mann ausgehalten? Sind nicht alle von deiner Schönheit und deiner sinnlichen Weiblichkeit überwältigt gewesen?«

»Sie alle waren inkompetent«, stieß sie hervor. »Ich habe auf einen Besseren gewartet.«

Er trug sie mühelos zum Spieltisch und legte sie behutsam nieder. Ihre Beine waren noch gespreizt, weil sie bisher die Schenkel um seinen Leib geschlungen hatte. Er legte eine Hand auf ihr Knie, womit er verhindern wollte, daß sie die Beine aus Schüchternheit wieder schloß.

»Berühre dich mit deiner Hand.« Es klang wie ein Befehl.

Sie wandte den Kopf zur Seite und biß sich auf die Lippe. Man sah ihr an, daß sie verwirrt war.

»Du bist also nichts als ein Spanner«, rief sie. Enttäuschung breitete sich in ihr aus. Sie starrte ihn wütend an.

»Tu, was ich dir sage.«

»Warum?«

Er lachte. »Es war schön, dir zuzusehen, als ich in der Tür stand. Du hast so zufrieden und friedlich ausgesehen, als du dir mit deinen Fingern Vergnügen bereitet hast. Ich habe dich aus eigensüchtigen Motiven gestört – ich dachte, du würdest mich nicht mehr brauchen, wenn du dich selbst zum Höhepunkt gebracht hättest. Außerdem gehört es sich nicht, daß man einer Dame die ganze Arbeit überläßt.«

»Du hast mir eine lange Zeit zugesehen?« fragte sie, und eine tiefe Schamröte überflutete ihr Gesicht.

»Lange genug.«

Sie mochte sein Lächeln, es war nicht überheblich, sondern warm und freundlich. Verständnis las sie in diesem Lächeln.

»Du brauchst dich nicht zu schämen. Es ist so selten, daß man in dieser prüden Gesellschaft eine Frau findet, die weiß, was sie will und sich zu dem bekennt, was sie braucht. Die meisten schürzen die Lippen, schauen verächtlich und geben vor, schockiert zu sein.«

»Hast du Angst, es mit mir zu tun?« fragte sie herausfordernd, denn sie befürchtete, er könnte ein Maulheld sein, einer, der große Sprüche machte und nichts ablieferte.

»Ich möchte wissen, was dir Lust bringt. Woher sonst soll ich erfahren, was ich mit dir anstellen soll? Oder wäre es dir lieber, daß ich mit dir das tue, was ich schon hundertmal mit anderen Frauen getan habe? Vielleicht ziehst du etwas anderes vor, und dann wärst du enttäuscht. Aber ich möchte keine Dame enttäuschen, das ist wider meine Natur.«

Sie fühlte sich entspannt und ungehemmt, und in dieser Stimmung führte sie einen Finger in ihre pochende Vulva, während sie den Blick nicht von ihm wandte.

»Du bist schön«, sagte er andächtig. »Es ist nicht nur dein langes schwarzes Haar, die ebenmäßige Form deines Gesichts, die großen dunklen Augen ... du bist auch hier schön ...« Er kniete sich vor ihr auf den Boden und schaute unentwegt auf die Stelle, die von ihrem Finger vereinnahmt wurde.

»Schön wie eine Sonnenblume, die sich öffnet«, murmelte er ergriffen. Er drückte seine Lippen auf die Stelle und rieb leicht mit der Zunge darüber.

Sie schüttelte sich vor Wonne und Wärme. Das Feuer in ihr loderte höher als zuvor. Mehr als sie sagen konnte, verlangte sie nach ihm und der Lust, die er ihr bereiten konnte. Seine Zunge tupfte über die geschwollenen Lippen, fuhr dann in langen Strichen an ihnen entlang, ehe sie zur Klitoris zurückkehrte, und er sog den Nektar auf, als wäre er lebenspendendes Wasser.

»Du schmeckst besser als guter Wein. Selbst der Kaiser kennt solchen Genuß nicht.«

Er hob den Kopf, schaute sie an und brachte ihre Hand wieder in die alte Position. »Mach weiter«, drängte er sie. »Ich sehe so gern in dein Gesicht, wenn du das tust. Du bist eine Frau, die ihre Freude an der intimen Entspannung hat. Es ist ungewöhnlich, eine so junge Genießerin vor sich zu haben. Wie bei jeder Kunst, ist auch der Genuß eine Gabe, die uns allen gegeben ist, aber die meisten nehmen sie nicht an. Freilich kann man auch durch Erfahrung noch ein Stück dazu lernen.«

Sie öffnete die Augen, und es war ihr bewußt, daß sie ihm ein schamloses Bild bot. Ihre Beine waren weit gespreizt, und er stand dazwischen, sein Phallus waagerecht und zitternd.

Sie zuckte zusammen, als sie draußen plötzlich das Herannahen hastiger Schritte hörte. Sie stieß einen leisen Schrei aus.

»Bleib, wo du bist«, sagte er, ohne seinen Blick von ihrem glatten Dreieck zu wenden. »Von der Tür aus kann man dich nicht sehen, und ich will dich weiter beobachten. Mach weiter mit deinen Fingern, ich will deine Lust sehen.«

»Ist der Tavernenwirt zu sprechen?« dröhnte eine männliche Stimme in das Schweigen hinein.

»In den nächsten Stunden nicht.«

Marcella sah, daß der geheimnisvolle Fremde, der ihr diese Lust verschaffte, kaum den Kopf wandte, um der Stimme zu antworten.

Sie wußte, daß der Ankömmling bestenfalls seine Konturen sehen konnte, sie selbst blieb ihm ganz verborgen.

»Ich muß ihn so bald wie möglich sprechen.« Jetzt wurde die Tür wieder halb zugezogen.

Die Schritte entfernten sich, und der Mann drehte sich wieder ihr zu und kniete sich zwischen ihre Schenkel. Er zog ihre Knie an, bis die Fersen fast ihren Hintern berührten. Einladend breitete sich ihre Vulva aus.

»Vielleicht bleibt uns keine Zeit mehr«, raunte der Mann.

Er fuhr vorsichtig mit einem Finger in sie hinein.

Sie sprang hoch, saß jetzt auf dem Tisch und griff nach dem steifen Schaft seiner Männlichkeit. Sie drückte ihn sanft und schüttelte sich vor Wonne ob der Kraft, die dieser Teil von ihm verströmte.

»Ich möchte dich in mir spüren«, murmelte sie. Ihre Wollust ließ sie alle Hemmungen verlieren.

Er fummelte unter seiner Tunika, legte sie wieder behutsam auf den Rücken und schob erneut einen Finger hinein, dann den nächsten. Offenbar plazierte er ein Schwämmchen in ihre Vagina, und dabei erreichte er eine viel intensivere Tiefe, als ihr das jemals gelungen war.

Sie spürte, wie er in sie hineinfuhr, wie er ihre inneren Wände abtastete und schließlich zwei Finger in ihr hin und her schob. Sie spürte einen Zwang in sich, den Schoß in seine Richtung zu drücken, um ihm den Zugang zu erleichtern.

»Was machst du?« flüsterte sie voller Furcht und Erwartung.

»Ich sorge dafür, daß du geschützt bist.«

»Ich will *dich* in mir spüren, nicht nur ein bißchen Schwamm. Komm jetzt«, stöhnte sie.

Er lachte leise auf und trat näher an sie heran. Er hob ihre Beine an und legte sie um seine Hüften. Sie spürte seinen pochenden Penis, der mit köstlicher Süße gegen den verbotenen Eingang ihres Körpers klopfte.

Sie schob sich ihm entgegen, und im gleichen Moment stieß er in sie hinein, so daß sie in einem mächtigen Atemzug tief miteinander verbunden waren.

Herrliche neue Gefühle durchfluteten ihren Kopf, und vor Lust wurde sie fast benommen, aber sie wollte nicht ohnmächtig werden, sie durfte diese Wonne nicht verpassen. Er stieß jetzt tiefer in sie hinein, und sie fühlte sich, als müßten in ihr die Funken sprühen. Sie konnte nicht mehr klar denken, sie stand in Flammen, sie wölbte ihren Rücken und stieß ihm entgegen, hob den Hintern hoch vom Tisch und ruckte wild auf und ab.

Sie stützte sich mit den Händen auf dem Tisch ab und fuhr mit der Zunge an seinem Kinn entlang. Er beugte den Kopf, und jetzt trafen sich ihre Lippen. Er stieß die Zunge in sie hinein, und augenblicklich paßte sie sich dem Rhythmus des Phallus an. Sie fühlte eine solche Ekstase in sich, die sie nicht für möglich gehalten hatte.

»Du sagst, daß euer Sklave bald zurück sein wird. Würde es deine Lust noch erhöhen, wenn er dir zuschaute?« murmelte er, während er mit der Zungenspitze über ihre Lippen fuhr. »Hast du dich deshalb in aller Öffentlichkeit so schamlos gezeigt? Ich meine, weil du damit rechnen mußtest, jemand könnte hereinkommen?«

»Oh, Juno und Minerva mögen meine Zeugen sein, aber ich weiß es nicht!« rief sie gepreßt. Sie stieß ihm entgegen, aber er hielt sie fest. »Bitte, bitte, führe es zu einem schönen Ende!«

Sie wußte, daß er sie mit Absicht neckte, er wollte ihre Lust noch steigern, und vor allem wollte er, daß sie ihn anbettelte. Sie zog ihre inneren Muskeln an. Er sollte die Glut ihres Feuers spüren. Sie führte ihn jetzt, hatte zumindest einen Teil der Kontrolle übernommen.

»Du hast gesagt, daß dies ein Akt für zwei sei«, sagte sie. »Also, dann erledige deinen Teil«, flüsterte sie heiser und voller Ungeduld, während sie wieder an seinem Ohrläppchen knabberte.

»Jupiter, ich möchte dich ein paar Stunden lang genießen, aber dort, wo uns niemand stören kann.«

Er stieß jetzt heftig und schneller zu, und er setzte eine Kraft ein, die ihren Körper in köstliche Zuckungen versetzte. Sie umfaßte seinen Torso mit beiden Armen, als wollte sie ihn noch tiefer in sich hineinziehen. Bei jedem seiner Stöße blieb sie die Antwort nicht schuldig.

Ihr Körper explodierte, zersprang in Tausende kleine glitzernde Fasern der Lust. Die Erlösung lockerte ihre Muskeln, und dann wurde sie von seinen Armen geschüttelt, als er sich in ihr ergoß, zuckend, mit einem langgezogenen Aufschrei. Er legte sich über sie und stützte sich auf den Ellenbogen ab.

Er küßte sie sanft. Der energiegeladene Wahnsinn der vorangegangenen Minuten war vorbei und wurde ersetzt von einer Zärtlichkeit, die sie überraschte. Sie lächelte ihn im Halbdunkel scheu an und wischte ein paar Schweißtropfen über seinen Brauen ab. Sein fein geformtes Gesicht hatte Ähnlichkeit mit einer Bronzestatue.

Von der Straße drang ein Geräusch herein, und der erregende Gedanke, tatsächlich erwischt zu werden, währen der Phallus eines fast Fremden in ihr steckte, ließ sie schaudern. Sie blickte über seine Schulter hinweg zur Tür.

»Vielleicht hast du recht«, murmelte sie. »Vielleicht würde es mir Spaß machen, dabei beobachtet zu werden – solange ich später nicht in Schwierigkeiten gerate.«

»Es ist nichts Verworfenes daran, anderen Menschen deine Talente zu offenbaren, auch wenn sie auf einem Gebiet liegen, das von der Öffentlichkeit nur stirnrunzelnd und gelegentlich auch mit Verachtung hingenommen wird.«

Sein Lächeln schwand, als ein leichtes Beben das Gebäude schüttelte.

»Das Ende meines Müßiggangs«, sagte er und richtete sich auf. Die abrupte Trennung kam ihr so schmerzlich vor, als hätte sie einen Teil ihres Körpers verloren.

Auch sie richtete sich auf und strich ihr Kleid glatt. Sie sah, daß seine Tunika sich um den noch halb steifen Penis verfangen hatte.

»Laß mich das tun.«

Sie kniete vor ihm nieder und nahm den Stoff in die Hände, aber dann tauchten ihre Hände in die Falten der Tunika . Sein Schaft zuckte schon wieder, als sie ihn liebevoll hielt.

»Du bist noch nicht ganz fertig, nicht wahr?«

fragte sie, während sie versonnen über die gespannte Haut strich.

»Für den Augenblick sehr wohl«, sagte er lächelnd. »Gib mir eine Stunde Zeit. Es gibt wohl keine Frau auf der Erde, die mich völlig befriedigen kann.«

Er band sein Lendentuch und richtete sich auf, und von einem Moment zum nächsten hatte er sich wieder unter Kontrolle.

»Im Forum läuft nicht viel, alles liegt da wie tot«, beschwerte sich Terentius, als er die Tür weit aufdrückte und hereinkam. »Das muß ausgerechnet mir passieren – daß man mir meine Freizeit gibt, wenn draußen absolut nichts los ist.«

Marcella war benommen von der raschen Veränderung der Atmosphäre.

»Soll das eine Herausforderung sein?« Sie schaute den Fremden an, der jetzt ihr Liebhaber war.

»Es ist nicht meine Angewohnheit, Frauen vor unlösbare Aufgaben zu stellen, aber wenn du willst, kannst du meine Bemerkung so interpretieren.«

Sie rechnete damit, daß Terentius Zeit brauchte, bis sich seine Augen an das Halbdunkel gewohnt hatten, nachdem er draußen in der gleißenden Nachmittagssonne gewesen war. Deshalb blieb ihr noch eine Weile, bis sich die Erregung in ihr gelegt hatte und nicht mehr sichtbar war, denn ihre Wangen fühlten sich noch ganz heiß an, und bestimmt würden sie dunkelrot sein. Ihr Geschlecht war noch stark geschwollen, und beim Gehen rieben die dicken Lippen gegeneinander.

»Alles ist in bester Ordnung«, sagte ihr Liebhaber

in einem schneidigen Ton, als ob sie bisher über Dienstliches diskutiert hätten. Er trat vor und hob die Wachstafel auf.

Marcella fühlte sich gleichzeitig zufriedener und aufgeweckter, als sie so schnell wieder in die Wirklichkeit zurückging und den traumhaften Zustand, in dem sie sich befunden hatte, hinter sich ließ.

Der Fremde schritt zur Tür und drehte sich dort noch einmal um.

»Ich kenne deinen Namen nicht!« rief sie, und plötzlich überkam sie eine eigenartige Panik.

»Den wirst du herausfinden«, sagte er kurz angebunden. »Ich meine, wenn du interessiert genug bist.«

»Du bist kein Offizieller des Rates, nicht wahr?« fragte sie argwöhnisch.

»Ich bin sehr offiziell«, sagte er, und in seiner Stimme schwang ein Lachen mit.

Marcella wurde ganz schlecht, als ihr bewußt wurde, daß sie ihn vielleicht nie wiedersehen würde. »Das war doch eben eine Herausforderung, nicht wahr?« wollte sie wissen.

»Gewiß.« Er lachte. »Aber sei gewarnt – du wirst sie nicht bestehen.«

## Zweites Kapitel

Als sich die Taverne mit Gästen füllte, erholte sich Marcella allmählich von diesem Anschlag auf ihre Sinne, als der sich das Geschehen am Nachmittag erwiesen hatte. Alle äußeren Anzeichen ihres wilden Abenteuers waren verschwunden, und ihr Körper war bis obenhin angefüllt mit einem neuen, herrlichen Gefühl des Wohlbehagens.

Am Spieltisch saßen zwei Spieler, die von ihren Freunden angefeuert wurden.

»Noch einen Becher vom Feinsten!« rief ein schmutziger Maurer und wischte sich die laufende Nase an der Tunika ab.

»Laß deine Hände von mir!« fauchte sie wütend, als der Kerl ihren Hintern tätschelte. »Hast du schon vergessen, daß mein Onkel dich letzte Woche verwarnt hat?«

»Nein, natürlich nicht. Aber ich dachte, es könnte dir ein bißchen gefallen ...« Er lachte derb.

»Da täuschst du dich gewaltig!« sagte sie laut. »Ich könnte nie so tief sinken, daß es mir gefallen würde, von einem ungewaschenen geilen Bock von Maurer angefaßt zu werden.«

Der Mann war nicht beleidigt. »Dein Onkel ist auf der Straße und quatscht. Du könntest dir rasch einen verpassen lassen.« Dabei versuchte er erneut, mit einer klobigen Hand unter ihr Kleid zu fassen.

Sie schlug ihm auf die Hand, trat einen Schritt zurück und klatschte dann eine Hand in sein Gesicht.

»Du hast dich vergangene Woche bei ihm entschuldigt, weil er dich sonst nicht mehr in die

Taverne gelassen hätte. Also, begnüge dich mit deinem Becher und halte deine Finger bei dir!«

Seine Freunde lachten, und er rieb sich die Wange.

»Die Bordelle sind voll mit Mädchen, die mir für ein paar Münzen das geben, was ich will. Bilde dir nur nicht ein, etwas Besonderes zu sein. Du hast auch nur zwei Titten und 'ne Möse.«

»Ihr seid alle widerlich!« rief sie angeekelt. »Ihr gehört zu dem Abschaum, der für Frauen zahlen muß. Und ihr müßt zahlen, weil es keine Frau gibt, die sich von einem von euch aus Liebe oder Mitleid anfassen läßt.«

Sie wurde rot, als sie hörte, was sie ihr alles nachriefen, aber tief in ihrem Inneren war sie so entspannt und gelöst, daß die Schimpfworte sie nicht berühren konnten.

»Dieser Mann war kein Beamter«, sagte Terentius und gluckste heiser, während er Wein aus einer neuen Amphore in kleinere Kannen goß.

»Er muß einer sein«, sagte sie rasch, aber dann zuckte sie mit den Achseln, um ihm zu zeigen, wie gleichgültig ihr das war – was absolut nicht zutraf.

»Ich habe noch nie einen Schreiberling gesehen, der solche Muskeln hat, und auch keinen Arbeiter, der sich so herausputzt. Er muß Stunden in den Bädern verbringen – selbst seine Ohren und Fingernägel waren sauber. Das ist dir doch wahrscheinlich auch aufgefallen, oder?«

Sie kommentierte das nicht.

»Das bedeutet«, fuhr er fort, »daß er wohlhabend genug ist, sich Sklaven zu halten, die sich um sein Wohlergehen und um sein Aussehen kümmern.«

Er mischte Wasser dem Wein bei und verrührte das Gemisch ausgiebig. »Er ist ein Mann der Tat, kein Stifthalter. Sein Bart war gerupft, nicht rasiert. Das bedeutet, daß ihm der Schmerz nichts ausmacht, und wahrscheinlich ist er oft unterwegs, so daß er nicht jeden Tag zu einer Rasur kommt. Außerdem kenne ich alle die gekrümmten Rücken der Schreiberlinge aus der Verwaltung.«

»Wer war er denn?« fragte sie, weil sie ihre Neugier nicht mehr unterdrücken konnte. »Du mußt doch wenigstens seinen Namen kennen.«

»Ich weiß natürlich nicht, wer er war«, sagte er und goß das Wein-Wasser-Gemisch aus den Kannen in kleinere Krüge. »Ich habe ihn noch nie gesehen. Er war ein durchreisender Fremder, der wegen der Hitze des Tages das Verlangen nach einem kühlen Trunk verspürte. Wahrscheinlich war er auf dem Weg zum Hafen und will nach Griechenland. Er hat doch nicht den hiesigen Dialekt gesprochen, nicht wahr?«

»Nein, er hat wie einer aus Rom gesprochen. Er war kein Plebejer, und er hatte eine gewisse Ausstrahlung«, sagte sie versonnen. Wie sollte sie ihn wiederfinden, wenn niemand wußte, wer er war?

»Dann kommt er also für dich nicht in Frage«, stellte Terentius fest.

Sie bedachte ihn mit einem verächtlichen Blick und griff nach einem der gefüllten Weinkrüge. »Ich wollte nur wissen, woher er kam, denn er ist gegangen, bevor ich ihn danach fragen konnte. Das ist mein ganzes Interesse an ihm.«

»Natürlich, meine Dame. Sie waren auch nicht angetan von ihm. Und Sie wollen ihn auch nicht wiedersehen. Ha, ha. Aber du glaubst ja auch nicht, daß der Berg bald ausbricht. Wir werden ja sehen, wer recht hat.«

»Wenn vom Berg eine Gefahr ausginge, hätte die Verwaltung uns längst gewarnt«, gab sie zurück. »Warum sonst konsultieren die Auguren die heiligen Tiere? Sie haben keine Vorahnung eines bevorstehenden Unglücks gespürt, also gibt es auch keins.«

»Vor siebzehn Jahren hat es auch keine Vorwarnungen gegeben, und sieh doch, was passiert ist!« Er zeigte auf den breiten Riß, der quer durch die Decke der Taverne lief. Spinnen hatten die Öffnungen mit Geweben und toten Fliegen gefüllt. »Sie haben immer noch nicht die Schäden behoben, deshalb sieht die Stadt ja wie eine einzige Baustelle aus. Und dieses Mal wird die Katastrophe noch entsetzlicher sein.«

»Ich war damals gerade erst auf der Erde, aber ich weiß, daß du übertreibst«, fauchte sie ihn an, denn sie war seine Schwarzmalerei leid. »Ich treffe mich mit Lydia.«

An der Tür zur Straße blieb sie stehen und schaute hinüber zum Spieltisch. Von hier aus konnte man nur das eine Ende des Tisches sehen, genau dort, wo sie gelegen hatte.

Plötzlich stand Terentius neben ihr. Er sah sie grinsend an. »Du hast mich zwar nicht gefragt, aber ich sage es dir trotzdem. Ich hatte einen interessanten Nachmittag. Du hast wohl geglaubt, du hättest Glück gehabt, daß ihr zwei gerade fertig wart, als ich zur Tür hereinkam, was? Ha! Ich war schon viel früher zurück!«

Sie schüttelte sich bei der Vorstellung, daß er ihre

geheime Stelle gesehen und den ganzen Akt verfolgt hatte, sogar ihren unbändigen Orgasmus.

»Es ist schon Jahre her, daß ich einen so jungen und frischen Schoß gesehen habe. Es hat mir viel Spaß bereitet.«

»Du kleiner mieser Kerl! Wie kann man sich nur so erniedrigen? Ich habe nichts getan, dessen ich mich schämen müßte – absolut nichts!«

Eine Stunde später klopften Marcella und Lydia an die schwere Holztür unter dem reich verzierten Steinsturz, Haupteingang zum Haus von Lydias Herrschaft. Das Mosaik eines wilden Tieres warnte: *Achtung vor dem Hund,* und prompt hörte man ein wütendes Bellen, als von innen mehrere Riegel zurückgeschoben wurden.

»Ob ein Phallus dicker, länger und muskulöser wird, wenn man ihn oft benutzt?« murmelte Marcella: »Oder haben sie alle dieselbe Größe? Oh, ich kann es kaum erwarten, die Bilder zu sehen.«

»Beruhige dich, Marcella. Sie werden ahnen, daß wir nichts Gutes im Schilde fühlen, wenn du so aufgeregt bist«, zischte Lydia ihr zu.

Der Pförtner ließ sie ins kühle, mit Marmor ausgelegte Innere treten. Hohe Säulen wiesen das Haus als stattliches Gebäude aus, ganz im Gegensatz zu den kleinen Zimmern hinter der Taverne, in denen Marcella lebte.

Schweigend schritten sie Richtung Innenhof, als ob sie sich sonnen wollten. Sie versuchten beide, unschuldig und arglos auszusehen, konnten aber ihre Ungeduld kaum verbergen, als sie sich dem verbotenen Zimmer näherten.

Der Verwalter kam aus den Quartieren des Personals und schimpfte laut mit jemandem, der nicht zu sehen war. Die Mädchen blieben wie angewurzelt stehen, als sie sich von ihm ertappt fühlten. Er musterte Marcella kritisch, sah das einfache Kleid und die Ausgehsandalen.

Tiefe Falten durchzogen seine Stirn, und sein Blick war durchdringend, fand Marcella. Sie kam sich nackt vor.

»Ich habe ein großes Problem«, sagte er zu Lydia. »Wer ist sie? Kann sie am Tisch bedienen? Welche Qualifikation hat sie?«

Marcella hielt die Luft an und hörte gespannt zu, was Lydia zu sagen hatte.

»Sie arbeitet in der Taverne ihres Onkels«, sagte Lydia rasch. »Wir sind schon seit Jahren befreundet.«

»Der Herr und die Herrin haben kurzfristig zu einer Gesellschaft eingeladen, um ihren Gästen die Wandgemälde zu zeigen, und wir haben nicht genug Personal dafür. Es ist keine harte Arbeit. Man muß gut genug aussehen, damit den Gästen das Essen nicht hochkommt, aber nicht so gut, daß die Frauen eifersüchtig werden.«

Marcella nickte und versuchte, ihre freudige Erregung nicht sichtbar werden zu lassen.

»Keine auffälligen Ohrringe, keine Armreifen, keine Fußspangen, keine Ringe. Und am wichtigsten ist – nicht flirten. Glaubst du, du schaffst das?«

Sie schlug die Augen nieder und hielt die Hände verkrampft vor sich. Mit allen Mitteln versuchte sie, nicht an die Szenen zu denken, die sie auf den Wandgemälden vermutete.

»Was soll ich tun«, fragte sie, den Blick immer

noch gesenkt, »wenn ein Mann zu aufdringlich wird?«

»Wenn ich das noch nicht gesehen und dich nicht aus der Situation herausgeholt habe, kommst du zu mir. Ich schicke dich dann in die Küche, als gäbe es dort etwas Wichtiges zu tun. Wir regeln solche Dinge auf diplomatische Weise.«

Sie nickte.

»Du scheinst für die Aufgabe geeignet«, verkündete er. »Lydia wird dir die Einzelheiten mitteilen.« Er betrachtete sie noch einmal prüfend, und dabei blieb sein Blick zu lange an ihrem Busen haften, ehe er sich umdrehte und schnellen Schrittes verschwand.

»Die neuen Bilder sollen die Gäste aufmuntern«, sagte Marcella. »Ich wette, daß wir einige interessante Dinge zu sehen bekommen. Die Gesellschaft könnte in eine einzige Orgie ausarten. Ich kann es kaum noch erwarten!«

Lydia öffnete eine Tür. Vor ihnen lag das fensterlose Speisezimmer, in dem die Luft stickig war. Es gab keine Einrichtung, aber auf dem Boden standen viele Farbtöpfe, Pinsel und Quasten verschiedener Größe lagen auf mit Farben bekleckerten Tüchern. In einer Ecke lag ein Sack Gips, daneben stand ein Krug, bis obenhin mit Wasser gefüllt.

Marcella strengte die Augen an, um in dem fast dunklen Raum die Einzelheiten der Gemälde zu erkennen. Sie sah pastellfarbene Gestalten vor einem dunkelroten Hintergrund.

Je mehr sich ihre Augen an das Dämmerlicht gewöhnt hatten, das zwei Wandlampen spendeten, desto deutlicher konnte sie einzelne Gestalten ausmachen. Die Wände waren in Abschnitte zwischen geschwungenen Tüchern und marmornen Säulen aufgeteilt, und dazwischen lief das Szenario des Malers ab.

»Sie stehen einfach nur da und tun nichts«, flüsterte Lydia enttäuscht.

»Nein! Schau genau hin!«

Marcella trat näher heran und betrachtete die Gestalt eines jungen Mannes in einer hellbraunen Tunika.

Er beugte sich zu einer Frau im blauen Kleid vor.

»Ich dachte zuerst, daß sich die Frau bückt, um Blumen zu pflücken, aber ihren Rock hat sie bis zu den Hüften gehoben, und sie hält sich mit beiden Händen auf einer niedrigen Mauer fest. Schau dir den gewaltigen Phallus dieses Mannes an!«

»Er steht hinter ihr!« rief Lydia aus.

»Er ist gerade dabei, von hinten in ihre Öffnung zu stoßen!«

»Man kann ihre geheime Stelle nicht sehen.« Lydia klang immer noch enttäuscht, während Marcella sich intensiv den Rest der Szene anschaute. Neben dem Paar an der Mauer stand ein anderes. Die Frau lehnte rückwärts über einem Tisch und hatte ein Bein gehoben wie eine Tänzerin. Der Phallus auch dieses Mannes wies gewaltige Ausmaße auf, als er sich der Frau näherte.

»Schau dir die Frau an, deren Brüste aus ihrem Kleid fallen«, murmelte Marcella.

Lydia beugte sich vor, um das Bild zu inspizieren. »Man kann alle Einzelheiten erkennen«, flüsterte sie.

Mit großer Detailtreue hatte der Künstler das Dreieck der dargestellten Frau gemalt. Die Spalte öffnete sich leicht, weil sie das eine Bein gehoben hatte und um die Hüfte des Mannes schlang.

Marcella spürte, wie sich ihr Kleid zwischen ihren Schenkeln rieb. Sie schaute zu Lydia und sah, daß deren Gesicht vor Verlangen tief gerötet war. Unter dem dünnen Kleid zeichneten sich die steifen Brustwarzen ab.

»Das ist starkes Zeug – stell dir die fetten Kaufleute vor, wenn sie hier speisen. Noch bevor die Mahlzeit vorbei ist, sprengt jeder Phallus die Tunika, die ihn bedecken soll. Sie werden ihre Finger nicht von den Frauen lassen können. Ich wette, daß es eine heiße Gesellschaft wird!«

Lydia schlenderte zur anderen Wand.

»Hier befinden sich drei im Liebeskampf, schau mal!«

Ein Mann mit erigiertem Glied stand hinter einem anderen Mann, der dabei war, eine Frau zu penetrieren. Die Frau wandte sich den Betrachterinnen mit einem herausfordernden Blick und einem übertriebenen Grinsen zu.

»Das ist nicht sehr realistisch«, fand Marcella.

»Was meinst du?«

»Dieses Grinsen. Sie müßte vollauf damit beschäftigt sein, sich auf ihre Lust zu konzentrieren, da bleibt keine Zeit zu grinsen.«

»Woher willst du das wissen?« Lydia starrte sie im Halbdunkel an. »Marcella! Ich glaube, du hast einen Mann in dir gehabt! Was für ein Gefühl war es? Hat es weh getan? War es ein langer, dicker Phallus?«

Marcella wandte sich ab.

»Nun rede schon!« drängte Lydia. »Wir haben vereinbart, daß wir immer alles teilen!«

»Ich weiß nicht, wer er ist«, gab Marcella schließlich zu. »Und ich weiß auch nicht, wo ich ihn finden kann. Wie soll ich wissen, ob das Entzücken, das er mit bereitet hat, wirklich war? Ich habe den Akt vielleicht mit übertriebenen Gefühlen empfunden, weil es das erste Mal war.«

Lydia wandte sich wieder den Gemälden zu. »Ich glaube, du denkst dir bloß was aus, wenn du nicht einmal seinen Namen weißt. Wenn er so gut gewesen wäre, hättest du ihn gefragt. Dieses Bild ist noch deutlicher, schau mal!«

Ein Mann und eine Frau waren ineinander verkeilt, die Frau klammerte sich an dem Mann fest, sie schwebte über dem Boden, während der Mann sie tief penetriert hatte.

»Das muß sich sehr, sehr gut anfühlen«, murmelte Marcella. Ihr Atem ging schneller. Sie schloß die Augen und schlang ihre Arme um den Leib. Es war, als könnte sie den würzigen Geruch ihres Liebhabers wahrnehmen.

Sie erlebte die Szene noch einmal durch, als der Künstler unbemerkt ins Zimmer schlüpfte.

Er war jung, wenn auch nicht so jung, wie sich Marcella vorgestellt hatte. Sein krauses Haar war kurz geschnitten und rahmte sein Gesicht ein wie bei einer Marmorstatue. Er hatte einen wunderbaren Körper, schmale Hüften, schmale Schultern. Und auch die Waden waren nicht so muskulös wie die ihres Liebhabers. Er hatte feine Hände und lange Finger.

»Ich bin Petronius – Petro für die jungen Damen.« Zu Lydia gewandt, sagte er: »Dich habe ich ab und zu im Haus gesehen«, worauf Lydia sofort errötete. Dann sah er Marcella an. »Ich habe versucht, so viele Variationen der körperlichen Liebe zu malen, wie mir möglich sind. Ich habe eine lange Zeit in Rom verbracht, um mir Anregungen zu holen.«

»Du meinst, du schaust dir Bilder anderer Künstler an und läßt dich von ihnen inspirieren?« fragte Marcella. »Ist das nicht ziemlich langweilig?«

»Überhaupt nicht. Ich male das Leben. Alle Szenen in diesem Raum – und noch viele andere mehr – habe ich gesehen, erlebt. Es ist nicht möglich, solche Bilder zu malen, während die Szenen ablaufen, vor allem Männer wollen sich in solchen Posen nicht malen lassen. Außerdem wäre es ein bißchen viel von ihnen verlangt. Sie würden ihre Erektionen verlieren, während ich die Farben mische und auf den nassen Gips auftrage.«

Lydia kicherte hinter ihrer Hand, aber im nächsten Augenblick bemühte sie sich wieder um einen scheuen Ausdruck. Marcella erkannte, daß auch ihre Freundin von der freizügigen Unterhaltung erregt wurde.

»Darüber habe ich noch nie nachgedacht«, sagte sie mit gepreßter Stimme. »Die Fleischeslust scheint ein großer Bestandteil deiner Kunst zu sein«, sagte sie. »Bisher habe ich gedacht, daß nur Huren und ihre Beschützer damit Geld verdienen.«

»Wie nett du zu mir bist«, sagte er und zwinkerte ihr zu.

»Die praktische Umsetzung beim Malen obszöner Wandgemälde ist jedenfalls schwierig«, fuhr Marcella ungerührt fort. »Ich nehme an, du mußt schon an vielen Orgien teilgenommen haben.«

»Diese Gemälde sind kaum obszön zu nennen«, protestierte der Künstler. »Sie sind zahm im Vergleich zu einigen Szenen, denen ich beigewohnt habe. Es ist so gut wie unmöglich, in Rom zu leben, ohne zu wilden Gelagen geladen zu werden, obwohl sich die Zahl solcher Feste reduziert hat, seit Kaiser Nero gestorben ist. Das neue Herrscherhaus hat Maßhalten auf allen Ebenen gepredigt, obwohl man unter Titus wieder mehr Spaß haben kann als unter seinem Vater Vespasian.«

»Aber niemand kann Leute daran hindern, hinter geschlossenen Türen das zu tun, was sie tun wollen«, sagte Marcella voller Hoffnung.

»Als ich wußte, daß ich diesen Auftrag erhalten würde«, sagte Petro, »habe ich keine Einladungen mehr ausgeschlagen.« Er lächelte versonnen.

Marcella schaute ihn an, Neid im Gesicht. »Solche gesellschaftlichen Feste gibt es bei uns in Pompeji nicht.«

»Die Gesellschaften in diesem Haus können auch ziemlich heiß werden«, warf Lydia ein. »Aber eine richtige Orgie habe ich hier noch nicht erlebt.«

Petro lächelte die Mädchen an. »Das wird sich ändern. Die Leute zahlen nicht für solche Wandgemälde, um prüde Bekannte zu beeindrucken.«

Marcella warf Lydia einen triumphierenden Blick zu.

»Wie ich schon sagte«, fuhr Petro fort, »richtige Orgien sind rar geworden in Rom. Aber Pompeji ist eine kleine Provinzstadt, und ich bin sicher, daß es hier einen großen Nachholbedarf gibt. Und wenn einer der wohlhabenden Leute mit solchen Wandgemälden beginnt, dann wollen andere es bald auch haben. Nun, was sagen die Damen? Gefällt es euch?«

»Du malst wunderschöne Frauenkörper«, sagte

Lydia. »Die Brüste und die eh ... anderen Teile sind mehr als deutlich.«

Ihre Augen leuchteten, als sie ihn anschaute und lächelte. Er erwiderte das Lächeln, dann bückte er sich nach einem Pinsel und wischte ihn mit einem Tuch ab. Seine langen Finger strichen voller beabsichtigter Sinnlichkeit über den Holzstiel des Pinsels, während er Lydias Gesicht betrachtete, die vollen roten Lippen ansah, bevor der Blick auf den Busen fiel.

Marcella schaute von ihm zu ihr und sagte schließlich: »Mir gefallen die Bilder, sie erregen mich. Und ich sehe, daß Lydia auch Feuer gefangen hat. Ist das die Absicht solcher Gemälde? Ich meine, es sind keine kalten Bilder irgendwelcher Göttinnen, die man in anderen Häusern findet. Diese Gestalten sind aus Fleisch und Blut, sie leben.«

»Sie sind Tribute an die Macht der körperlichen Liebe. Wenn es mir gelungen ist, euer Blut in Wallung zu bringen, bin ich sehr zufrieden«, sagte er und trat näher an sie heran. Auf seinem Handrücken befand sich ein Farbklecks, und er rieb mit den Fingern der anderen Hand leicht darüber.

Sie konnte den schwachen Geruch seines Körpers über der Süße der Salben wahrnehmen, die noch vom nachmittäglichen Bad an ihm haftete. Deshalb waren auch seine Haare noch ein wenig klamm. Marcella sah, daß seine Erektion gegen den Stoff der Tunika drückte.

»Ich muß noch eine Figur malen, bevor ich nach Rom zurückkehre«, sagte er und sah Marcella an. »Es ist ein Bild der Venus, wie sie aus der Muschel aufsteigt, dazu eine ihr dienende Wassernymphe. Den Hintergrund habe ich schon fertig, ich habe ihn gemalt, während ich darauf wartete, daß diese Bilder hier trocknen, damit ich letzte Hand anlegen kann. Ich kann die Venus natürlich auch aus dem Gedächtnis malen, aber du hast eine schöne, verführerische Figur, und ganz besonders gefallen mir deine unwiderstehlichen fröhlichen Augen. Ich könnte dich als Modell der Venus gut gebrauchen, und Lydia würde ich dann als Wassernymphe malen.«

»Ich habe die Zeit nicht dafür«, murmelte Marcella und schlug die Augen nieder, damit er nicht sehen konnte, wie gern sie ihm Modell gestanden hätte. Die Vorstellung, sich vor diesem Mann auszuziehen und sich ihm nackt zu zeigen, erregte sie, denn ihm waren die Schönheiten des weiblichen und männlichen Körpers so vertraut, daß er sie in jedem Bild einfangen würde.

Seine Blicke brannten sich in ihre Haut, und ihr wurde bewußt, daß er sie in Gedanken auszog. Sie konnte beinahe körperlich spüren, wie er ihre Nippel berührte und sie mit seinen Fingern umkreiste.

»Ich wohne ein paar Straßen weiter«, sagte er und bückte sich nach einem anderen Pinsel. »Wenn du deine Meinung änderst und meine Inspiration sein willst, kannst du ja morgen früh vorbeikommen.«

# Drittes Kapitel

Marcella verbrachte eine unruhige Nacht, weil sie an ihre Abenteuer denken mußte, und weil sie erfahren mußte, daß ihre eigenen Hände ihr nicht annähernd die Befriedigung brachten, die der geheimnisvolle Liebhaber ihr beschert hatte.

»Hast du gespürt, wie die Erde gebebt hat?« fragte ihr Onkel, als sie am anderen Morgen die Küche betrat. Sie war noch ganz benommen vom Schlafmangel.

»Solche kleinen Beben erleben wir doch immer«, sagte sie leichthin. Sie konnte nur an das Beben ihres Körpers denken, an die Lust, die sie empfunden hatte. Sie war entschlossen, solche Genüsse zu wiederholen.

Ein paar Stunden später, nachdem sie ihrer Tante zwei Lügen aufgetischt hatte und nachdem es ihr nicht gelungen war, mehr über ihren geheimnisvollen Liebhaber herauszufinden, kletterte sie die Stufen zu Petronius' Bleibe hoch.

»Lydia war schon hier, aber nur, um mir zu sagen, daß sie mir erst später als Modell zur Verfügung stehen könnte«, sagte Petronius.

Seine beiden Räume waren spärlich eingerichtet. Der erste Raum enthielt nur Malerutensilien, dazu eine farbverschmierte Liege in einer Ecke und eine Kommode in der anderen. Vor der Liege stand ein kleiner Tisch. Durch die halb geöffnete Tür konnte sie ins Nebenzimmer schauen, wo es offenbar nur ein Bett und eine Kommode gab.

»Du lebst so hoch oben!« stellte Marcella fest. »Der Lärm der Straße ist kaum zu hören.«

»Das ist einer der wenigen Vorteile einer billigen Unterkunft«, sagte er lächelnd. »Trink ein Glas Wein. Er wird dich entspannen. Beim ersten Mal sind die meisten Modelle nervös. Bist du angespannt?«

»Es wird mir komisch vorkommen, mich vor einem Mann auszuziehen«, sagte sie, und sie wußte, daß es beim Ausziehen nicht bleiben würde. Der Künstler hatte eine völlig andere Gestalt als ihr erster Liebhaber, und sie wollte Erfahrungen sammeln. Wenn sie den Mann aus der Taverne wieder traf, wollte sie ihm mehr bieten als nur den Charme ihrer Unschuld.

»Selbst die erfahrenen Modelle sind nicht frei von Verkrampfungen, wenn sie daran denken, daß die Gesellschaft sie ächten wird, wenn man sie erwischt«, sagte er ruhig und reichte ihr einen Becher.

Sie nippte vorsichtig am Wein. »Er schmeckt gut«, sagte sie. Sie spürte, wie die Flüssigkeit ihre Adern aufheizte. Ja, der Wein entspannte sie.

Im Vergleich zu dem Mann in der Taverne war Petro ein Leichtgewicht, aber was sie an ihm faszinierte, waren seine großen seelenvollen Augen.

»Ich erhalte gute Honorare für meine Gemälde, aber reich werde ich davon nicht«, sagte er mit einem Anflug von Bitterkeit. »Als Gegenleistung liefere ich ihnen Bilder, die meinen Kunden jahrelang lüsterne Erlebnisse bescheren – solange sie nicht zulassen, daß ihre Gäste in ihrer Trunkenheit Essensreste und Wein gegen die Wände schleudern.«

»Du hast eine geringschätzende Meinung von deinen Auftraggebern«, sagte sie und ging im Zimmer auf und ab. Sie hielt den Becher mit dem Wein fest in ihrer Hand.

Sie spürte, wie ihr der Wein zu Kopf stieg und ihre Hemmungen abbaute.

»Sie wollen eine Dekoration für ihre Wände und einen billigen Nervenkitzel«, sagte er, »es geht ihnen nicht um Kunst. Ich könnte ihnen etwas Geschmackvolles malen oder auch etwas explizit Erotisches, aber sie wollen dieses Zwischenstadium, weder das eine noch das andere. Sie wollen sich an den Gestalten aufgeilen und halten sich dann für ebenso attraktiv.«

Er stand so dicht bei ihr, daß sie den männlichen Geruch seines Körpers wahrnahm, zusammen mit dem nicht unangenehmen Aroma, das Gips und Farbe ausströmten.

»Glaubst du denn nicht, daß deine Auftraggeber attraktiv sind?« fragte sie. Sie fragte sich, ob ihre Beine lang genug sein würden, oder ob ihre Achselhaare ihm zu buschig waren. War ihr Bauch schlank genug für seine Ansprüche?

Um sich Mut anzutrinken, nahm sie einen kräftigen Schluck Wein. Die Reaktion spürte sie fast sofort – es war wie eine wunderbare Befreiung. Sie hatte sich in eine verführerische Stimmung getrunken, und sie kam sich auf einmal ungeheuer reif und erwachsen vor.

»Die meisten sind flach, haben keine Tiefe«, sagte er. Jetzt nahm auch er einen tiefen Schluck aus dem Becher. »Am meisten hasse ich es, wenn sie wollen, daß ich ihre Töchter mit diesen breiten Pferdeärschen als Venus oder Diana malen soll. Das überfordert mein Können. Wenn ich die jungen Frauen malen soll, wie sie sind, würde das Bild viel besser wirken – es ist anmaßend, einen Vergleich zu den Göttinnen zu ziehen.«

Sie wiegte sich in den Hüften und schwebte hinüber zur Kommode, die genau die richtige Höhe hatte. Sie setzte sich darauf, schunkelte hin und her und verfolgte aus den Augenwinkeln, wie er die Bewegungen ihrer Hüften wahrnahm.

»Du bist anders«, sagte er. »Deine üppige Schönheit paßt zur Göttin der Liebe.«

Sie glättete ihr Kleid über den Knien und überprüfte den Sitz des Gürtels. Sie wußte, daß sie dadurch seine Aufmerksamkeit auf die Schwellung ihrer Brüste lenkte. Lässig ließ sie die Beine baumeln.

»Und wenn ich bei diesen Kunden arbeite, muß ich ihnen vortäuschen, daß ich die nackten Körper aus der Phantasie heraus male. Sie würden nicht wollen, daß ich ihre Töchter nackt sehe, auch wenn ich sie nackt malen soll.«

Sie nahm wieder einen kräftigen Schluck aus dem Becher. Es war herrlich, wie der Wein ihre Hemmungen ertränkte. Sie wiegte sich wieder in den Hüften und hoffte, daß ihr Kleid sich an ihre Formen schmiegte, damit er mehr von ihr sehen konnte.

Er betrachtete sie, lehnte sich mit einer Schulter an der Wand an und starrte sie unverwandt an.

»Vielleicht sollten wir ohne Lydia beginnen«, schlug sie vor, fing seinen Blick auf und hielt ihm stand. Sie fragte sich, was sie denn noch tun mußte, um ihn zu ermuntern.

Er lächelte, seine Augen verengten sich und schienen sich auf die Kurven ihres Körpers zu konzentrieren.

Sie stellte den Becher vorsichtig hin. »Ich habe so etwas noch nie getan – soll ich so sitzen bleiben?«

Im nächsten Moment sprang sie von der Kommode und schritt hüftwackelnd zur Liege. Sie ließ sich nieder und breitete sich aus. »Oder ist es besser so?«

»Du mußt dein Kleid ausziehen. Es kann nicht angehen, daß die Göttin der Liebe so aussieht, als käme sie gerade vom Fischmarkt. Außerdem» – er lächelte – »möchte ich, daß meine Bilder zeitlos bleiben, und nur die nackten Menschen zeigen eine zeitlose Schönheit.«

Er trat auf sie zu und zog ihr alle Sachen aus. Er sah, wie er sie ordentlich auf die Kommode legte. Dann hob er eine Schüssel vom Tisch auf.

»Das ist meine eigene Erfindung«, erklärte er. »Wie die meisten anderen Künstler benutze ich Eiweiß, um die Farben zu binden, aber für die exotischen Gemälde mische ich auch noch eine Creme und vielleicht sogar ein wenig Honig drunter. Lege dich hin.«

Es kribbelte zwischen ihren Schenkeln, und sie spürte, wie sie feucht wurde. Gleichzeitig wurde ihr eine zunehmende Verärgerung bewußt, die sich ihrer bemächtigte. Hatte er wirklich vor, sie nur zu malen – sonst nichts?

Sie konnte sich nicht einladender hinlegen, und herausfordernder konnte man auch keinen Mann anschauen. Aber von ihm kam nichts, er blieb geschäftig.

»Ich will auch den Künstler nackt sehen. Ich will mich davon überzeugen, ob du die Männer realistisch gezeichnet hast«, murmelte sie.

Er lächelte, dann schöpfte er eine Flüssigkeit aus

einer Schale. Er fuhr mit seinen cremigen Fingern über ihre Brüste und glitt hinunter zu ihrem Bauch, wobei er eine glitschige Spur hinterließ. Mit den Zeigefingern umkreiste er sanft ihre Brustwarzen, die sich steil aufgerichtet hatten.

»Und ich muß erst die richtige Frau kennenlernen, ehe ich sie als Göttin malen kann, findest du nicht auch?«

Er beugte sich über sie und fing an, die weiße Flüssigkeit mit genüßlichen Zügen seiner langen Zunge von ihrer Haut zu lecken. Die Zunge beschrieb kleine feuchte Kreise um ihren Nabel und auf ihren Brüsten, und sie entfachte das Feuer zwischen ihren Schenkeln.

Sie zog ihn an seinem Ledergurt zu sich heran und öffnete die schwere Schnalle. Sie fiel polternd zu Boden, und der Stoff der Tunika fiel glatt hinunter und konnte die Erektion nicht mehr in den Falten verbergen. Sie schob beide Hände unter den Stoff und ertastete gierig den langen, dünnen Schaft seiner stolzen Männlichkeit.

»Du bist eine wunderbare, köstliche Verführerin«, raunte er, »und es ist mehr als angemessen, dich als Venus zu malen. Ich habe noch keine Frau gesehen, die dem sinnlichen Versprechen der Liebesgöttin mehr gerecht geworden wäre als du.«

Er ruckte die Hüften vor, und sie packte seine Tunika und zog sie ihm über den Kopf. Sein Phallus fühlte sich warm an, dicke Adern durchzogen den Schaft. Dann schloß sie die Augen, als wollte sie das Gefühl verinnerlichen, wie er sich in ihren Händen anfühlte. Unbewußt verglich sie ihn mit dem Schaft ihres ersten Liebhabers. Sie wußte, daß der kleine Schwamm noch in ihr war, den der angebliche Beamte plaziert hatte. Sie schwor sich, nie mehr unvorbereitet das Haus zu verlassen, denn man konnte nie wissen, wann sich eine Gelegenheit für erotische Erfahrungen bot.

Sie verstärkte ihren Griff um den steifen Schaft und begann ihn leicht zu reiben. Sie bewegte ihre Hände von oben nach unten und wieder zurück, dann umkreiste sie die Spitze, drückte sanft, dann härter.

Seine Hände massierten ihre Kopfhaut und die Schläfen, dann den Nacken, und sie war sicher, daß er die Erfahrung eines Masseurs hatte, wahrscheinlich von den regelmäßigen Besuchen in den öffentlichen Bädern.

»Lege dich zurück«, sagte er.

Er hob die Schale an und ließ die Flüssigkeit auf ihren Bauch tröpfeln. Er schaute zu, wie sich der dicke Saft ausbreitete und dann in zwei behäbig rinnende Spuren teilte, die Lenden entlang. Er griff nach einem dicken Pinsel und verteilte die Flüssigkeit auf ihrem Körper.

»Wir brauchen noch mehr«, sagte er. Er griff wieder zur Schale und goß die Flüssigkeit über den Venusberg. Ein paar Tropfen ließ er auf ihre Klitoris fallen. Er zog ein Bein nach außen, so daß sich die Falten ihres Geschlechts öffneten.

Sie spürte, wie sich das Öl ihrer Erregung sammelte, und sah, wie er wieder den Pinsel einsetzte und über die Lippen bürstete, die sich immer mehr mit Blut füllten und zusehends praller wurden. Sie wartete darauf, daß er sie berührte.

»Ich habe nicht oft die Gelegenheit, solche Dinge zu malen, weil die Frauen sich zu sehr genieren und die Männer sich zu sehr erregen«, murmelte er gepreßt. »Aber es wäre ein wunderbares Bild – die weiße, sämige Flüssigkeit ist ein starker Kontrast zu den dunkelroten Lippen deiner Vulva. Es gibt Männer, die viel Geld dafür zahlen würden.«

»Hast du oft solche Aufträge?« fragte sie und rutschte ungeduldig näher zu ihm. Sie sehnte sich danach, seine Zunge auf dem pochenden Kitzler zu spüren. Sie stellte sich vor, wie er die geschwollenen Lippen leckte. Hatte er sie deshalb mit dieser Flüssigkeit beträufelt, damit er sie ablecken konnte? Oh, wenn er ihr jetzt diese Erleichterung nicht verschaffte, würde sie ...

»Ja, gelegentlich«, antwortete er und riß sie aus ihren Phantasien. »Ab und zu will ein geiler Bock solche Bilder haben. Aber nicht an der Wand, sondern als Einzelstück, das er sich in eine stille Kammer hängen kann.«

Er setzte sich auf die Liege und fuhr fort, die Flüssigkeit mit dem Pinsel zu verteilen, als wäre ihr Körper ein Gemälde. Sie spürte, wie ein Rinnsal in ihre Pokerbe drang, und sie öffnete die Schenkel weiter, bot sich ihm schamlos einladend dar. Aber sie wollte seinen Körper, nicht nur seine Blicke.

»Wenn ich solche Bilder male«, sagte er, ohne ihre Nöte zu erkennen, »kann es durchaus sein, daß die Männer eifersüchtig werden, wenn sie sich vorstellen, daß ich mit dem Modell zusammen war. Ein Mann, der solche Kunst erwirbt, will das Gefühl haben, daß die Frau auf dem Gemälde ihm ganz allein gehört.«

Sie wurde zunehmend ungeduldig mit ihm. Er spielte mit ihrem Körper, hing aber seinen eigenen Gedanken nach. Endlich legte er den Pinsel hin und umkreiste die heftig pulsierende Klitoris mit den

Fingern. Sie schob sich ihm seufzend entgegen. Sie wollte viel, viel mehr.

Er bewegte seine Hand schneller, und ein Finger drang zwischen die Falten ein, fuhr an den Lippen entlang und drang dann in die verborgene Tiefe ihres Verlangens ein. Sie preßte die Schenkel fest zusammen, damit seine Hand nicht wieder zurückgleiten konnte. Sie genoß das Eindringen, aber sie wollte mehr als seinen Finger. Sie war enttäuscht, daß er sie nicht die Zunge spüren ließ, aber sie tröstete sich damit, daß es wenigstens bald sein Phallus sein würde.

Er bewegte den Finger immer schneller in ihr, und sie bäumte sich auf, warf sich ihm entgegen und kostete die Gefühle aus, die er in ihr hervorrief.

»Schneller, härter«, forderte sie ihn keuchend auf, und zwei, drei Herzschläge später wurde sie vom Orgasmus gepackt, den sie wild herausschrie.

»Das war gut für dich, nicht wahr, mein Künstlermodell?«

Er nahm wieder den Pinsel zur Hand, tauchte ihn in die Flüssigkeit, die sich auf ihrem Bauch gesammelt hatte, und verteilte sie auf den Brüsten.

»Du hast dein Vergnügen noch nicht gehabt.« Sie keuchte noch heftig und rang nach Luft. »Diesmal will ich oben sein.«

Er zog sich aus und legen sich neben sie. Marcella betrachtete seine schlanke Gestalt.

»Spreize dich über mich«, sagte der Künstler. »Dann kann ich dir geben, was du erwartest, und danach haben wir beide genug Muße, daß ich dich endlich malen kann.«

»Das hört sich nicht gut an«, klagte sie. »Es klingt fast so, als würdest du es nur tun, damit du anschließend deine Arbeit erledigen kannst.« Aber sie schwang sich über ihn.

Er war nicht so feurig, wie sie es sich gewünscht hätte, aber ihre Lust war zu groß, um auf diesen Mann zu verzichten.

Sie waren nackt, er hatte einen einsatzbereiten Phallus, und sie waren allein. Eine solche Gelegenheit wollte sie sich nicht entgehen lassen. Sie hob sich über das zuckende Glied, das er mit einer Hand lenkte. Sie ließ sich langsam hinab.

Oh, es fühlte sich gut an!

Sie rotierte die Hüften, während sie sich immer tiefer sinken ließ. Zwischendurch hob sie sich vorsichtig an, um den Schaft gegen die Klitoris zu reiben. Ja, so würde sie die Erlösung erleben. Langsam, nur ja alles auskosten.

Er lag da, stöhnte, ließ sie gewähren und hatte die Augen fest geschlossen.

Im Flur waren leise Schritte zu hören.

Sie schauten beide hoch, Petronius lächelte.

»Salve, Lydia. Schön, dich zu sehen. Warum kommst du nicht herein?«

»Wie lange stehst du schon dort?« wollte Marcella aufgebracht wissen. Ihre Wangen hatten die Farbe von dunkelroten Rosen angenommen. Es war ihr im ersten Augenblick peinlich, in dieser Situation von der Freundin überrascht zu werden. Sie warf die langen Haare mit einer schwungvollen Kopfbewegung zurück und setzte sich aufrecht hin.

Das leichte Zucken in ihr erinnerte sie daran, daß er noch in ihr steckte, obwohl seine Erektion sich abgeschwächt hatte. Ihr Körper war mit einem hellen Schweißfilm überzogen. Bisher war ihr nicht aufgefallen, daß sie derart hart gearbeitet hatte.

Lydia trat in den Raum und drückte hinter sich die Tür zu.

»Steig nicht ab, Marcella«, sagte sie, nachdem sie ein paarmal geschluckt hatte. »Ihr zwei habt noch nicht vollendet, was ihr tun wolltet, und ich bedauere, euch gestört zu haben. Jetzt sehe ich auch, Marcella, daß du nicht übertrieben hast, als du mir gestern sagtest, du hättest die körperlichen Freuden schon mit einem Mann geteilt.«

Marcella und Petro schauten zu, wie Lydia langsam ihre Kleider ablegte, ohne einen Blick vom innig verbundenen Paar auf der Liege zu wenden. Sie hatte eine schlanke Figur, die Marcella von den gemeinsamen Besuchen der öffentlichen Bäder kannte. Im diffusen Sonnenlicht des Studios sahen ihre Brüste größer aus als sonst, und Marcella fiel auf, daß sie die Nippel mit Öl eingerieben hatte.

Sie trat mit einer geschickten Bewegung aus ihrem Kleid und trat auf die Liege zu.

»Du siehst wirklich wie eine Wassernymphe aus«, sagte Petro. »Es war genau richtig, dich so auch malen zu wollen. Eines Tages möchte ich dich mit Neptun malen.«

Marcella spürte, wie sich der Phallus in ihr wieder verhärtete. Es war ein exquisites Gefühl, und unwillkürlich stöhnte sie auf. Der Schaft führte ein eigenes Leben und pulsierte in seinem eigenen Rhythmus.

Lydia trat zu ihm.

Marcella wußte, daß Petros Lust vom Anblick des zweiten nackten Mädchens angestachelt wurde. Ohne innere Überzeugung sagte sie: »Du bist dran, Lydia.« Sie haßte es, ihn jetzt zu verlassen, ihren Platz aufzugeben, denn ihr Körper lechzte nach der Befriedigung, die er ihr geben konnte. Aber sie wollte die Freundin nicht im Regen stehen lassen.

»Ich weiß, daß du das nicht wirklich willst. Ich bin sehr unerfahren. Wenn du nichts dagegen hast, würde ich lieber still dabei sein und zugucken.«

»Tritt näher«, sagte Petro. »Wir können alle unseren Spaß haben.«

Er streckte seine Hand nach Lydias Schoß aus, und als er liebevoll darüber streichelte, spürte Marcella, wie der Penis in ihr hüpfte. Sie reagierte mit einem unwillkürlichen Zusammenziehen ihrer Muskeln, denn sie wußte genau, was die Freundin unter den Fingern des Künstlers empfinden würde.

»Du bist bereit für einen Mann«, sagte er, als er mit einem Finger die Schamlippen geteilt und leicht über den Kitzler gerieben hatte. »Es wäre schade, wenn du nur passiv bleibst. Komm noch ein bißchen näher, damit ich deine Brüste schmecken kann.«

Das Mädchen errötete tief, aber die Schenkel drückten sich gegen die Hand und spreizten sich wie von selbst. Petro drückte die andere Hand gegen ihren Hintern, damit er sie noch näher an sich heranziehen konnte. Sie beugte den Oberkörper leicht, und sein Mund schnappte sich eine kleine feste Brustwarze.

Marcella konnte sich nicht länger zurückhalten, sie hüpfte jetzt auf dem Penis auf und ab und hielt sich mit den Händen auf seiner Brust fest. Sie schaute gebannt zu, wie er die Klitoris der Freundin reizte, wie er leicht mit der Fingerkuppe darüber strich, zuerst langsam und behutsam, dann schneller und mit mehr Druck. Gleichzeitig stieß er die Hand vor, die ihren Hintern gefaßt hielt, und zwei lange Finger drangen von hinten in die jungfräuliche Scheide ein.

Lydia stöhnte auf und drückte sich gegen seine Hände, fuhr mit den Hüften vor und zurück. Er konnte nicht mehr an der Warze nuckeln und sah begeistert zu, wie die kleinen festen Brüste aufgeregt schwangen.

Marcella spürte, wie seine Männlichkeit in ihr pochte und zuckte. Er stieß jetzt von unten hoch, und sie erwiderte jeden seiner Stöße und mahlte ihre Hüften tief in ihn hinein, wollte das Gefühl der Penetration voll auskosten.

»Komm näher«, sagte er heiser und zog Lydia heran, bis ihr Venusberg über seinem Gesicht war. »Ich liebe deinen Geruch, du köstliches Wesen. Schmeckst du auch so gut?« Er stieß seine Zunge vor und ließ sie über den geschwollenen Kitzler schnellen.

Marcella hörte, wie Lydia schneller atmete und kleine ekstatische Schreie ausstieß. Die lustvolle Szene trieb ihr eigenes Verlangen an, obwohl Petro sie vernachlässigte, seit er intensiv mit Lydia beschäftigt war.

Lydia stieß einen Schrei aus, der gar nicht mehr enden wollte, sie zitterte am ganzen Körper, bis sie sich nicht mehr auf den Beinen halten konnte und sich über Petros Oberkörper warf.

Auch Marcella näherte sich dem Orgasmus, aber sie war es, die ihn herbeiführte durch entschlossene rhythmische Bewegungen. Sie hatte keine Lust, hinter den beiden zurückzustehen, also hüpfte sie schneller auf und ab, ließ ihre Muskeln spielen und umklammerte den Schaft, als wollte sie ihn melken.

Als Petro in ihr explodierte, spürte Marcella, wie sich ihre Säfte mit seinen vermischten. Sie hätte sich gern auf seinen Brustkorb geworfen, aber dort lag Lydia noch, die jetzt erst langsam wieder zu Atem kam.

»Wo hast du so etwas gelernt?« keuchte Lydia und sah Petro bewundernd an.

Sie schienen Marcellas Gegenwart vergessen zu haben, und ihr Zorn schwoll an. Sie hatte ihm eine formidable Vorstellung geboten und ihn geritten wie einen Preishengst, hatte ihre Bewegungen den seinen angepaßt und seinen Schaft mit ihren Muskeln ausgepumpt. Da hätte er zumindest ein wenig höflicher sein können.

Aber er starrte nur in Lydias Augen. Dabei hatte die Freundin nichts getan, sie hatte nur alles geschehen lassen. Marcella fühlte sich ungerecht behandelt.

Sie erinnerte sich an die Berührungen des Mannes in der Taverne.

Sie brauchte einen Mann, der ihr ebenbürtig war und dessen Interesse an ihr nicht davon abhängig war, ob sie sich anschließend von ihm malen ließ. Ihre Sehnsucht nach dem Mann aus der Taverne wuchs, als sie sich jetzt von Petro wälzte und sich anzuziehen begann.

## Viertes Kapitel

Frauen in prächtigen bunten Kleidern schritten vorbei, als schwebten sie durch die heiße, aromatisierte Luft. Unter den durchsichtigen Stoffen ihrer Kleider bebten ihre Brüste, deren Warzen sich in der Erwartung der Freuden des Abends schon versteift hatten.

»Selbst die Frauen, die sonst nur durchschnittlich aussehen, sind heute abend Schönheiten«, flüsterte Marcella. Sie und Lydia waren stehengeblieben, um die Ankunft der Gäste zu beobachten.

»Schau nur die vielen goldbestickten Stoffe!« rief Marcella aus. Die dünnen Metallfäden glitzerten im subtilen Licht der Terracottalampen, die in hohen Wandnischen standen.

»Sie können sich alle die feinste orientalische Seide leisten«, sagte Lydia. »Aber du mußt aufhören, so zu tun, als wärst du noch nie auf einer Gesellschaft von Reichen gewesen.« Sie klang genervt.

»Aber ich war noch nie da«, sagte Marcella. »Ich hatte keine Ahnung, daß du für Leute arbeitest, die stinkreich sind. Wenn ich dich von ihnen reden höre, dann sind sie langweilig, dick und spießig.«

»Dann arbeite du doch mal ein paar Wochen für sie«, sagte Lydia verärgert. »Dann hörst du rasch auf, sie zu bewundern, du erlebst zu jeder Tageszeit ihre Selbstsucht, und du denkst nur noch an deine schmerzenden Füße und an deinen krummen Rücken.«

Eine Frau mittleren Alters schwebte vorbei. Ihr Kleid wallte auf, als wollte es den grazilen, wunderbar gepflegten Körper streicheln. Bei jedem Schritt voller angeborener Eleganz spannte sich der Stoff über dem Gesäß. Ihre Gesichtsfarbe hatte sie der Wirkung von Puder zu verdanken. Tief hängende zierliche Ohrringe schwangen fast bis auf die Schultern, und von dort würden die Blicke ihrer Bewunderer zur Halskette gleiten, die im Tal ihrer vollen Brüste verschwand.

Lydia schob sich mit dem Handrücken die Haare aus den Augen und balancierte das Silbertablett auf einem angehobenen Knie. »Dies scheint das Fest des Jahres in Pompeji zu werden, Marcella. Aber das ist alles nur Schau. Diese Reichen bilden sich gern ein, daß sie fast so vollkommen sind wie die Götter und Göttinnen.«

»Sei nicht so verbittert«, sagte Marcella. »Stell dir nur vor, was wir aus uns machen könnten, wenn wir Zugang zu diesen Kreisen hätten.«

»Ich hasse sie nicht. Ich bin Realistin und danke den Göttern, daß ich frei geboren bin. Aber wenn man nicht an sich arbeitet und keinen klaren Kopf bewahrt, wird man zynisch, wenn man eine Zeitlang bei ihnen gearbeitet hat. Die Taverne ist Realität. Wir haben keinen Platz in der Welt der Reichen – sie brauchen uns nur als Dienerinnen.«

Lydia drückte das schwere Tablett jetzt mit einer Hüfte gegen die Wand, wobei einige der honigüberzogenen Süßigkeiten überzuschwappen drohten.

»Gib deine Gedanken auf, es mit ihnen aufnehmen zu können, Marcella. Dein Onkel und deine Tante haben dir nur deshalb erlaubt, heute abend hier zu sein, weil sie wissen, daß die Herrschaft im Ruf steht, mit Dienstpersonal und Sklaven streng umzuspringen. Die Gäste können alles Mögliche anstellen, aber wir müssen arbeiten. Und laß dich nicht beim Trödeln erwischen. Wenn der Verwalter dich dabei erwischt, wird er ungemütlich.«

Mit einem selbstgerechten Ausdruck warf sie den Kopf herum und ging.

Der aufwallende Seidenschal einer Frau strich im Vorbeigehen gegen Marcellas Arm.

»Wunderbar, nicht wahr, Liebling?« Sie wandte sich an ihre Begleiterin. »Ist es nicht ein herrlicher Einfall gewesen, einen so talentierten Künstler zu engagieren? Ich habe gehört, daß die Zeichnungen und Wandgemälde absolut göttlich sind. Oh, ich kann es kaum erwarten!«

Sie legte einen Arm um ihre Begleiterin und küßte sie auf den Hals. Die andere Frau zog sie an sich heran und erwiderte den Kuß – auf die Lippen.

Marcella starrte offenen Mundes auf die Szene.

»Ich kann es auch kaum erwarten«, erwiderte die Begleiterin. »Ich bin mehr an den Phalli interessiert als an dem ganzen Dekor. Aber seit wann bist du eine Liebhaberin der Künste?«

»Seit ich entdeckt habe, daß Malerei nicht nur bedeutet, daß man Stilleben und langweilige Säulen sieht, die sich spießige Bürger ins Haus hängen.«

Die beiden Frauen lachten. Eine blieb stehen, um an ihrem Schuh zu zupfen; es waren Meisterstücke aus golddekoriertem Leder, das die Zehen frei ließ.

Marcella mußte schlucken, als sie zwischen den Beinen der Frau eine unübersehbare Schwellung bemerkte.

Jetzt sah sie sich auch die Begleiterin genauer an und erkannte, daß es sich um zwei Männer handelte, die sich makellos geschminkt und frisiert hatten.

Marcella beobachtete weiter. Sie konnte die Spielleute beim Aufwärmen hören, sie begannen eine Melodie, brachen sie plötzlich ab und begannen erneut, aber in einem anderen Tempo.

»Geh zur Tür und nimm die Umhänge der Gäste ab. Lege sie in die Kammer des Türstehers«, zischte ihr der Verwalter zu, während sie den Klängen der Flöten- und Tamburinspieler lauschte. »Zum Träumen bist du nicht hier.«

Der strenge Blick schien nicht wirklich so gemeint zu sein. Marcella sah aus den Augenwinkeln, wie weiter unten im Korridor ein paar Dienstboten herumstanden und die Szene mit ihr und dem Verwalter verfolgten. Er hatte sehr leise gesprochen, und sie bemerkte, wie er ihre Brüste anstarrte. Ein Gefühl der Macht überkam sie. Nachdem Petro sie wie Luft behandelt hatte, dürstete sie nach der Aufmerksamkeit eines heißblütigen Mannes. Der Verwalter starrte sie immer noch an. Mit den Augen hatte er sie längst ausgezogen.

»Ich mußte nur mal eine kleine Rast einlegen«, flüsterte sie zurück und drehte sich ein wenig zur Seite, um den Zuschauern unten im Korridor die Sicht zu nehmen. Bei dieser Bewegung stieß sie – wie unbeabsichtigt – mit den Brüsten gegen seinen Arm.

Er fuhr mit einer Hand über ihren Hintern und zeichnete mit einem Finger die Kerbe ihres Gesäßes nach. Sie zitterte vor unerwarteter Erregung. Sie spannte ihre Muskeln an, um ihn wissen zu lassen, daß sie gegen seine Berührungen nichts einzuwenden hatte. Ihre Brustwarzen stellten sich auf, und sie blickte zu ihm hoch, die Lippen leicht geöffnet. Sie fragte sich, ob er wirklich etwas von ihr wollte – und was – und wann.

Ohne sie anzuschauen, wandte er sich plötzlich ab, doch zuvor hatte Marcella in seinem Blick noch ein funkelndes Glitzern gesehen.

Wie in Trance ging sie den Korridor entlang. Die schönen Frauen, die ihr begegneten, verströmten berauschende Düfte, die schwer in der Luft hingen.

Als die meisten Gäste eingetroffen waren, wies der Verwalter sie an, Essen aufzutragen. Dabei nahm er die Gelegenheit wahr, ihre Brüste zu berühren. Jeder, der das sah, mußte glauben, es wäre unbeabsichtigt gewesen. Marcella spürte ein verräterisches Ziehen in ihrem Schoß.

»Paß auf die Wandgemälde auf, sie sind noch nicht trocken«, murmelte er ihr zu.

»Aber wenn ich nicht zwischen den Gästen durchreichen darf, dann muß ich mich an den Wänden vorbeischlängeln«, flüsterte sie. »Du hast diese Regeln aufgestellt, nicht ich.«

»Warte, bis ich dich später am Abend zwischen die Finger bekomme«, raunte er und griff ihr rasch zwischen die Beine.

»Hier wird mehr Wein benötigt!«

Zögernd löste sich Marcella vom Verwalter und wandte sich an den Mann, der mehr Wein haben wollte.

Der Mann schaute ihr mit glasigen Augen auf die Brüste, deren Warzen sich durch das weiche Gewebe des Kleids drückten. Er beugte sich vor und legte eine Hand auf die linke Brust, als wäre er ein Gemüsehändler, der auf dem Markt die Reife der Melonen prüfte.

Sie versteifte sich und schaute hinüber zum Verwalter, während sie den Becher füllte.

»Liebling«, rief eine Frau mit einem besonders kunstvollen Haarschmuck.

Der Mann drehte sich nach ihr um und langte mit beiden Händen zu den Brüsten der Frau. Mit einem geschickten Griff hatte er die vollen Brüste aus dem Ausschnitt geholt und beleckte sie feucht und gierig. Dann richtete er sich wieder auf.

Sie lachte gellend und klopfte ihm leicht auf die Hand. »Sehr unanständig, mein Lieber. Was willst du wohl als nächstes lecken?«

»Dein Dreieck, meine Liebe. Ich dürste. Laß mich deinen Nektar trinken. Jetzt.«

Marcella hielt den Atem an.

Sie sah, daß der Mann zwischen die Schenkel der Frau griff.

»Die Götter sind meine Zeugen, du denkst immer nur an dich«, sagte sie schmunzelnd. »Aber auch mir dürstet's. Was schlägst du vor, was wir dagegen tun können?«

Er tunkte einen Finger in seinen Wein und führte ihn in ihren Mund. Sie saugte eifrig daran, warf den Kopf in den Nacken und schaute ihn herausfordernd an.

Sie legte ihre langen, eleganten Finger auf seine Hand und streichelte auf und ab. Sie beugte sich vor und glitt mit der anderen Hand unter seine Tunika. Er lächelte.

Der Verwalter ging vorbei und berührte leicht Marcellas Gesäß. »Du hast das sehr gut gemacht, weiter so.« Er fuhr sich mit der Zunge über die Unterlippe.

Ein leichtes Beben erschütterte den Boden, als sie

sich zurückziehen wollte. Sie spürte das Zittern, das von den Fußsohlen die Beine hoch schoß und sich in ihrem Schoß sammelte, bis sie glaubte, der Druck der angestauten Energie müßte jeden Augenblick ausbrechen.

Einige der Gäste bemerkten das Beben und lachten ausgelassen.

»Oh. Minerva und Juno! Ist das langweilig hier!«

Marcella drehte sich um und sah eine Frau mit goldverzierten Elfenbeinspangen im glänzenden Haar. Sie schnipste mit den Fingern.

»Hierhin«, rief sie Marcella zu.

Sie trug verschiedene Ringe, zwei mit klobigen Smaragden und einen mit einem kleinen Saphir. Sie leuchteten im Schein der Öllampen.

Gehorsam bewegte sich Marcella auf sie zu und reichte der Frau ein undurchsichtiges Becherglas. Die Frau aber ignorierte sie und lächelte zu einem großen, kräftigen Mann hoch, dessen Augen aufleuchteten, als er die kleinen langen Locken sah, die das Gesicht der Frau einrahmten.

»Ich sehe, daß du in Rom gewesen bist, und dann hast du deiner Sklavin gesagt, daß sie den Stil am Hofe kopieren soll.«

Sie sah schmachtend zu ihm hoch, ihre Lider flatterten, ihr Busen wogte.

»Ich habe immer schon eine Schwäche für kleine Locken gehabt«, sagte er. »Diese Angewohnheit der Frauen, ihren Schoß zu rasieren, ist eine Unsitte. In den Provinzen gibt es viele Frauen, die sich gar nicht rasieren.«

Die Frau errötete ein wenig. »Wie es der Zufall will, habe ich mich schon seit Wochen nicht mehr rasiert, Caballius.« Sie bedachte ihn mit einem herausfordernden Blick. »Vielleicht willst du mir deine Ansicht dazu mitteilen?«

»Es mag sein, daß du mehr als nur meine Meinung bekommst«, sagte er nach einem kurzen Zögern.

Der Speiseraum leerte sich bald. Die Gäste zogen sich in einen Vorraum zurück, wo sich die Musiker eingerichtet hatten.

Eine Frau mit üppigen Formen räkelte sich auf einer Liege.

Ihre Brüste fielen aus dem tiefen Ausschnitt der Tunika. Vor ihr auf dem Boden saß ein Mann, der aus einer bronzenen Flasche trank. Um ihn herum lagen verschiedene Gläser und Becher verstreut. Als der Wein an seinem Kinn hinab lief, lachte die Frau kehlig und streckte sich ihm entgegen. Er nahm einen ihrer reifen Nippel zwischen die Lippen, und sie lachte schrill auf.

Ermutigt griff er nach dem zweiten Nippel und zwirbelte ihn zwischen den Fingern. Der Körper der Frau schüttelte sich, und ihre vollen Brüste schwappten auf und ab. Sie ließ sich nach hinten fallen und breitete sich auf der Liege aus.

Marcella schlenderte durch den Raum und schob sich unauffällig zu dem Mann, der Caballius hieß. Er und die Frau sowie ein weiterer Mann inspizierten die Wandgemälde. Sie hatten gerade die Dreier-Szene erreicht, von der Lydia so berührt gewesen war.

»Der Bursche mit dem langen Phallus kommt nicht weit, nicht wahr, Caballius?« sagte die Frau.

Marcella hörte jedes Wort und war erstaunt, daß die Frau so selbstverständlich darüber sprechen konnte, als ginge es um die neuesten Brotpreise.

»Die Penetration wird mager«, stimmte Caballius zu.

Marcella schauderte, weil ihr bewußt wurde, daß dieser kräftige Mann eine ungeheure Energie ausstrahlte. Sie war sicher, daß diese Energie, die sich in ihm staute, schon bald heraus wollte.

»Dreier in dieser Besetzung sind immer problematisch«, wußte der andere Mann, der Mühe hatte, seine Worte zu artikulieren.

»Sie müßte sich weiter vorbeugen und sich tiefer bücken«, meinte die Frau. »Wenigstens so tief ...« Die Frau demonstrierte die Position, das Gesäß oben, den Kopf fast auf dem Boden. Ihr Kleid rutschte hoch und gab den Blick auf gut geformte Waden frei.

»So will ich's meinen«, sagte Caballius und wandte sich an den betrunkenen Mann. »Dann zeig uns allen, wie es richtig gemacht wird.«

Der Mann sprang vor, fummelte an seiner Toga, aber der dicke Stoff verfing sich in seinen Sandalen, er stolperte und landete mit dem Gesicht auf dem Boden.

»Zu betrunken, um seine Männlichkeit zu beweisen!« rief die Frau verärgert. »Und er nennt sich einen Liebhaber von Bacchanalia!«

»Ja, man sieht gleich, daß du eher dem Bacchus huldigst als der Venus«, sagte Caballius.

»Daraus mache ich kein Hehl«, sagte der Mann. »Es gibt keine größeren Vergnügen als die, die von der Traube herrühren.« Er streckte sich auf dem Boden aus und schloß die Augen. »Die Rebstöcke müssen auf gutem Boden gedeihen, und darüber wacht Silenus. Dann müssen die Trauben in der Sonne reifen, dafür sorgt der gute Apollo. Die

Hausgötter und Hestia übernehmen dann die Sorge für die gute Traube, und schließlich ist Bacchus dafür zuständig, daß der Rebensaft so köstlich gerät. Die Herstellung von Wein erfordert viele Götter. Für die Lust sind nur zwei da – Venus und ihr Sohn.«

Seine Worte kamen lallend, aber die geschlossenen Augen deuteten darauf hin, daß er sich konzentrierte, deshalb konnte man das meiste seiner Rede auch verstehen.

»Wir wären undankbar, wenn wir dem Elixier nicht gut zusprächen. Ich liebe die Sinnlichkeit der himmlischen Tropfen und den bittersüßen Geschmack auf meiner Zunge. Genau in diesem Moment spüre ich, wie die Hitze der Flüssigkeit in jede Faser meines Körpers sickert. Ein unvergleichliches Gefühl! Das nenne ich Leben! Das wahre Vergnügen. Alles andere ist nur ein schaler Ersatz dafür. Mit genug Wein werden alle Sinne geschärft, und die Lüste verzehnfachen sich.«

Er packte ein Bein der Frau, die in Gelächter ausbrach.

»He, wenn du schon da unten liegst, könntest du dich ein bißchen nützlich machen«, sagte die Frau. »Ich weiß, daß du Männer bevorzugst, aber es wäre höflich gewesen, meine bereitwillige Position mit einer kräftigen Kopulation zu honorieren. So schwer kann das doch nicht sein.«

»Ich weiß, daß es nicht schwer ist, aber wie du schon sagst, Männer sind mir lieber.« Er zuckte entschuldigend die Achseln. »Nimm doch das Dienstmädchen«, schlug er dann vor. »Zunge ist Zunge.«

Marcella erstarrte.

Er packte ihre Beine, und sie schwankte und fiel

verdreht auf seinen hingestreckten Körper. Sie hielt die Weinflasche geistesgegenwärtig hoch, aber ein paar Tropfen waren übergeschwappt.

Marcella sprang wieder auf die Beine, dann sah sie, daß der betrunkene Mann sich vor sie hinkniete, die Tunika hochzog und seinen schlaffen Penis entblößte.

»He, Mädchen, bring mich hoch.«

»Mein Herr, ich muß für die Gäste ...« Sie hielt ihre Weinflasche hoch, und bevor der Betrunkene noch etwas sagen konnte, war sie aus seiner Reichweite. Aus einigem Abstand sah Marcella, wie sich die Frau um den schlaffen Penis kümmerte, ihn bedächtig zwischen beide Hände nahm und langsam rollte. Dann beugte sie den Kopf und leckte ein paarmal über die Eichel, ehe sie ihn ganz in den Mund nahm.

Aus den Augenwinkeln mußte sie gesehen haben, daß ein Sklave vorbeiging, um schmutzige Teller einzusammeln. Die Frau hielt ihn fest und deutete auf ihren Schoß.

Der Sklave ließ sich ohne ein Wort auf die Knie fallen und hob die Röcke der Frau hoch. Sie befand sich fast wieder in der Stellung, die sie vor ein paar Minuten demonstriert hatte.

Der Sklave nahm den Anblick in Augenschein, dann bückte er sich und begann eine beidhändige Massage.

Sie bildeten ein interessantes Dreieck, und Marcella schaute auf und sah, daß Caballius die Szene intensiv verfolgte. Der dunkle Ausdruck auf seinem Gesicht verunsicherte Marcella. Rasch lief sie hinaus.

Zwei hoch gewachsene Männer lehnten an zwei

Säulen, und das muntere Treiben um sie herum schien sie absolut nicht zu interessieren.

Der größere von ihnen hatte eine schwarze Haut und die biegsame Statur eines Athleten. Er war nicht muskulös genug, um ein Gladiator zu sein. Er stand mit der Gelassenheit eines Mannes da, der wußte, daß die Augen der Frauen mit Wohlwollen und Verlangen seinen Körper betrachteten.

Der andere war nur unwesentlich kleiner und sonst das genaue Gegenteil, er hatte weißblonde Haare und blaue Augen, die Marcella an die sonnigen Tage im Frühsommer erinnerten. Er war muskulöser als der andere, aber die wuchtige Statur eines Gladiators hatte auch er nicht. Dazu fehlten ihm auch die Narben. Seine Brustmuskulatur war stark ausgeprägt, und wenn er von einem Bein aufs andere trat, konnte man deutlich das Spiel der Sehnen und Muskeln sehen.

Sie konnte die Einzelheiten der Körper und ihre Schönheit so genau sehen, weil beide Männer nichts trugen außer einem dunklen Lendenschurz aus Leder, ein paar dicken Goldringen und leichten Umhängen, die sie lässig über die Schulter geworfen hatten.

Nein, mit dem Fest schienen sie nichts zu tun zu haben. Ein paar Frauen eilten vorbei, der Musik entgegen, aber die Männer würdigten sie keines Blickes.

Marcella verspürte den Drang, zu ihnen zu gehen und an ihren Lendenschurz zu fassen. Sie wollte erleben, ob sie dann auch noch so uninteressiert schauen würden. Sie stellte sich vor, wie sich gleichzeitig beide Phalli reckten. Wenn sie groß und hart genug waren, würde sie ...

Ihre Phantasien wurden durch ein heiseres Kichern unterbrochen, und gleich danach zog das erregende Murmeln eines Mannes sie näher zum Garten hin. Sie sah eine griechische Statue des Eros, der eine Kanne hielt, aus der Wasser floß. Die Statue wurde eingerahmt von Kletterpflanzen, die sich an einem ausgeklügelten Gitterwerk hochrankten.

Marcella sah das Paar, das aufgeregt miteinander sprach, und drückte sich näher an die Statue heran, um besser lauschen zu können. Ein feiner feuchter Film des sprühenden Wassers legte sich auf ihr Gesicht.

»Julia, meine Liebste, ich würde ja bleiben, wenn es möglich wäre. Außerdem ist dies nicht die Art Gesellschaft, die ich schätze. Du weißt, daß ich es lieber habe, wenn es intimer zugeht.«

Marcella war es, als wäre sie von Jupiters Blitzen getroffen worden. Die sympathische dunkle Stimme gehörte dem Mann aus der Taverne – ihrem Liebhaber.

Sie schlich sich um die Ranken auf einer Seite der Statue herum, damit sie das Gesicht des Mannes sehen konnte. Zuerst sah sie die Frau. Sehr elegant. Trotz der späten Stunde war ihre Frisur untadelig. Ihre auffallend gute Figur steckte in einem dunkelblauen Kleid aus indischer Baumwolle. Es wurde um die Taille mit einer schlichten Kordel zusammengerafft. An einem Handgelenk trug sie ein paar Goldreifen.

Am dritten Finger der linken Hand trug sie einen Eisenring, der sie als verheiratete Frau auswies. Selbst in der Dunkelheit erkannte Marcella, daß sie eine schöne, elegante Frau war.

»Mein Liebling, Gaius, du weißt, wie schwer es

mir fällt, ohne dich zu sein.« Sie sprach bedächtig und wohl moduliert. »Diese Zwischenspiele mit dir sind es, die mich vor dem Wahnsinn bewahren.«

Seine Antwort war ein tiefes, fröhliches Glucksen, was Marcella überraschte, denn sie hatte ihn bisher nicht in heiterer Verfassung erlebt.

»Diese Zwischenspiele, wie du unsere Beziehung nennst, sind eine Freude für uns beide, und um so befriedigender, weil sie so unerwartet stattfinden. Du würdest meiner längst überdrüssig sein, wenn du mich regelmäßig sehen könntest und wir eine Beziehung wie viele heimliche Liebespaare am Kaiserlichen Hof hätten.«

Sie lachte auf und legte eine Hand auf seinen Arm. »Ich habe nicht damit gerechnet, dich auf einer solchen vulgären Gesellschaft zu treffen«, sagte sie. »Ich muß die einzige Frau sein, die nicht völlig zerzaust und nackt und aufgelöst durch die Gegend läuft. Ich habe mich schon gefragt, warum mein Mann unbedingt hingehen wollte. Ich hätte doch nie geglaubt, daß ihr beide die Gelegenheit nutzen wolltet, um hier über Geschäfte zu sprechen.«

»Wir haben uns im letzten Augenblick verabredet, und ich hätte dir kaum eine Nachricht schicken können, nicht wahr, Julia?«

»Wie konntest du nur so grausam sein?« fuhr Julia fort. »Warum hast du mich nicht irgendwie wissen lassen, daß du hier sein würdest? Wenn ich nicht zu diesem Zeitpunkt aus dem Musikraum gekommen wäre, hättest du dich einfach wieder verdrückt – ohne ein einziges Wort, nicht wahr?«

Als Antwort drückte er seine Lippen auf ihre. Sanft fuhr er mit den Händen über ihre Wangen.

Marcella wurde von einer ungeheuren Wut erfaßt. Sie spürte, daß sie am ganzen Körper zitterte.

Er legte einen Arm um Julias Schultern und sagte, und Marcella konnte jede Silbe deutlich hören: »Heute abend, meine Liebe, wirst du alle Köstlichkeiten der körperlichen Liebe erleben, die du erleben willst. Du mußt nur Geduld haben.«

Völlig verstört wich Marcella zurück in den Speiseraum, wo sie gegen Lydia stolperte.

»Du siehst völlig aufgelöst aus!«

»Ich fühle mich verraten und gedemütigt.«

»Hat ein Mann dich beleidigt?«

»Ich habe den Mann aus der Taverne gesehen. Ich hätte wissen sollen, daß er noch andere Interessen hat.«

»Erzähl mir alles!« rief Lydia aufgeregt und zog Marcella hinter eine Säule.

»Die Leichtigkeit, mit der er mir das erste Mal einen Orgasmus verschafft hat, sagte mir schon, daß er ein Meister der Liebeskunst ist. Natürlich hat ein solcher Mann andere Frauen! Natürlich ist seine Geliebte eine Patrizierin, die sich auch gebildet mit ihm unterhalten kann. Und natürlich ist sie eine elegante Schönheit.«

»Ich habe dich gewarnt, daß wir mit den Gästen nicht mithalten können«, sagte Lydia weich. »Es ist müßig, sich mit einem solchen Mann einzulassen. Er hat sein eigenes Leben, und wahrscheinlich erinnert er sich schon gar nicht mehr an dich.«

»Du hast recht«, gab Marcella widerwillig zu. »Ich muß nach vorn schauen und andere Beziehungen knüpfen. Ich werde ihm immer dankbar sein, aber ich darf nicht zulassen, daß die Freude, die ich bei seinen Berührungen empfunden habe, mich für andere Erfahrungen abstumpfen läßt.«

Sie fühlte sich über die erste Wut und Enttäuschung hinweg, und versonnen trennte sie sich von Lydia. Schon im nächsten Augenblick wurde sie an der Schulter gepackt und herumgewirbelt. Ein starker Arm führte sie hinaus in den kühlen Innenhof.

»Komm, du Schlampe, ich habe gesehen, wie du dem Trunkenbold an den Schwanz gegangen bist. Um mich hast du dich noch nicht gekümmert.«

Sie sah, daß es Caballius war. Sie wollte ihm ins Gesicht schlagen, denn er war es nicht, den sie begehrte. Er war kräftig gebaut, und seine Hand, die ihren Arm gepackt hielt, schmerzte sie.

»Komm schon. Saug mich. Da drinnen ist es mir zu langweilig. Ich habe das Interesse verloren, als die stupide Frau nicht zum Höhepunkt kam, auch dann nicht, als sie sich von zwei Kerlen bedienen ließ. Ich bin sicher, daß es bei dir nicht so lange dauert, bis du zu singen anfängst. Deine Titten sehen saftig aus wie reife Früchte. So was wünsche ich mir für meinen Schwanz.«

Trotz seiner groben Sprache spürte Marcella, daß ihr Interesse wuchs. Sie schaute neugierig zu ihm hoch. Zuerst war er ihr unheimlich gewesen, dann hatte er ihr Angst eingejagt. Und nun? Was erwartete sie von ihm?

## Fünftes Kapitel

Als sie das Schwimmbad erreicht hatten, blieb er stehen. »Das reicht«, sagte er. »Ich will keine Zeit vergeuden, bis ich ein Schlafzimmer gefunden habe. Die meisten sind besetzt, und nach einem Vierer steht mir nicht der Sinn.«

Im Hintergrund schwoll das Tempo der Musik an, die Gäste wurden ausgelassener, klatschten lauter. Marcella spürte, wie ihr Blut im wilden Rhythmus der Musik durch ihre Adern peitschte. Nach Jahren der unfreiwilligen Enthaltsamkeit schien es ihr, als hätte sie eine Barriere durchbrochen. Jeder Mann, den sie traf, war offenbar bereit, ihre Begierde zu stillen.

»Da drinnen geht's wild zur Sache«, sagte sie. Er ließ sie los und begann, sich die Toga abzustreifen.

»Ich habe solche Orgien schon zu oft miterlebt und mehr Mösen öffentlich zur Schau gestellt gesehen, als mir lieb war«, sagte er, warf die Toga auf den Boden und schob sie zum Wasser.

»Ich nicht«, sagte sie. »Hör mal – der Musikraum muß zum Bersten gefüllt sein. Ich glaube, wir verpassen was.«

»Ach, was denn schon?« knurrte er ungeduldig. »Einige Pärchen ficken auf der Bühne, das ist alles. Habe ich schon hundertmal gesehen.« Er packte sie wieder an der Schulter. »Du bereust es wohl schon, mit mir hier zu sein, was? Du möchtest lieber die Schau drinnen miterleben. Vielleicht selbst auftreten und dich geil zeigen, was? Aber dazu hast du jetzt bei mir Gelegenheit.«

Im nächsten Augenblick faßte er ihr mit einer

Hand rauh an die Brüste, und die andere Hand packte sie zwischen den Schenkeln. Seine Attacken waren so derb wie seine Sprache.

Er hob sie vom Boden hoch und hätte sie fast in das Schwimmbad geworfen. Sie stand jetzt bis zu den Knien im Wasser, und die Kälte wirkte wie ein Schock.

»Ich kenne nicht mal deinen Namen«, sagte er. »Wenn ich `ne Frau nehme, will ich wenigstens wissen, wie sie heißt. Aber zuerst saugst du mich.«

Er legte seine Hände auf ihre Schultern und drückte sie hinunter, bis sie im Wasser kniete. Das Wasser leckte gegen ihre Hüften. Sie versuchte, sich aus seinem Griff zu befreien, aber es gelang ihr nicht. Er zog seine Tunika hoch, und sein Stamm federte dicht vor ihrem Gesicht auf und ab.

Sie sträubte sich, aber lange konnte sie sich gegen seine Kraft nicht wehren. Sie mußte wieder an Gaius denken. Warum konnten nicht alle Männer so sein wie er?

Sie nahm den Schaft schließlich in den Mund, er stieß ihn grob hinein, und unwillkürlich wich sie zurück. Er schimpfte und stieß wieder zu.

Nach einer Weile zog er sich plötzlich zurück. »Das genügt, es bringt mir nicht viel, was du mit meinem Ding anstellst. Außerdem bin ich es leid, deinen Kopf von oben zu sehen. Ich knalle dich jetzt richtig durch.«

Er drehte sie herum.

»Was machst du?«

»Ich bringe dich in Position für eine richtige Nummer. Richtig geil ist es nur von hinten.«

Sie mußte sich mit den Händen auf den Knien abstützen, und dann stieß er brutal in sie hinein, daß sie fast nach vorn ins Wasser gekippt wäre. Sie stieß einen Protestschrei aus, aber der animierte ihn nur, noch unbeherrschter einzufahren.

Es dauerte eine Weile, bis sie selbst Lust an seinem rücksichtslosen Vorgehen empfand. Aber sobald er das bemerkte, zog er sich ganz aus ihr heraus. Sie hätte beinahe das Gleichgewicht verloren, konnte sich aber am Beckenrand festhalten. Sie strich ihr nasses Kleid glatt.

»Du Bastard«, sagte sie keuchend.

»Rühr dich nicht von der Stelle!« Seine Stimme klang scharf. Sie schaute ihn wütend an, und sie sah, daß sein Schaft nichts an Steifheit eingebüßt hatte.

Er hob ihre Kleider wieder an. »Ich bin noch nicht fertig mit dir«, fauchte er. Er beugte ihren Rücken, trat hinter sie und stieß wieder hinein. Er fand schnell einen ruckenden Rhythmus, und Marcella konnte sich vorstellen, daß sie doch noch auf ihre Kosten kam – obwohl sie den Kerl verabscheute.

Aber dann zog er sich wieder ohne Vorwarnung aus ihr zurück, und im nächsten Moment spürte sie, wie er sich auf ihrem Rücken ergoß.

»Das war's«, sagte er dann, »das wird dich lehren, daß ich nicht da bin, dich auf Touren zu bringen. Ihr Frauen habt kein Recht, beim Akt der Lust zu genießen.«

»Du Widerling! Ich hasse dich, du armseliger Bastard!« Sie ließ eine lange Tirade von Beschimpfungen los. Sie wollte sich aufrichten, aber er hielt sie mit brutalen Griffen in dieser gebückten Haltung.

»Du bist nichts als eine kleine Hure, und du wirst nicht das Vergnügen haben, durch mich deine

Befriedigung er erlangen. Deine Funktion ist es, mir zu meiner Lust zu verhelfen. Und das wirst du tun, bis ich deiner überdrüssig bin.«

Sie versuchte, sich aus seinen Griffen zu befreien, aber er hielt sie fest und verrieb seinen Samen auf ihrem Rücken und dem Hintern. Sie verharrte voller Entsetzen.

Wut und Erniedrigung machten sich in ihr breit, ihre Verachtung für diesen ungeschlachten Kerl brannte wie ein Feuer in ihr. Sie stand still und war wütend über sich selbst, daß sie es zugelassen hatte, in eine solche Situation zu geraten.

»Da wir uns jetzt kennen, werden wir das öfter tun. Morgen kommst du in mein Haus.« Gleichzeitig versetzte er ihr einen Stoß und schob sie von sich weg.

»Mit dir will ich nichts mehr zu tun haben, und wärest du der letzte Mann auf Erden, Caballius«, rief sie voller Wut, wenn auch mit gedämpfter Stimme, weil ihr bewußt wurde, in welcher Umgebung sie sich befanden. »Ich hasse deinen Anblick. Du bist ein mieser Mensch, und die Götter mögen dir die Eingeweide faulen lassen.«

Im Hintergrund spielte immer noch die Musik, und das Klatschen der vielen Hände trieb die Musiker offenbar zu immer höherem Tempo an.

Marcella wurde daran erinnert, daß sie im Haus ein wildes Geschehen verpaßt hatte, und auch daran trug dieser brutale Mensch die Schuld. Sie kochte vor Zorn über die Anmaßung des blasierten Kerls.

»Du wirst morgen zu mir in mein Haus kommen, sonst verlierst du deine Stelle hier und den Respekt aller, die dich kennen«, zischte er gehässig. Seine

Trunkenheit wurde jetzt offensichtlicher, er zog die Wörter in die Länge und hatte Mühe, sich auf den Beinen zu halten.

»Du Bastard! Das traue ich dir zu, ein junges Mädchen mit Erpressung an dich zu fesseln. Freiwillig würde wohl keine mit dir gehen. Wie kann man nur so tief sinken? Hast du keinen Stolz, Caballius?«

Er hob die Schultern und grinste breit. »Wenn du es Erpressung nennen willst, dann nenne es Erpressung. Für mich ist es der schnellste Weg, im Leben zu gewinnen. Der sicherste Weg zum Sieg.«

»Du bist Abschaum!«

Diesen Satz hatte sie herausgeschrien, und er hallte durch die Korridore, auch das Plätschern der Brunnen konnte ihn nicht überlagern.

Sie zitterte am ganzen Körper, weniger von der Kühle des Wassers, sondern vor Wut über die Unverschämtheit dieses Mannes. Sie stieg aus dem Becken und trat auf den Mosaikboden.

»Morgen erwarte ich deinen Besuch, du verkommenes Luder«, rief er ihr nach.

»Ich komme«, log sie und lief von ihm weg aufs Haus zu. Sie brauchte dringend Distanz von diesem Mann, damit ihre Sinne sich wieder beruhigen konnten.

# Sechstes Kapitel

»Du siehst aus, als hättest du einen Gewittersturm überlebt. Was ist passiert?« fragte Lydia.

Sie sah erschöpft aus und ließ sich mit einem halbleeren Bronzekrug in der Hand gegen die Wand fallen.

»Irgendein Trunkenbold hat mich in den Brunnen geworfen.«

»Hinter der Tür in der Halle hängen frische Kleider«, sagte Lydia.

Marcella kämpfte in ihrem Gefühlsgemisch aus Zorn und sexueller Frustration gegen ihre Tränen an. »Es war erniedrigend«, sagte sie leise. »Ich konnte mich nicht zur Wehr setzen, weil ich fürchten mußte, daß er ernsthaft gewalttätig werden würde.«

»Sage Juno Dank, daß du nicht an einem einsamen Ort mit ihm zusammen warst, dort hätte er mit dir nach Belieben umspringen können. Ich habe gehört, daß Männer gemeingefährlich sein können, wenn niemand außer ihren Sklaven in Hörweite ist«, vertraute Lydia der Freundin an.

»Es hat mich eines gelehrt«, murmelte Marcella, während sie in ein trockenes Kleid schlüpfte. »Der Mann, den ich in der Taverne kennengelernt habe, war etwas Besonderes. Er ist meiner Bewunderung und meiner Träume wert. Der andere Bastard hat es geschafft, mich innerhalb von wenigen Augenblicken zu einer haßerfüllten Frau zu machen.«

Sie hatte sich wieder gefaßt und ging hinüber in den Speiseraum.

Ihr Blick fiel auf Gaius. Er stand allein, und sie

konnte Julia nirgendwo entdecken. Gaius sah brummig aus, verärgert. Marcella war es, als bliebe ihr Herz stehen: Hoffentlich hatten sie sich gestritten!

Er schritt auf sie zu und sagte in einem Ton völliger Verachtung: »Es scheint, daß ich mich geirrt habe. Du bist doch keine Genießerin. Was für ein düsterer Anblick das war! Du hättest Venus gleichen müssen, wie sie den Wellen entsteigt, aber du warst nur ein gestrandeter Fisch.«

Seine Verachtung schmerzte fast körperlich, und sie zuckte zurück.

In ihrem Entsetzen, vom geliebten Mann so harsche Worte zu hören, platzte sie mit der ersten Replik heraus, die ihr einfiel. »Was weißt du denn davon? Wo warst du denn? Hast du uns beobachtet und belauscht?«

Die Spielleute beendeten ihre Darbietungen mit einem letzten Aufklingen ihrer Instrumente, aber Marcella hatte kein Gehör dafür. Sie konnte nur an eins denken: Was hatte Gaius gesehen, wieviel wußte er?

»Ich dachte, du wärst anders«, fuhr er fort. »Wer war er? Ich habe ihn vorher nicht gesehen. ›Abschaum‹ hast du ihn genannt, und er hat dich ein ›Luder‹ geschimpft. Was für ein charmantes Paar! Warum hast du dich mit ihm getroffen?«

»Ich mußte ihn beschimpfen, um ihn los zu werden«, rechtfertigte sie sich. »Außerdem geht es dich nichts an! Ich brauche mich weder bei dir noch bei irgendeinem anderen für das zu entschuldigen, was ich getan habe.«

Gaius lehnte sich gegen eine Säule und sah Marcella durchdringend an.

Sie hielt seinem Blick stand.

Der Verwalter hastete mit einem Tablett voller Süßigkeiten an ihnen vorbei. »Marcella«, sagte er knarrend, »du wirst gebraucht, um Essen aufzutragen. Sofort.«

Sie ging.

Auf dem Weg zur Küche huschte sie kurz hinaus auf den Innenhof. Er lag verlassen da. Benommen schaute sie hinüber zum Schwimmbecken, wo der Bastard sie so gedemütigt hatte. Sie bückte sich und schöpfte Wasser aus dem Brunnen, um es sich ins Gesicht zu klatschen. Dann spülte sie sich den Mund aus. Am liebsten wäre sie jetzt in ein Bad gegangen, um seinen Geruch abzuwaschen. Sobald sie eine Gelegenheit hatte, würde sie das tun, und dann würde sie Stunden im Heißraum bleiben, bis sie ihn aus jeder Pore geschwitzt hatte.

Am schlimmsten war noch, daß der Mann, nach dem sie am meisten dürstete, ihre Schmach mitangesehen hatte und jetzt nichts als Verachtung für sie empfand.

Sie fühlte eine Hand auf ihrer Hüfte und wirbelte voller Zorn herum, ihr Arm schon ausgestreckt, schlagbereit. »Erlaube dir nicht, mich noch einmal anzufassen, du ...«

Gaius griff rasch nach ihrer Hand. »Du verpaßt eine gute Schau«, sagte er ruhig.

»Welche Schau? Ich dachte, die Musiker hätten schon aufgehört und die Instrumente eingepackt.«

»Es gibt immer wieder etwas anderes zu sehen. Jetzt ist der Zeitpunkt gekommen, daß die Gäste aufgeheizt genug sind, um sich zur Schau zu stellen. Die bezahlten Mimen und Tänzer waren nur die Vorspeise.«

Er legte eine Hand auf ihre Schulter und drehte sie so, daß sie ihn anschauen mußte. »Ich nehme an, daß du heute erfahren hast, daß Lust und Leidenschaft nicht ganz so einfach sind, wie man auf den ersten Blick glauben will.«

Sie hielt den Kopf gesenkt, immer noch beschämt von dem, was Caballius ihr angetan hatte. Dann nickte sie. »Man kann nicht immer am Fuße des Olymps mit den Unsterblichen Ambrosia trinken.«

Er sah sie lange an, bevor er sagte: »Ich entschuldige mich bei dir, daß ich schlecht von dir gedacht habe, Marcella.«

Er lächelte. Sein Ausdruck war freundlich, und sie spürte die Wärme seiner Hände auf ihrer Hüfte und auf der Schulter.

»Du hast erfahren, daß die Männer auf diesem Fest nicht das sind, was du dir erhofft hast?«

»Ich darf mir nichts erhoffen«, sagte sie gepreßt. »Der Verwalter ist sehr streng.«

Er gluckste laut, und sie fühlte sich an die Szene in der Taverne erinnert, wo er auch dieses tiefe Geräusch ausgestoßen hatte.

»Das ist der Bursche, der dich in die Küche geschickt hat? Soll ich denn glauben, daß er keine Andeutungen gemacht hat, daß er dich nach dem Fest vernaschen will?«

Sie errötete. »Ja, er hat gesagt, ich sollte mich am Schluß für ihn zur Verfügung halten.«

»Na, bitte. Ich kann es dem Mann nicht einmal verübeln, daß er es versucht. Aber jetzt verdrängen wir ihn aus unseren Gedanken und wenden uns schöneren Dingen zu. Erzähle mir von deinen Abenteuern.«

»An diesen Bastard möchte ich wirklich nicht

mehr denken«, sagte sie hitzig. »Er haßt alle Frauen und will nicht, daß sie ihren Spaß bei ihm haben.« Sie schüttelte wütend den Kopf. »Und Petro war nicht viel besser. Er hat keine Ahnung, was eine Frau braucht. Ich mußte die ganze Arbeit tun.«

»Warte mal. Wer, zum Hades, ist Petro?« Er sah sie amüsiert und auch ein wenig bewundernd an. »Du bist in den letzten beiden Tagen ziemlich beschäftigt gewesen. Als ich dich kennenlernte, warst du Jungfrau, und jetzt läßt du keinen Mann aus.«

»Ich habe ihn kennengelernt, nachdem du die Taverne verlassen hattest. Er ist sehr lieb, aber er zieht meine Freundin Lydia vor. Und der andere Mann war nur ein ungehobelter, unverschämter Kerl. In Zukunft muß ich vorsichtiger sein.«

»Das stimmt. Ich bin froh, daß du aus dieser Lektion gelernt hast. Du mußt wählerischer werden, meine begehrenswerte kleine Freundin.«

Eine Hand lag immer noch auf ihrer Schulter, sie lag nur locker da, aber sie brachte ihr Blut in Wallung. Sie wünschte sich, daß er die Finger über ihre Brüste streicheln ließ, und sie sehnte sich nach einer Berührung seiner Lippen. Warum suchte er nicht wieder jene geheimnisvolle Stelle zwischen ihren Schenkeln?

»Die Götter haben mir offenbar das Schicksal zugedacht, dich immer dann zu treffen, wenn ich es entsetzlich eilig habe. Ich bin schon zu spät für eine dringende Verabredung.«

»Ich verstehe«, murmelte sie. Ihr würde es schon genügen, wenn sie herausfinden könnte, wie er mit vollem Namen hieß und wo er wohnte, damit sie ihn später wiedersehen könnte. Aber diese ›dringende Verabredung‹ war wahrscheinlich mit der eleganten Julia.

Trotzdem. Sie würde die nächsten Stunden und auch Tage leicht überstehen, wenn sie wüßte, daß sie bald wieder seine Hände auf ihrem Leib spüren würde, seinen Mund an ihren intimen Stellen, seine Männlichkeit tief in ihr.

»Sag mir, was dieser Kerl getan hat, um dich so in Rage zu bringen«, forderte Gaius sie auf.

Er legte seine Hände auf ihre Hüften und zog sie sanft an sich heran. Sein Mund war warm und zärtlich auf ihren Lippen, und seine Zunge schmeckte wie ein Elixier. Er hatte die schwere Toga aus Wolle abgelegt. Hatte er bei Julia auch die leichte weiße Tunika abgelegt? Sie war ohne Knitterfalten und ohne jeden Fleck. Hatte er es nackt mit ihr auf einer Liege getrieben?

»Nun?« fragte er.

Sie schaute zu ihm hoch, dann wandte sie verschämt den Blick ab und erklärte zögernd, wie Caballius sie in die gebückte Stellung gezwungen hatte.

»In dieser Position hat eine Frau bestimmte Wünsche, sonst ist sie – wie du es warst – anschließend sehr frustriert«, sagte Gaius.

Sie nickte. Ja, sie hatte sich gewünscht, daß Caballius ihre Brüste gestreichelt und ihre Klitoris gerieben hätte, als er sie von hinten bearbeitete.

Sanft strich Gaius mit den Lippen über ihren Mund. Oh, er konnte so süß sein, dieser Mann aus der Taverne.

»Er wollte mich frustrieren«, sagte sie, aber das Erlebnis mit dem brutalen Kerl verlor mit jeder Berührung von Gaius seine Bedeutung. Sie spürte die Wirkung seines Küssens und Kosens und Streichelns, und ihr Verlangen wuchs.

»Manche Männer verschaffen sich ihre Lust auf diese Weise.« Er streichelte ihre Augenbrauen und schaute liebevoll auf sie hinab. Seine Blicke allein reichten, um sie zum Beben zu bringen.

»Dreh dich um«, murmelte er. »Ich kann dich so nicht in die Nacht schicken. Sonst behältst du seine egoistische Art in Erinnerung und verbitterst.«

Sie wußte nicht genau, was er meinte, denn ihre Sinne hatten Mühe, seine Worte zu begreifen, aber sie hörte das Versprechen neuen Glücks aus seinem Mund.

Er hob ihr Kleid bis zu den Hüften. Er streichelte über ihren Hintern, knetete das feste Fleisch und zog sie näher zu sich heran. Er spürte, wie sie zitterte, wie sich ihr Körper unter seinen Liebkosungen wand und schlängelte, er hörte, wie sie stöhnende Laute ausstieß, und dann schlang sie beide Arme um seinen Nacken und kuschelte den Kopf an seine Brust.

Eine Hand glitt jetzt zu der geheimen Stelle zwischen den Schenkeln. Er schob ein Knie zwischen ihre Beine und zwängte sie behutsam auseinander. Sie stieß einen spitzen Schrei aus, als er druckvoll über die Klitoris rieb. Er nahm die fleischige Spitze zwischen Daumen und Zeigefinger und malträtierte sie auf eine unbeschreiblich köstliche Weise.

Sie konnte nicht genug von ihm bekommen, spreizte die Beine weiter und wollte, daß er nicht nachließ, sie so wunderbar zu verwöhnen.

Er setzte sich auf den Brunnenrand und nahm sie zwischen seine Beine, ohne die Reibung zu unterbrechen. Jetzt erreichte er ihre Brüste mit seinem Mund, und sie spürte, wie sich ihre inneren Muskeln zusammenzogen. Ihre Säfte flossen, und sie griff nach seinem Phallus, der unter dem dünnen Stoff der Tunika bereits ein gewaltiges Zelt bildete.

Sie nahm den Schaft in beide Hände und rieb ihn zärtlich, und wieder wunderte sie sich über die weiche Haut des harten Stabs. Sie sehnte sich danach, ihn in den Mund zu nehmen, aber so tief konnte sie sich nicht bücken, ohne den Kontakt mit Gaius' Händen zu unterbrechen.

Er glitt mit zwei Fingern in sie hinein, während die Finger der anderen Hand unermüdlich über ihren Kitzler strich. Flüssiges Feuer lief durch ihre Adern. Sie wurde von ihm auf eine Ebene gehoben, wo es nur Lust und Wonne gab. Bei jedem Stoß seiner Finger zuckte ihr Schoß, die Muskeln klammerten sich um die Eindringlinge und schienen sie melken zu wollen.

Schließlich ertrug sie es nicht mehr länger, und sie schrie ihren Orgasmus heraus.

Gaius hob ihr Gesäß leicht an, und im nächsten Augenblick hatte er sie auf seinen Schoß gesetzt. Behutsam richtete er den Phallus auf ihre pochende, prickelnde Öffnung, dann ließ er Marcellas Körper langsam sinken.

Heiße Schauer liefen über ihren Rücken, als Gaius sich vom Brunnenrand abdrückte und ihre Beine um seine Hüften schlang. Er stieß zu, und sie fühlte sie wie gepfählt. Die gespannte Kraft seiner Männlichkeit spießte sie auf. Sie hatte seinen Nacken umschlungen, küßte seine Stirn, die Augenlider, den Nasenrücken und schließlich die Lippen. Sie fiel über seinen Mund her, als verdurste sie, drang tief mit der Zunge ein, nahm den Rhythmus seiner Stöße auf und wiederholte sie mit der Zunge in seinem Mund.

Als sie die ersten verräterischen Zuckungen seines bevorstehenden Orgasmus spürte, fiel plötzlich alle Anspannung von ihr ab. Sie entkrampfte sich und flüsterte in sein Ohr: »Oh, du machst mich glücklich. Die Götter haben dich zu mir geschickt, Gaius.«

Dann blieb ihr die Luft weg, als die Wellen des eigenen Höhepunktes sie überrollten.

Sie spürte, wie Gaius' Körper sich nach der Erlösung entspannte, wie das letzte Zucken langsam verebbte.

Sie blieben lange so stehen, innig umarmt, an der entscheidenden Stelle miteinander verbunden, und sie wünschte, sie wären jetzt in einem Bett und könnten nebeneinander so einschlafen und den neuen Tag begrüßen. Sie konnte sich nicht erinnern, etwas Schöneres je erlebt zu haben, und wieder küßte sie ihn, aber diesmal nicht so hitzig, sondern voller Liebe und Dankbarkeit.

Langsam ließ sie sich an seinem Körper hinab, und er glitt aus ihr heraus.

»Hast du denn genug?« fragte er leise.

Bevor sie antworten konnten, traten zwei Männer in den Innenhof, und Marcella ahnte, daß sie im Haus gewartet hatten, bis Gaius und sie ihr Liebesspiel beendet hatten. Die beiden Männer – Marcella hatte sie zuvor gelangweilt an den Säulen gesehen, der eine schwarz, der andere weiß, und beide nur mit einem Lendenschurz bekleidet – blieben in respektvollem Abstand vor Gaius stehen und schauten ihn fragend an.

»Julia wartet auf euch«, sagte er ihnen. »Geht zu ihr und gebt euch Mühe.«

Sie lächelten und wandten sich rasch ab, offenbar bereit und in der Lage, einer Dame Lust zu bescheren.

»Sind sie deine Sklaven?« fragte sie und warf einen Blick auf die muskulösen Gesäße der Männer, die jetzt wieder im Haus verschwanden.

»Nein«, sagte er. »Sie sind Freigelassene. Sie haben keinerlei Verpflichtung, aber sie verrichten ihre Arbeit gut, und sie wissen ein Vergnügen zu schätzen. Manchmal, wie heute abend, habe ich einfach nicht die Zeit, mich um eine Frau so zu kümmern, wie sie es verdient. Dann biete ich ihr eine Abwechslung an.«

»Du warst wunderbar«, sagte sie, aber sie wußte, daß dieses eine Wort nicht ausreichte, um ihre Gefühle zu beschreiben.

»Geht es dir jetzt besser?« fragte er.

Ihre Antwort bestand darin, sich ganz eng an ihn zu kuscheln, erschöpft und befriedigt.

»Das nächste Mal müssen wir es unbedingt mal in einem Bett versuchen«, flüsterte er in ihre Haare.

Ihr Herz hüpfte vor Freude, denn er hatte von einem nächsten Mal gesprochen! »Das wäre mein Traum«, raunte sie, nahm seine Hand und hauchte einen Kuß darauf. »Ich habe mich nie besser gefühlt als jetzt.«

Sie blieben noch eine lange Zeit nebeneinander stehen. Sie fühlte sich entspannt und glücklich, auf einer Ebene der Zufriedenheit, die nur die Götter begreifen würden.

»Sei nie wieder traurig, Marcella. Du hast eine großartige Gabe, und die sollst du nur zu deinem

Vergnügen und zum Vergnügen anderer einsetzen. Lasse dich nicht ausnutzen oder gar einschüchtern. Sonst wirst du vielleicht garstig oder grausam.«

Sie schaute zu ihm auf, und sie sah, daß er irgendwo in die Ferne schaute – oder auch in die Vergangenheit.

Vielleicht hatte er etwas erlebt, was ihn zu diesen Mahnungen veranlaßte.

»Ich werde dich nie vergessen«, sagte er dann. »Nicht einmal die Ablenkungen, die in Rom auf mich warten, werden das schaffen, Marcella.«

Ihr Herz verkrampfte sich. Er ging nach Rom? Die Ablenkungen, von denen er gesprochen hatte, würden Frauen sein.

»Du bist nackt. Das geht nicht. Wir müssen dir neue Kleider besorgen. Komm mit.«

Er nahm sie an der Hand und führte sie über einen Korridor zu einem Raum, in dem eine streng aussehende Matrone saß.

»Diese Dame braucht neue Kleider. Sie hat sogar ihren Schmuck verloren. Sie braucht viel Zuneigung, damit sie ihre Traumata überwindet.«

»Dafür bin ich hier, mein Herr«, sagte die Frau und hielt Marcella eine Hand hin. »Komm, mein Liebe. Du brauchst dich nicht zu schämen, solche Dinge geschehen oft. Wenn die eigenen Kleider beschmutzt werden, oder wenn ein Verehrer allzu stürmisch ist. Männer können oft wie wilde Tiere sein, nicht wahr?«

»Aber ich bin nicht ...«

Sie brach ab. Sie wollte sagen, daß sie nicht zu den Gästen gehörte, aber da hatte die Frau ihr schon einen Mantel um die Schultern gelegt.

Marcella drehte sich nach Gaius um.

Ihm mußte sie sagen, daß sie diesen exklusiven Mantel nicht annehmen konnte. Aber Gaius war nicht mehr da.

Vielleicht würde sie ihn nie mehr wiedersehen.

Der Gedanke erfüllte sie mit einer unendlichen Traurigkeit.

## Siebtes Kapitel

»Du hast eine schöne Gesichtsfarbe und eine verführerische Figur. Ich glaube, du kannst grelle Farben tragen, die andere Frauen blaß machen würden«, sagte die Matrone, nachdem Marcella sich niedergeschlagen hingesetzt hatte.

Eine junge Sklavin hielt einen großen polierten Silberspiegel hoch, damit Marcella sich betrachten konnte. Sie sah, daß ihr Gesicht von den Liebesgenüssen aufgedunsen war. Sie starrte sich an, sah die Blässe ihres Gesichts und schaute sich dann unsicher um. Mehrere Kleider waren für sie ausgelegt worden, und auf dem Mosaikboden aus schwarzen und weißen Steinen standen viele Schuhpaare in einer Reihe.

»Die Gäste verschütten oft Wein und andere Dinge, dann müssen wir entweder ihre Kleider reinigen, oder wir liefern Ersatz«, sagte die Matrone.

»Ich gehöre nicht zu den Gästen«, sagte Marcella niedergeschlagen. »Du redest, als gehörte es zu deinen täglichen Aufgaben, nackte Frauen zu beruhigen.«

»Ist es auch«, sagte die Frau. »Du wärst überrascht, wenn du einige Szenen sehen würdest, die sich auf diesen Festen abspielen. Als ich jünger war, gehörte ich einer Familie in Rom. Zu den Zeiten des Kaisers Nero ging es dort drunter und drüber.«

Sie wählte zwei Kleider aus. »Probiere sie an. Dieses hier ist aus feinstem Leinen, und der Saum ist mit Silberfäden durchzogen, und wenn du genau hinsiehst, wiederholen sich die Silberfäden bei den Stickereien um die Taille. Eigentlich braucht man Silberschmuck dazu.«

Sie trat zu einem kleinen Tisch und hob ein Ohrringpaar auf. Ein delikater Glastropfen saß auf einem dünnen Silberdraht.

»Ich habe noch meine eigenen Ohrringe«, sagte Marcella und erinnerte sich daran, wie Gaius sie liebkost und geherzt hatte, wie er sie in die Arme genommen und ihren Hals und Nacken geküßt hatte. Die Erinnerung daran machte sie unruhig.

»Sie sind sehr schön«, sagte die Frau, »aber sie passen nicht zu den Kleidern, die wir hier haben.«

»Ich kann sie nicht annehmen, sie sind zu edel«, rief Marcella voller Sorge. »Ich bin nur eine Dienstkraft. Wenn sie mich in diesen Kleidern erwischen, könnten sie glauben, ich hätte sie gestohlen. Oh, ich darf gar nicht an die Folgen denken!«

»Das ist wirklich nichts Ungewöhnliches«, sagte die Matrone. »Wenn ein geschätzter Gast mir einen Befehl erteilt, würde meine Herrin mich bestrafen, wenn ich den Wunsch nicht erfülle. Sie würde nicht wollen, daß jemand wie er beleidigt ist.«

»Aber der Türsteher wird das nicht wissen!«

»Der Türsteher wird sich hüten, einen Gast anzusprechen, der das Fest verläßt. Seine Pflicht ist es, dafür sorgen, daß niemand hereinkommt, der nicht geladen ist. Wie die Gäste gekleidet sind, wenn sie das Haus verlassen, ist nicht seine Sache.«

»Offenbar weißt du, wer Gaius ist. Ich kenne nur seinen Vornamen – und das ist auch noch ein Allerweltsname«, sagte Marcella. »Aus welcher Familie stammt er?«

Die Matrone wich verlegen ihrem Blick aus. »Es tut mir leid, aber wenn du den Namen nicht weißt, hat er offenbar seine Gründe, seine Identität zu verschleiern. Ich darf dir seinen Namen nicht nennen.«

Marcella seufzte. »Was ist denn so geheimnisvoll an ihm?«

»Nichts. Du weißt doch, daß die Patrizier oft verrückte Ideen haben, und gewöhnliche Sterbliche wie ich müssen uns nach ihnen richten. Deshalb wage ich nicht, dir seinen Namen zu nennen. Aber wenn er wünscht, daß du elegant gekleidet wirst, dann wirst du elegant gekleidet.«

»Ich komme mir billig vor, wenn ich solche Geschenke annehme«, murmelte Marcella.

»Also billig bist du gewiß nicht in diesen Kleidern«, sagte die Frau lachend. Sie nahm einen Umhang, legte ihn um Marcellas Schultern, trat einen Schritt zurück und betrachtete die Wirkung.

»Aber was will er von mir?« fragte Marcella, als sie sich den Umhang fester um den Leib schlang. Sie fuhr mit den Fingerspitzen über den edlen Stoff. Sie ging ein paar Schritte im Raum umher und spürte, wie das Gewebe sie im Nacken streichelte, und wieder wurde sie an Gaius' Küsse erinnert.

»Das ist doch ganz normal«, sagte die Frau. »Ein Geschenk von einem Freund. Er zahlt nie für sein Vergnügen, das hat er auch nicht nötig. Aber er stammt aus einem Teil der Gesellschaft, der es liebt, Geschenke zu machen. Du kannst sicher sein, daß meine Herrschaft in Kürze Geschenke von ihm erhalten wird, die den Wert dieser kleinen Wunscherfüllung bei weitem übersteigen.«

»Kleine Wunscherfüllung«, wiederholte Marcella und befingerte eine kunstvolle Stickerei mit eingewebten Goldfäden. Die Stickerei stellte eine Vogelschar mit Blumen und Bäumen dar.

»Aber du würdest einem Gast, der sich bei dir im Hause die Kleider bekleckert hat, doch auch aus deinem Fundus aushelfen, nicht wahr? Ich meine, du würdest ihn nicht beschmutzt nach Hause gehen lassen.«

Sie legte eine Kette aus bernsteinfarbenen Perlen um Marcellas Hals. Das Licht fing sich in den Perlen und strahlte sanft auf ihre Haut.

»Sie muß mindestens zwei Dinar gekostet haben«, protestierte Marcella.

»Eher das Zehnfache«, erwiderte die Frau ungerührt. »Das Halsband steht dir gut. Ich glaube, wir sollten ein Kleid finden, das zu dem Schmuck paßt, und nicht umgekehrt.«

Marcella griff nach einem grünen Kleid und hielt die weiche Seide an ihr Gesicht. Sie sog tief den Duft ein. Vor ihrem geistigen Auge sah sie sich wieder in Gaius' Armen. Sie fühlte sich erschöpft und glücklich, und allmählich erholte sich auch ihr Körper von den herrlichen sinnlichen Erfahrungen mit Gaius. Sie konnte immer noch seinen Geruch wahrnehmen. Am liebsten würde sie sich ein paar Tage nicht waschen, um besser in den Erinnerungen schwelgen zu können.

Tief in ihr zuckte es immer noch, als ob leichte Nachbeben der Lust ihre Weiblichkeit nicht zur Ruhe kommen lassen wollten.

»Es war gut für dich, was?« murmelte die Matrone ihr ins Ohr. »Du bist eine glückliche Frau. Dein Geliebter ist ein Kenner der Frauen. Wenn ich nicht so alt wäre und nur noch meinen Erinnerungen lebte, wäre ich eifersüchtig.«

Marcella riß sich von ihren Erinnerungen der Leidenschaft los, um das Kleid bewundern zu können, das die Frau ihr zeigte. Es war safrangelb – die Farbe des Brautschleiers.

»Ich liebe dieses Kleid«, sagte die Matrone.

Die bernsteinfarbenen Perlen paßten, als wären sie eigens für das Kleid angefertigt worden.

Marcella schlüpfte in das Kleid, und das Sklavenmädchen hielt den Spiegel, so daß sie sich in voller Länge betrachten konnte. Der weiche Stoff schmiegte sich verführerisch um Brüste, Bauch und Hüften, ehe es in einer wunderbaren Bewegung zu Boden floß. Marcella drehte sich einmal und sah, wie der Rock wogend jede Bewegung mitmachte. Sie konnte sich vorstellen, daß Gaius sie in diesem Kleid bewundern würde. Oh, könnte er sie doch jetzt sehen! Er würde ihr das Kleid abstreifen und sie erneut in einen Wirbel der Sinnlichkeit führen.

»Du siehst atemberaubend aus«, sagte die Matrone. »Jetzt brauchst du nur noch ein wenig Schminke, dann wird dich niemand mehr erkennen. Du kannst dich zu den Herrschaften setzen und ihnen zuschauen oder ihnen bei ihren Spielen Gesellschaft leisten.«

»Ich habe genug gespielt in dieser Nacht«, sagte Marcella. »Höchstens wieder mit ihm.«

Die Frau lachte. »Du brauchst ein paar hellere Sandalen, und auch sie müssen goldbestickt sein, damit alles zusammenpaßt, und dann fehlt nur noch ein Gürtel.«

Die Sklavin holte einen Gürtel, mit Goldfäden durchzogen, aus einer Kiste, und legte ihn um Marcellas Taille.

Die Frau raffte Marcellas Haare zusammen und hielt sie über ihrem Kopf. Die Sklavin eilte mit dem Spiegel herbei.

»Oh, so sehe ich wirklich elegant aus!« rief Marcella.

»Nachher drehe ich dir die Haare auf. Schade, daß wir nicht die Zeit haben, sie zu schneiden und Locken zu brennen. Die modebewußten Damen am Hof tragen die Haare sehr kurz, und an den Seiten lassen sie viele kleine Löckchen hängen, die das Gesicht einrahmen. Viele Frauen setzen sich auch Haarteile auf, die nur aus Locken bestehen. Keine Frau, die so gut aussieht wie du, sollte auf solche modischen Ergänzungen verzichten.«

»Was ich jetzt trage, würde den Lohn von vielen Jahren verschlingen«, sagte Marcella. »In der Taverne verdiene ich nicht viel.«

»Wenn du einen Platz an der Seite der Patrizier finden willst, mußt du auch so aussehen wie sie«, riet die Frau.

»Wie sollte ich einen Platz bei ihnen finden? Ich bin ein Nichts.«

Bitterkeit schwang in ihrer Stimme mit, aber sie wurde gemildert durch ihr Wissen, daß sie es mit den schönsten der weiblichen Gäste aufnehmen konnte.

»Was auch immer er damit bezwecken wollte, dein Freund will, daß du Kleider trägst, in denen du auf Festen glänzen kannst. Und vielleicht hofft er, dich auf dem nächsten Fest zu treffen. Du mußt alles in einem hellen Licht sehen.«

»Aber warum sollte er solche Umwege für ein weiteres Treffen mit mir gehen wollen?« rief sie aufgebracht. »Ich kann nicht glauben, daß er es so gemeint hat.«

»Ich weiß, wie Männer denken. Er läuft zwar weg, aber du hast genug Hinweise, um ihm folgen zu können, findest du nicht auch? Und er weiß das.«

»Du meinst, er will mich auf die Probe stellen?« Bei diesem Gedanken mußte Marcella lachen.

»Sehr gut möglich«, sagte die Frau. »Behalte dieses Kleid und nimm auch noch einige andere mit. Verbirg sie unter dem Umhang. Und denke an mich mit Wohlgefallen, wenn du deine Stelle in der Gesellschaft erlangt hast.«

Marcella schlenderte durch die Korridore des großen Hauses. Niemand erkannte sie, auch Lydia nicht. Sie schritt hoch erhobenen Kopfes durch die Räume, das Gesicht blaß geschminkt, nur die Wangen hatten bernsteinfarbene Tupfer, und sie war mit dem Öl des Jasmin parfümiert. Sie übte das elegante Schreiten und fand, daß es ihr in den leichten Ledersandalen kaum Mühe bereitete.

Bei jedem Schritt schmiegte sich der Stoff des Kleids zwischen die Schenkel, sanft wie die Hand des Geliebten. Die Weichheit des Lendentuchs und des Unterkleids bildete einen starken Gegensatz zu den groben Stoffen, die sie bisher am Leib getragen hatte. Sie wußte, daß sie umwerfend aussah.

Als sie Caballius sah, der in einem Raum beim Würfelspiel saß, ging sie erhobenen Hauptes an ihm vorbei.

Das Fest neigte sich dem Ende zu, es war ruhig geworden. Einige Paare lagen umschlungen schlafend auf den Kissen. Marcella rauschte an ihnen vorbei, als wäre sie in einer anderen Welt, und bewegte sich auf den Eingang zu.

»Du willst gehen, Herrin?« fragte der Türsteher.

Sie nickte und errötete schuldbewußt, als sie die Anrede des Türstehers hörte. Er öffnete ihr ehrerbietig die Tür, und sie schritt hinaus, neigte kaum merklich den Kopf und tat so, als sei sie an eine solche Zuvorkommenheit gewöhnt.

Sie kroch in die Taverne zurück, ohne Onkel und Tante aufzuwecken, und versteckte ihre neuen Kleider in einer Vorratskiste. Sie wischte sich die Schminke mit einem Tuch und Olivenöl ab.

Sofort fiel sie in einen tiefen Schlaf, aber sie träumte von Gaius und seinen Berührungen, und sie hörte seine kosenden Worte, die in ihr nachklangen. Er war davongelaufen, aber die Matrone hatte gemeint, daß er sie irgendwo anders erwartete.

Sie wachte auf und glaubte, die Tante rüttle am Bett, um sie zu wecken, aber dann begriff sie, daß der ganze Raum heftig durchgerüttelt wurde. Stirnrunzelnd mußte sie an Terentius' Warnungen denken.

Onkel und Tante standen vor der Taverne auf der Straße und blickten hinauf zum Berg. Das erste graue Licht der Dämmerung durchbrach den dunklen Himmel, aber da war mehr als nur das Schwarz der Nacht.

»Aus dem Gipfel kommt Rauch – siehst du? Die Götter der Erde zürnen. Vulcanus und Pluto sind beleidigt. Wir müssen etwas tun, um ihren Zorn zu besänftigen.«

Sie starrte hinauf zum Vesuv und konnte dünne dunkle Schleier oberhalb der Grenze sehen, die von den Weinhängen und Olivenhainen gebildet wurde.

»Wahrscheinlich ist es ein Winzer oder ein Bauer, der dürres Zeug verbrennt«, murmelte sie. Ihre Gedanken waren mit wichtigeren Dingen beschäftigt. Ihr Liebhaber hieß Gaius, und er verbrachte Zeit in Rom – aber sie mußte viel, viel mehr über ihn in Erfahrung bringen.

»Kannst du mir etwas Geld borgen?« fragte sie ohne Umschweife, nachdem sie eine Stunde später die Treppen zu Petronius' Wohnung hochgestiegen war.

»Hab Erbarmen, Geliebte«, sagte er. Er lag im Bett, und die Tücher waren verdreht und zerknüllt, als hätte er eine unruhige Nacht verbracht. »Ich habe einen entsetzlichen Kater. Nach dem Ende des offiziellen Fests habe ich mit den Dienstboten noch eine Menge Zeug getrunken.«

Sie schenkte ihm Wasser aus einem Krug ein, der auf dem Tisch stand.

»Du siehst schrecklich aus, aber in der Taverne habe ich gelernt, wie man einen Kater kuriert. Hast du Eier vorrätig?«

Er stöhnte. Sein Penis lag schlaff auf einem Schenkel, eine Hand dicht dabei, als wäre er beim Masturbieren eingeschlafen.

»Natürlich habe ich keine Eier hier.«

»Künstler malen doch Stilleben mit Eiern und toten Vögeln oder Hasen. Und manchmal nehmt ihr Eiweiß, um die Farben zu binden, das hast du mir selbst gesagt.«

»Aber wir bewahren sie nicht auf, wir essen sie,

wenn wir sie überhaupt behalten dürfen. Die meisten Kunden nehmen sie wieder mit, wenn sie das Bild bezahlt haben.« Er nahm einen Schluck Wasser und verzog das Gesicht.

»Du bist der einzige Mensch, der mir helfen kann«, sagte sie ernst und setzte sich neben ihn aufs Bett.

»Wo bist du gestern abend abgeblieben?« fragte er, während er mit einer Hand leicht über sein Glied fuhr. »Der Verwalter war in einer stinkigen Laune. Wenn ich an deiner Stelle wäre, würde ich ihn nicht noch einmal um Arbeit bitten. Einer der Gäste hat sich wohl über dich beklagt. Du hättest ihn ins Schwimmbecken geschubst.«

»Dieses Schwein«, sagte sie und sah fasziniert zu, wie der Schaft wuchs. Vom Zuschauen begann es in ihren Brüsten zu kribbeln. Sie wandte sich ihm zu, weil sie besser sehen wollte.

»Dir geht es schon besser«, sagte sie. »Trink das Wasser aus und hilf mir. Ich muß nach Rom gehen.«

»Du wurdest gestern am Ende des Festes vermißt, und jetzt sagst du, daß du nach Rom willst. Ich wette, daß du einen Mann kennengelernt hast.«

»Deine Phantasie geht mit dir durch«, fuhr sie ihn an. »Reserviere sie für deine Bilder, Petronius.«

Er lachte und hielt seinen Phallus jetzt fest umpackt. »Dein Freund muß ein Patrizier sein«, fuhr er fort. »Deshalb läufst du ihm hinterher.«

Die Hand fuhr auf und ab. Sie schaute gebannt zu, weil sie lernen wollte, wie ein Mann sich Lust bereitete, damit sie es später für einen Mann tun könnte – am liebsten für Gaius.

»Ich würde den Lohn eines Tages opfern, um zu erfahren, was du gestern abend getrieben hast. Und die Miete einer Woche, um es zu malen! Deine Natur fließt über vor Lust.«

»Mach dich nicht lächerlich«, sagte sie scharf, aber sie wußte, daß Petronius recht hatte. Sie brauchte nur daran zu denken, wie lustvoll sie das Spiel von Gaius' Händen empfunden hatte.

Er legte sich zurück und schloß die Augen, während die rechte Hand ihre Arbeit am Penis fortsetzte. Die Hoden zogen sich zusammen. Sie beugte sich vor und streichelte sanft über seine Oberschenkel.

»Ich brauche Kapital, um ein Geschäft zu eröffnen, wenn ich im Leben etwas erreichen will«, sagte sie. »In Rom gibt es mehr Möglichkeiten als hier in Pompeji.«

Er öffnete die Augen und schaute sie an, ohne den Rhythmus der Hand zu unterbrechen. Sie tupfte mit der Fingerkuppe auf die Eichel und lächelte. Er hob die Lenden an und stieß kräftiger nach oben, gegen ihre Hand.

Sie schob den Ausschnitt hinunter, bis ihre Brüste entblößt waren, dann beugte sie sich weit über ihn, und er drückte den Penis in das weiche Tal ihrer Brüste. Sie drückte die Halbkugeln zusammen, und er wuchtete sich hoch, fuhr auf und ab, langsam zuerst, dann rascher und wilder.

Im nächsten Augenblick zog er sich zurück. »Ich will es selbst machen und dich dabei anschauen«, sagte er. »Hebe dein Kleid und laß mich schauen. Du kannst sehr süß sein, wenn du etwas willst, Marcella. Du hast eine Menge Charme neben deinen körperlichen Vorzügen.«

»Sage mir zuerst, daß du mir helfen wirst.«

»Komm schon, Geliebte, laß mich dich schauen«,

sagte er, und die Hand am Phallus fuhr rascher auf und ab.

Sie hob das Kleid und stellte sich neben sein Bett, ihr Dreieck auf einer Höhe mit seinem Kopf. Der Anblick des sich selbstbefriedigenden Malers erregte sie über alle Maßen.

»So ist es gut«, murmelte er heiser. Er legte sich zurück und überließ sich seinen Gefühlen.

Marcella spürte, wie ihre inneren Muskeln sich unter seinen gierigen Blicken zusammenzogen. Sein Atem kam hechelnd, die Augen wurden von einem glasigen Dunst überzogen. Sie spreizte die Beine weiter und sah, wie er sich lüstern über die Lippen leckte. Nicht einen Augenblick nahm er den Blick von ihrem Schoß.

»Bitte, Petro, hilf mir.«

»Man hat mich noch nicht für die Wandbilder bezahlt«, keuchte er. »Die Reichen lassen sich Zeit mit dem Bezahlen.«

Marcella sah ihn an, Entsetzen in den Augen.

Seine Blicke verharrten auf den leicht geöffneten Labien. Er streckte eine Hand aus und fuhr mit einem Finger über die gerötete Knospe der Klitoris. Sie schob ihren Unterleib vor, und während er sich selbst weiter massierte, strich er geschickt über ihr geschwollenes Geschlecht. Dann, plötzlich, ohne jede Warnung, ejakulierte er, und sie verfolgte mit angehaltenem Atem, wie der Saft hinausschoß und bis auf seine Brust sprühte.

»Es gibt einen Weg, wie wir uns gegenseitig helfen können, und dabei könntest du viel Geld verdienen«, sagte er, als er wieder auf dem Rücken lag, die Augen fest geschlossen.

»Sage mir wie!« rief sie voller Eifer.

»Vielleicht gefällt es dir nicht.«

»Petro!«

»Neben der Venus habe ich noch drei Aufträge für verschiedene Gemälde. Davon ist eins fertig – es steht da und wartet darauf, abgeholt und bezahlt zu werden.«

»Und was ist mit den beiden anderen – warum hast du sie noch nicht gemalt? Sind sie was Besonderes?«

»Nun, die Thematik ist ein bißchen ... sagen wir – delikat. Ich hatte mich schon damit abgefunden, daß ich nach Rom zurückkehren muß, um sie zu malen, aber wenn du bereit bist, hat sich die Situation geändert ...«

»Delikat?«

»Deutlich. Im Vergleich zu den Wandgemälden, die du gesehen hast, werden sie wirklich heiß sein. Einige Kunden ergötzen sich an solchen Darstellungen, wenn sie in der stillen Kammer sitzen oder liegen. Aber sie wollen alles ganz deutlich dargestellt sehen, nichts soll der Phantasie überlassen bleiben. Und das andere Bild soll eine junge Frau zeigen, die gefesselt ist und sich gegen das sträubt, was gleich mit ihr geschehen wird.«

Sie starrte ihn an. »Was ist das für eine Art Mann, die dafür soviel Geld zahlt?«

»Reiche Kerle, meine Liebe, ganz reiche Kerle. Aber gleichzeitig sind sie auch schwach und arm, weil sie ihren Spaß nicht mit echten Frauen finden können. Aber wenn du kein Interesse hast ...«

Sie mußte an Gaius denken, der ihr von Menschen erzählt hatte, die ihren Drang unterdrücken und deshalb schwermütig oder verbittert werden, manchmal auch grausam.

»Ich habe gehört, daß manche Leute ihren Trieb unterdrücken. Aber das ist doch gegen die Natur, nicht wahr?« fragte sie unsicher.

»Du hast gerade bewiesen, daß es dir nichts ausmacht, wenn man dich anschaut, solange es dir und dem Mann Spaß macht. Das hat mir gut an dir gefallen, Marcella. Du willst dich zeigen, kannst vielen Männern eine Freude bereiten und verdienst auch noch Geld damit.«

Sie sah ihn konsterniert an. »Willst du damit sagen, daß du gerade überprüft hast, ob ich für den Auftrag geeignet bin?«

»Die prüden Menschen opponieren gegen meine Kunst, deshalb muß ich meine Modelle sehr sorgsam auswählen.« Petro erhob sich in eine sitzende Position und wischte sich mit einem Tuch ab. »Ich muß oft aus dem Gedächtnis malen, aber dieser Kunde ist schwierig, und er will eine realistische Darstellung. Wenn du also daran interessiert bist, gutes Geld zu verdienen, brauchst du es nur zu sagen.«

Sie sah ihn lange an.

Ihr körperliches Verlangen schwand rasch. Jetzt stand die Aussicht im Vordergrund, eine Gelegenheit zu erhalten, ihr provinzielles Leben hinter sich zu lassen. Sie streckte ihren Körper und sagte: »Male mich.«

»Abgemacht«, sagte Petronius, schwang sich vom Bett und griff nach seinen Kleidern.

»Lehne dich bequem in die Kissen zurück und drücke deine Brust raus!«

Zum zehnten Male veränderte sie ihre Position.

Sie war es schon lange leid, jeder seiner Anweisungen aufs Wort zu folgen.

»Sind alle Maler so temperamentvoll?« fragte sie höhnisch.

Er ignorierte sie. »Spreize die Beine ein wenig mehr.«

Sie warf sich in die wollüstigste Pose, die ihr einfiel, und er lächelte.

»So ist es gut. Nach einer kurzen Pause kannst du dich ausziehen, dann geht's zur Sache.«

Anmutig erhob sie sich. Er schenkte sich Wein ein und verdünnte ihn mit Wasser. Er mied es, sie anzuschauen.

»Du scheinst nervös zu sein, Petro.«

Er hob die Schultern und biß in ein Stück Käse. »Ich bin immer angespannt, wenn ich arbeite. Das ist immer wieder eine Herausforderung für mich.«

»Oder sorgst du dich wegen Lydia? Hast du Angst, daß sie wieder hereinplatzen und uns stören könnte? Nun, ich kann dich beruhigen, sie wird genug mit den Aufräumarbeiten im Haus ihrer Herrschaft zu tun haben.«

Sie nahm ein Bild von dem Stapel in der Ecke in die Hand und betrachtete es lange. »Ich dachte, du hättest dich auf phantasiereiche Szenen spezialisiert. Dieses Bild hier scheint mir ein sehr realistisches Porträt zu sein.«

»Ich habe mit Porträtmalerei begonnen, das andere hat sich ergeben. Die Leute wollten, daß ich ihren Kopf male und ihn auf den Körper eines Gottes oder einer Göttin setze. Nachdem ich damit begonnen hatte, weitete sich das Geschäft aus.«

»Es ist gut«, sagte sie und bewunderte seine einfühlsame Art, mit der er das zerfurchte, sorgenvolle Gesicht eines alten Mannes gemalt hatte.

»Man kann eine Menge Geld damit machen, wenn man in die richtigen gesellschaftlichen Kreise eindringt. Ich porträtiere auch die aufstrebenden Menschen, denn aus ihnen kann ich das große Kapital herausholen, wenn sie erst einmal die berufliche Leiter hochgestiegen sind.«

Er hob ein anderes Bild hoch und hielt es schräg, damit das Licht sich darauf fing.

»Das ist ein gutes Beispiel. Gaius Salvius Antoninus wird es weit bringen, sagt man. Wenn das zutrifft, wird er mich auch hochziehen. Wenn die Leute in fünf oder zehn Jahren sein Porträt bei mir sehen, werden sie mich engagieren, damit ich ein Porträt von ihnen anfertige.«

Der Mann auf dem Bild war ihr Liebhaber, daran gab es keinen Zweifel. Sie fuhr mit einem Finger über die Augenbrauen, streichelte die hohe Stirn und zerzauste im Geiste seine vollen Haare.

Gaius Salvius Antoninus. Leise wiederholte sie den Namen ein paarmal, bis ihr Gedächtnis ihn sich eingeprägt hatte.

»Nun komm, denn wir haben viel Arbeit vor uns.« Petro war plötzlich sehr geschäftsmäßig. »Dies wird heute nur eine kurze Sitzung. Ich lege nur die Silhouette fest, dann kann ich morgen die Einzelheiten ausfüllen.«

Sie legte sich zurück auf die Kissen. Ihre Gedanken kreisten nur um ihn. Gaius.

Ärgerlich ranzte er sie an. »Nun zieh schon deine Kleider aus.«

»Entschuldige.« Sie kicherte, übermütig und voller Freude, daß sie jetzt den vollen Namen ihres

Liebhabers kannte. »Soll ich alles auf einmal ausziehen, oder soll ich die Röcke heben, wenn du an diese Stelle kommst?«

»Hör auf mit dem Unsinn, Marcella. Natürlich muß ich deinen ganzen Körper sehen. Und deine Brüste müssen sich keck aufrichten. Dazu verschränkst du am besten die Hände hinter deinem Kopf.«

Sie streifte ihr Kleid ab und streckte sich auf der Liege aus, die Beine leicht gespreizt.

Petronius sah sie stirnrunzelnd an. Er trat zu ihr, griff nach einem ihrer Beine und stellte den Fuß auf den Boden. Jetzt war ihr Geschlecht geöffnet.

»Das sieht nicht lüstern aus. Du bist ganz trocken«, kritisierte er. Er nahm ein Tuch, tauchte es in Wasser und wrang es über ihrem Schoß aus. Das Wasser rann vom Nabel hinunter und versickerte zwischen den Pobacken. Sie rutschte nervös herum.

»Das ist besser, aber immer noch nicht gut. Ich glaube, wir müssen dich erregen. Warum versuchst du es nicht selbst? Ich meine, du hast doch zwei Hände.«

»Das werde ich gewiß nicht tun. Solche Dinge mache ich nicht für jeden.«

»Aha! Du hast es also schon einmal für jemanden getan! Das wird ja immer interessanter mit dir. Also, wer ist dieser Patrizier, der dich beobachtet, während du dich erregst?«

»Es gibt niemanden«, behauptete sie.

Er grinste und begann zu malen.

Sie schloß die Augen und dachte darüber nach, wie groß Rom sein mochte und wie schwierig es sein würde, dort eine bestimmte Person zu finden. Da sie jetzt wußte, daß Gaius zur Familie Antoninus und zum Clan der Salvius gehörte, würde die Aufgabe leichter sein.

Ihre Gedanken malten sich Bilder aus, wie es sein würde, wenn sie ihn gefunden hatte und er sie mit in sein Bett nahm. Sie konnte seine Hände spüren, fühlte seinen heißen Atem im Nacken. In ihrer Phantasie trieb er sie mit seinen Worten der Leidenschaft an. Die Zeit hatte ihre Bedeutung verloren.

»Fertig.« Petronius unterbrach ihre Träume mit gefühlloser Hast. »Du kannst dich wieder anziehen, Marcella.«

Sie stand auf, streckte sich, vertrieb die Tagträumereien und schlenderte hinüber zu seinem Bild.

»Mögen Juno und Venus es bezeugen – aber sehe ich wirklich so aus?«

»Man sagt mir nicht nach, daß ich ein schlechter Maler sei«, gab er beleidigt zurück.

Mit Unbehagen betrachtete sie das Bild des Mädchens. Sie selbst hätte sich nicht erkannt. Er hatte sie mit schweren Brüsten gemalt und dunklen großen Nippeln.

»Wenn jemand mein Gesicht erkennt ... ich meine, er wird feststellen, daß ich nicht diesen Körper habe.«

»Unsinn. Ich habe dein Gesicht sehr undeutlich gemalt. Deutlich wird es an den entscheidenden Stellen. Ich bin sicher, daß jeder Mann, in dessen Adern Blut fließt, von diesem Bild erregt wird, ganz egal, wie gehemmt und schüchtern er sonst sein wird. Du bist ein sensationelles Modell.«

»Ich hätte nie geglaubt, daß das Bild die geheimen Stellen so deutlich zeigt«, sagte sie unglücklich, während er seine Farben sortierte.

»Ich kann sehen, wann du an deinen Liebhaber

denkst«, sagte er, »denn die Reaktion deines Körpers erfolgt sofort. Und im Ausdruck deines Gesichts geht eine verblüffende Wende vor sich. Morgen malen wir das Bild, in dem du die Pose der gefesselten Frau einnimmst. Das ist der Beginn eines lukrativen Geschäfts unter Partnern.«

# Achtes Kapitel

Der stumpfe Gipfel des Bergs ragte gen Himmel, als wollte er sich von den Weinhängen und Olivenhainen befreien, die sich an seine Hänge klammerten. Als Marcella nach dem Besuch der öffentlichen Bäder nach Hause ging, passierte sie immer wieder Menschen, die bangend zum rauchverhangenen Gipfel starrten. Eine graue Wolke hing darüber, und man konnte riechen, daß Asche in der Luft lag.

In der Taverne hastete ihre Tante hin und her. Sie wackelte mit den ausladenden Hüften. »Wir gehen eine Weile weg, bis die Gefahr vorüber ist«, sagte die Tante. »Ich werde zu meiner jüngsten Schwester nach Apulien gehen.«

»Aber ich wette, daß es nicht mehr ist als ein kleines Feuerwerk«, sagte Marcella.

»Ich stimme dir zu, wir haben keinen Grund zur Beunruhigung.« Marcellas Onkel hörte sich genervt an, war aber gefaßt. »Deine Tante neigt zum maßlosen Übertreiben. Das letzte Erdbeben haben wir überlebt, während andere Leute immens hohe Reparaturkosten bezahlen mußten.«

Er hob eine der großen Amphoren hoch und goß Wein in eines der Mischgefäße.

»Wo ist Terentius? Du ruinierst deinen Rücken, Onkel. Das ist seine Aufgabe. Er vernachlässigt offensichtlich wieder seine Arbeit«, sagte Marcella.

»Er ist weggelaufen«, antwortete die Tante brüsk. Sie war dabei, Töpfe und Pfannen aus den Regalen zu holen. Die besten sortierte sie auf der Essenstheke aus.

»Das darf doch nicht wahr sein! Er ist ein Sklave! Darauf steht die Todesstrafe!«

»Wenn wir ihn wiederbekommen, können wir es uns nicht leisten, ihn derart harsch zu bestrafen«, sagte die Tante. »Das wäre verschwendetes Geld. Außerdem ist er schon seit Jahren bei uns, und ich habe mich an ihn gewöhnt. Daß er weggelaufen ist, zeigt uns allen, wie groß seine Angst ist, und ich nehme seine Ängste sehr ernst.«

»Er übertreibt«, behauptete Marcella.

»Seit Tagen hat er uns geraten, diesen Ort zu verlassen. Ich habe nicht auf ihn gehört, und sonst auch niemand. Wenn er bereit ist, sogar den Tod zu riskieren, muß er wirklich davon überzeugt sein, daß der Berg ausbricht.«

»Ich kann Asche riechen«, murmelte Marcella, »und der Wind weht einen üblen Geruch herüber.« Zum erstenmal kamen ihr Zweifel an ihrer Sicherheit.

»In dem Augenblick, in dem wir einen Karren durch die Straßen führen dürfen, ohne angezeigt zu werden, bin ich weg«, sagte die Tante entschlossen. Sie griff eine Handvoll Messer und schob sie in eine große Ledertasche, in der sie schon Schüsseln und Krüge verstaut hatte. Ein Messer fiel ihr aus den leicht zitternden Händen und fiel klirrend auf den Boden.

»Du übertreibst mit deiner Reaktion«, sagte Marcella.

»Du würdest besser dran sein, wenn du auf mich hörst. Packe deine wichtigsten Sachen zusammen. Was verlierst du schon, wenn ich unrecht habe? Wenn nichts geschieht, haben wir keinen Schaden, dann stehe ich nur als dumme alte Frau da. Aber lieber eine dumme alte Frau als tot. Ich gehe kein Risiko ein. Ich warte bis zur Dämmerung am Porta Nuceria. Wenn du bis dahin nicht da bist, stehst du allein. Ich packe auch ein paar Dinge für dich ein, wenn du dazu nicht in der Lage bist, du faules Mädchen.«

»Nein, ich werde es selbst tun«, sagte Marcella rasch, denn ihr fielen die Kleider und ihr teurer Schmuck ein. »Ich nehme meine Tasche am Nachmittag mit, damit ich nicht mehr nach Hause muß, bevor ich zu dir komme.«

»Vielleicht sollten wir die Stadt verlassen«, sagte Marcella zu Petronius, als sie sich eine Stunde später auf seiner Liege ausstreckte. Ihre Beine waren gespreizt, und die Arme waren fest an ihre Seiten gebunden, so daß die Brüste hochgedrückt wurden.

Unten auf der Straße waren rasche Schritte zu hören, Menschen riefen sich kurze Mitteilungen zu. Im Stockwerk über ihnen wurden ein paar schwere Türen zugeschlagen.

»Es ist wie die Stunde vor dem Sturm«, murmelte Marcella. »Oder wie die letzte Stunde vor dem Beginn eines wichtigen Ereignisses. Wenn die Leute sich um die besten Plätze bei einem Wagenrennen streiten.«

»Ich will das Bild beenden, das ich begonnen habe.« Er studierte ihren Körper. »Ich will nicht, daß du in lustvoller Panik nach Rom rennst und mich mit einem unvollständigen Bild zurückläßt. Lege jetzt eine Hand zwischen deine Schenkel – es muß so aussehen, als wolltest du dich dagegen sträuben. Und verdecke nicht deine Lippen. Der

Betrachter muß den Eindruck gewinnen, als wolltest du deine Unschuld verteidigen.«

Sie kicherte verlegen.

»Nach all den Mühen, die ich hatte, um sie los zu werden, ist das wirklich ein gelungener Scherz. Gibt es denn Männer, die sich an einer solchen Phantasie ergötzen? Und denen es dann genug ist, das Bild zu betrachten?«

»Jupiter sei Dank, daß es sie gibt, denn sie zahlen gut dafür, und davon profitierst du auch.«

Die Hand auf ihrem frisch rasierten Schoß sandte eine sinnliche Wärme durch ihren Körper, und ab und zu rieb sie mit einer Fingerkuppe über die neugierige Knospe.

»Das darfst du nicht«, schalt Petronius. »Eros, hilf! Marcella, du mußt das richtige Gefühl in deinen Ausdruck legen. Gestern war amouröse Erwartung, heute mußt du zögerlich wirken, ängstlich schauen. Aber dein Gesicht sagt, daß du danach lechzt!«

»Tut mir leid.« Sie seufzte. »Du regst dich nur auf, weil du Angst hast, daß Lydia uns überraschen könnte.«

»Nur Apollo weiß, wie ich ihr das erklären könnte«, murmelte er und schaute über seine Schulter zur Tür.

Die Unruhe in den Straßen nahm zu. Ein dumpfes Rollen war zu hören, was die Rufe und Schreie der Menschen noch übertönte.

»Ist das ein Karren?« fragte Marcella ungläubig.

»Hört sich so an. Sie haben so große Angst vor ein bißchen Rauch und einem leichten Zittern der Erde, daß sie sich nicht an das Verbot halten und auch tagsüber mit ihren Karren die Straßen versperren. Sie sind hysterisch. Was kann in einer so riesigen Stadt wie Pompeji schon passieren?«

»Meine Tante verläßt die Stadt. Sie glaubt, daß es eine große Bedrohung gibt.« Sie zurrte an ihren Fesseln. »Können wir eine Pause einlegen, Petro? Meine Arme schlafen allmählich ein, ich muß sie ein bißchen bewegen.«

Er seufzte, dann knurrte er: »Meinetwegen. Aber nur kurz.«

Er band sie los, und sie rieb ihre Arme und hörte die Leute auf den Straßen schreien. Immer mehr Karren rollten heran und vorbei. Ab und zu wieherte ein Pferd. In den Straßen von Pompeji wimmelte es von ängstlichen Leuten.

Ein kräftiges Klopfen an die Tür ließ sie herumfahren, und dann begann ihr Herz wie verrückt zu pochen an, als sie den Mann eintreten sah, der Petro erwartungsvoll ansah. Angst verkrampfte sie, als sie den Mann erkannte, der sie gestern beim Fest so gepeinigt hatte.

»Caballius Zoticus! Ich habe nicht gehört, wie du die Treppen hinaufgekommen bist«, sagte Petronius und eilte ihm entgegen, um ihn zu begrüßen.

»Du hast gesagt, ich sollte um diese Zeit vorbeikommen, Petro. Ich bin voller Ungeduld, denn ich will sehen, was du mir anzubieten hast.«

Marcella senkte den Kopf, und ihre Haare fielen nach vorn über ihr Gesicht. Sie hoffte, daß er sie nicht erkennen würde.

»Ein Bild ist schon fertig, Caballius«, sagte Petro. »Es ist noch nicht trocken, aber ich habe Eiweiß als Bindemittel benutzt, und bei dieser Witterung sollte es bis morgen getrocknet sein. Ich glaube, es wird dir gefallen.«

Marcella hob ihr Kleid auf und wollte sich unauffällig zur Tür schleichen.

»Beim Jupiter, ich kenne dieses Mädchen! Ha, so sieht also ihre Möse aus! Wenn das kein Zufall ist, daß ausgerechnet sie dir Modell gestanden hat!«

Seine Stimme troff vor Gier, und Marcella drückte gerade die Tür zu Petros zweitem Raum auf. Wenn sie Glück hatte, würde sie ungesehen hineinschlüpfen können. Aber dann knarrte die Tür, und die beiden Männern schauten vom Bild auf und drehten sich nach ihr um.

»Ah, da bist du! Komm her, du Luder! Gestern abend bist du abgehauen. Ich will mit dir reden.«

Er stand zwischen ihr und der Tür ins Freie. In dem kleinen Studio des Künstlers sah seine Gestalt noch wuchtiger und angsteinflößender aus.

»Ich bin nicht abgehauen«, verteidigte sie sich. »Ich hatte eher den Eindruck, daß du zuviel getrunken hattest.« Sie wußte, daß sie ihre Angst vor ihm nicht zeigen durfte. »Aber jetzt sehen wir uns ja wieder. Ich bin froh, daß dir das Bild gefällt.«

»Es gefällt mir so sehr, daß ich ein weiteres in Auftrag gebe.« Er starrte sie hungrig an, und von ihr glitt sein gieriger Blick wieder zum Bild.

Er hatte einen grausamen Zug um den Mund, was ihr gestern abend nicht aufgefallen war. Was sie in ihrer Unschuld für bloße Lüsternheit gehalten hatte, erkannte sie jetzt als eine abstoßende Art von Perversion.

»Das schmeichelt mir sehr«, sagte Petronius, und Marcella hätte ihn wegen seiner zur Schau getragenen Unterwürfigkeit ohrfeigen können.

Sie war halb nackt und kam sich sehr verletzlich vor. Unbemerkt schlüpfte sie ins Schlafzimmer und warf sich rasch ein Kleid über. Dann lauschte sie, was die Männer beredeten.

»Das andere Bild kann ich innerhalb einer Woche fertig haben«, sagte Petronius.

»Ich will sie von hinten«, sagte Caballius mit rauher Stimme. »Male sie von hinten, nackt natürlich, den Arsch kräftig rausgestreckt. Weit und offen soll sie sein, ich will die Pflaume sehen und das rosige Loch.«

Marcella schüttelte sich bei der derben Sprache des Mannes. Für sie war es erniedrigend, wie er den weiblichen Körper beschrieb. Sie war entsetzt über die Entwicklung – sie hatte als Modell posieren wollen, auch in gewagten Posen, aber jetzt erkannte sie, daß ihre Bereitschaft zu einer Bedrohung werden konnte.

Der Mann war nicht nur ein Erpresser, sondern auch ein Perverser.

»Wenn ich rosenrote Farbe verwenden muß, wird es teurer«, sagte Petro.

»Das kümmert mich nicht. Du kannst ihr ja den Hintern versohlen, dann hast du die Vorlage für das Rot, das ich haben will.« Caballius lachte grölend. »Ich weiß, daß ich mehr dafür zahlen muß, aber ich mag die Wirkung. Wo ist sie denn hin? Ich will dir genau zeigen, in welcher Pose ich sie haben will.«

Marcella riß sich zusammen und schritt hoch erhobenen Hauptes ins Studio.

»Petro und ich wissen genau, welche Pose du haben willst. Ich bin vertraut mit deinen Wünschen und Neigungen«, sagte sie, und es klang so hochnäsig, wie sie es meinte.

»Dann zeige es mir jetzt. Es ist immer besser,

wenn man Gewißheit haben kann, daß Maler, Modell und Auftraggeber dasselbe meinen.«

Er trat auf sie zu und packte sie. Seine Finger gruben sich tief in das Fleisch ihrer Schulter, als er sie an sich zog, dann aber herumdrehte, mit dem Rücken zu sich.

Er drückte eine Hand in ihren Nacken, um ihr zu verstehen zu geben, daß sie sich bücken sollte, aber sie wich ihm aus. Doch er hielt sie immer noch am Oberarm fest, und als sie sich aus diesem Griff befreien wollte, drehte er ihr den Arm um. Sie schrie schmerzvoll auf.

»Ich zeige es dir heute abend, wir haben doch eine Verabredung, nicht wahr?« sagte sie mit unterdrückter Wut. Sie starrte ihn über die Schulter an und sah Brutalität und in seinem Blick. Sie schüttelte sich.

»Wenn du ein weiteres Bild willst, muß ich Marcella heute nachmittag hier haben«, sagte Petro.

Caballius ließ sie so abrupt los, daß Marcella zu Boden fiel. Benommen raffte sie sich auf.

»Du entkommst mir nicht, du kleines Luder. Ich habe mir ein paar besondere Dinge für dich ausgedacht. Der Verwalter hat mir deinen Namen genannt. Ich weiß, wo du wohnst. Du wirst heute abend zu mir kommen, oder du wirst es bereuen. Du willst doch nicht, daß deine Familie und deine Freunde erfahren, was du hinter ihrem Rücken alles treibst, oder?«

»Das würde dir doch keiner glauben!« rief sie, wenn auch ohne große Überzeugung.

»Deine Familie würde dich enterben, und dir würde nichts anderes übrigbleiben, als in ein

Hurenhaus zu gehen. Ich habe keine Skrupel, dir dieses Schicksal zu bescheren, wenn du nicht das tust, was ich von dir erwarte.«

»Vielleicht sollten wir jetzt mal unterbrechen«, meinte Petro, als Caballius' Schritte auf der Holztreppe verklungen waren. »Ich würde gern auf die Straße gehen und ein paar Skizzen anfertigen, um die interessantesten Szenen festzuhalten.«

»Du hast gewußt, daß er kommen würde«, sagte Marcella. Sie zitterte vor Furcht und Zorn.

Er ging zu ihr, legte einen Arm um ihre Hüften und zog sie an sich. »Es war ein Fehler. Der Lärm von der Straße war so laut, daß ich Caballius auf den Treppen nicht gehört habe.«

»Du hast ihm ausdrücklich gesagt, daß er um diese Zeit kommen sollte, und du hast gewußt, daß ich um diese Zeit hier sein würde«, sagte sie hitzig. »Er ist ein ganz übler Bastard.«

»Ich wollte Geld von ihm haben. Das ist auch ein Vorteil für dich, denn dann kann ich dich auch früher bezahlen.«

Sie schob sich von ihm weg und schlang die Arme um ihren Körper, um ihr Zittern abzustellen. Es war ihr, als wäre sie allein von Caballius' Gedanken vergewaltigt worden.

»Nun, dann will ich das Geld jetzt.«

»Ich kenne dich, Marcella. Ich zahle dir nichts, bevor das Bild fertig ist.«

»Dann male es jetzt fertig.«

Ihre Angst und Verlegenheit wurde durch kalte Wut ersetzt. Auf irgendeine Art würde sie es Caballius heimzahlen. Auf irgendeine Art. »Ich gehe nicht ohne mein Geld hier weg. Du hast mich hinters Licht geführt, Petronius. Ein Mann, der für solche Bilder Geld zahlt, ist nicht immer der traurige alte Kerl, der sonst keinen Spaß mehr haben kann, wie du mir gestern hast weismachen wollen.«

»Nicht immer«, räumte er ein.

»Caballius neigt selbst dann zu leichten Brutalitäten, wenn andere Leute in der Nähe sind. Was wird ihm erst in seinen eigenen vier Wänden einfallen?«

Petronius sah sie neugierig an. »Ich glaube, du übertreibst. Er redet nur derb, das ist alles. Du bist so sehr mit deinem Liebhaber beschäftigt, daß jeder andere Mann für dich nicht mehr begehrenswert ist. Aber ich werde das Bild jetzt beenden, sonst verlieren wir beide Geld. Ich bezahle dich jetzt schon, denn nackt und verschnürt kannst du mir nicht davonlaufen.«

Er reichte ihr einen kleinen Beutel mit Münzen, den sie sofort in ihrer Tasche verstaute. Erst dann zog sie sich aus, und Petro fesselte sie wieder.

Nach dem schockierenden Erlebnis kehrten die süßen Erinnerungen an Gaius zurück und durchfluteten ihren Körper. Sie wußte, daß ihre Brustwarzen anschwollen und ihr Schoß feucht wurde. Sie schloß die Augen, legte sich zurück und träumte.

Petronius zog die Fesseln stramm, und sie verzog das Gesicht. »Nicht so fest, Petro!«

Er knurrte etwas, was sie nicht verstehen konnte, dann sagte er: »So ist es viel besser, Marcella. Behalte diesen Ausdruck bei! Ich hatte schon befürchtete, daß du dich wieder so verdammt verführerisch hinlegst, statt die Rolle zu spielen, die dieses Bild vorschreibt.«

»Aber es engt mich zu sehr ein«, klagte sie wütend. »Das ist doch lächerlich.«

»Nein, du hast jetzt genau den abweisenden Blick, den ich haben will«, erklärte er entschlossen und zurrte die Fesseln noch ein bißchen strammer.

Sie schrie auf. »Das tut weh!«

»In dieser Pose stehst du kurz vor einer Vergewaltigung, Marcella. Denke an die griechische Sage der Heirat des Pirithous. Stell dir vor, du bist seine Braut Hippodamia.«

Sie runzelte die Stirn, während er zu malen begann. Zu ihrem Befremden sah sie, daß er erigiert war.

»Das ist eine schreckliche Sage. Die Zentauren betranken sich und versuchten, Hippodamia und ihre Dienstmädchen zu vergewaltigen. Der Zwischenfall führte zum Krieg zwischen den Lapithaern und den Zentauren. Ich wußte nicht, daß du solche finsteren Geschichten malst.«

»In der Kunst ist dieses Thema oft verwendet worden.«

»Frauen überfallen und ihre Männer getötet – zum Wohlgefallen widerlicher Kreaturen! Eine schreckliche Geschichte, was soll denn daran erregend sein?«

»Für mich ist sie nicht erregend, aber so etwas läßt sich verkaufen. Stell dir vor, du bist das hilflose Mädchen, das von Wesen angegriffen wird, die halb Mann und halb Tier sind. Ihre niederen Instinkte haben sich in ihnen durchgesetzt.«

Sie schüttelte sich, als sie sich ausmalte, was er so drastisch beschrieb. »Du hättest Geschichtenerzähler werden sollen«, sagte sie und versuchte, die Furcht aus ihrer Stimme zu halten.

»Es ist eine Allegorie«, sagte er. »Man darf sie nicht so lesen, wie sie geschrieben steht. Die Geschichte soll uns daran erinnern, daß in der menschlichen Natur das Gute mit dem Bösen vereint ist. Es ist jedem Individuum überlassen, sich für das eine oder andere zu entscheiden.«

Sie fühlte sich im Halblicht des kühlen Studios hilflos und verletzlich. Der anschwellende Straßenlärm trug zu ihrer Verunsicherung bei. Wenn sie geschrien hätte, wäre ihr Schrei ungehört verklungen.

»Du hast mich in dem Glauben gelassen, daß du ein erotisches Bild malen willst, Petronius. Das hier nenne ich nicht erotisch. Cupid ist ein charmanter Gott, er ist der Sohn der Venus. Man stellt ihn sich als verspielter, liebenswürdiger und fröhlicher Junge vor.«

Er hob nur die Schultern, kniff die Augen zusammen, als er ihre Körperpartien betrachtete, und malte weiter.

»Viele reiche Männer würden über deinen Sinn von Erotik lachen. Weibischer Kram. Sie wollen etwas Handfesteres haben, etwas Robusteres.«

»Ich hasse dich dafür, daß du mich in die Irre geführt hast, Petronius. Und jetzt schmerzen mir alle Glieder. Löse mir sofort die Fesseln!«

»Die Fesseln müssen so stramm angezogen sein, damit die Szene realistisch wirkt. Vorher hatte man den Eindruck, als wolltest du tausend Männer verführen.«

»Petro!« Ihre Stimme klang heiser.

»Marcella, meine Liebe, du hast genau den richtigen Gesichtsausdruck! Ideal für meinen Zweck. Du bist eine kleine Schauspielerin, was? Vielleicht solltest du daran denken, in diesem Fach eine Laufbahn zu beginnen. In der Taverne vergeudest du dich nur. Du gehörst auf die Bühne – mit deinem Talent könntest du in jedem Theater der Erde bestehen.«

»Ich schauspielere nicht! Mir behagt das nicht, ich will nicht mehr. Ich habe meine Meinung geändert.«

In seinen Bewegungen lag etwas Sexuelles, als er die Pulver anrührte. Sie hatte den Eindruck, daß er kurz vor einem Orgasmus stand. Angewidert wandte sie den Blick ab.

»Du hast gut reden«, fuhr sie fort. »Du steckst nicht in dieser wehrlosen Pose. Was wird wohl geschehen, wenn dieser Perversling wiederkommt?«

»Hör auf, dich aufzuregen, sonst gerätst du noch in Panik. Lege dich zurück und zeige mir, was du zu bieten hast.«

Sie zwang sich zur Ruhe. Sie glaubte nicht, daß ihr Gefahr von Petro drohte. Er schien seinen Spaß daran zu finden, sie einfach nur anzuschauen und malen zu können. Aber dann hörte sie wieder die panikartigen Schreie in den Straßen, und die Unruhe schwoll in ihr an. »Bitte, Petro, binde mich los«, sagte sie verzweifelt. »Jetzt sofort. Ich will nicht mehr.«

»Du warst einverstanden, daß ich dich male.«

Er betrachtete sie eine lange Weile, konzentrierte sich auf die Linien und Farbnuancen ihres Körpers, ließ die Zunge zwischen den Lippen hervorlugen und pinselte Farbe aufs Brett.

Die Situation feuerte ihn an, sie konnte es deutlich sehen. Seine Augen glänzten.

»He, ich will nicht mehr, habe ich gesagt. Du mußt damit aufhören.« Sie versuchte, sich aufzurichten und mußte dabei die Beine weit spreizen, um das Gleichgewicht zu halten. Ihre Arme und die Muskeln des Brustkorbs spannten sich gegen die strammen Fesseln.

»Leg dich zurück und denk ans Geld«, antwortete er mit einem versonnenen Lächeln, das ihr verriet, daß er tatsächlich ejakuliert hatte. »Dein erschrockener Ausdruck lag lange genug auf deinem Gesicht, ich habe ihn schon eingefangen. Du kannst dich jetzt entspannt hinlegen, denn ich bin jetzt bei deinen Schultern und Armen.«

»Du bist ein mieser Typ!« schimpfte sie.

»Wenn du das wirklich glaubst, dann kann ich dir nur wünschen, daß dieser Mann in Rom deine Gefühle wert ist.«

»Er ist es wert.«

Resigniert legte sie sich zurück.

Sie lenkte ihre Gedanken zu ihrem Geliebten, weil sie wußte, daß sie diese Gedanken beruhigen würden. Sie konnte sich an den Geschmack seiner Haut auf ihrer Zunge erinnern, konnte die Härte seines Phallus spüren, der sie durchdrungen hatte. So hart und bestimmt, und doch so wunderbar weich.

Unwillkürlich begannen ihre inneren Muskeln, sich zusammenzuziehen, als sie an die Kraft seines Eindringens dachte. Ihre Brüste schwollen unter den Fesselstreifen an. Ihre Nippel dehnten sich vor Erwartung. Sie dachte an den wilden, furiosen Orgasmus, den er ihr auf dem Fest beschert hatte.

»So, jetzt ist es fertig!« rief Petro triumphierend.

Sie öffnete die Augen und sah einen großen, kräftigen Mann als Silhouette im Türrahmen stehen.

Als sich der Mann in den Raum hinein bewegte, sah sie eine wilde Entschlossenheit auf seinem Gesicht. Es war, als würde er alles vernichten, was sich ihm in den Weg stellte. Auf der Stirn lief eine senkrechte Falte, die sie noch nie bei ihm gesehen hatte.

Marcella starrte stumm auf den Mann und schloß beschämt die Schenkel.

»Gaius.«

Er bedachte Petro mit einem verächtlichen Blick und wandte sich dann ihr zu.

»Ah, mein kleines Flittchen, so möchtest du es also am liebsten haben, ja?«

»Wage es nicht, mich noch einmal so zu nennen«, sagte sie mit einer Wut, die aus Furcht geboren war.

Petro, der bis jetzt nichts begriffen hatte, drehte sich überrascht um. »Was hat das denn ...?«

»Hier holst du dir wohl deine Erfahrungen, was?« fuhr Gaius sie an. Mit drei, vier Schritten war er bei ihr. »Wie willst du denn, wie ich dich nenne? Hure? Nein, du glaubst bestimmt, daß du was Besseres bist. Eine Hetäre. Catullus der Dichter hat sie ›kleine Frauen‹ genannt, und so werde ich dich auch nennen!«

»Was nimmst du dir eigentlich heraus?« fauchte sie ihn an und mühte sich in eine sitzende Position. »Du weißt gar nichts, überhaupt nichts!«

»Zieh dich an. Wenn du länger in Pompeji bleibst, wirst du gar kein Gewerbe ausüben können, weil du nicht überlebst.« Seine Stimme klang hart, gepreßt. »Die Beben werden stärker, und jeder, der seinen Verstand beisammen hat, rennt hinaus aufs Land. Es ist nur noch eine Frage der Zeit, bis die Säulen zusammenbrechen und die Dächer einstürzen.«

»Glaubst du wirklich, daß wir in so großer Gefahr sind?« fragte Petro, der in aller Ruhe einen Pinsel säuberte.

»Natürlich sind wir in großer Gefahr. Eine dicke Ascheschicht legt sich auf alles. Während sie sich anzieht, wickelst du mir das Bild ein. Es gehört mir. Aber einem wie dir will ich nichts schuldig bleiben.« Er warf einen kleinen Beutel mit Münzen auf den Boden, den Petro rasch aufhob.

Der Maler stand wieder aufrecht und mied den Blick des größeren Mannes. »Es ist nicht so, wie du denkst ...«, begann er.

Gaius Salvius Antoninus tat einen großen Schritt auf den Maler zu. Er hatte die Fäuste geballt, und die Muskeln in seinen Armen zuckten, als wären sie zum Angriff bereit.

Er blieb einen langen Augenblick so stehen, vom Zorn geschüttelt, aber dann drehte er sich auf dem Absatz um und ging in dem kleinen Raum auf und ab.

Er schaute zu Marcella. »Worauf, verdammt, wartest du noch?« giftete er sie an.

»Du hast es vielleicht noch nicht bemerkt«, sagte sie gepreßt, »aber ich bin gefesselt.«

Er ging auf sie zu, und sie empfand nichts als Scham und Verlegenheit.

Plötzlich wurde der ganze Raum von einem kräftigen Beben geschüttelt. Einige Töpfe fielen von Regalen, und von der Straße drangen laute Schreie herauf.

»Wir haben keine Zeit mehr! Komm so, wie du

bist. Auf diese Weise kannst du keinen weiteren Unsinn mehr anstellen.«

Er nahm eine Decke und wickelte sie darin ein. Das Haus wurde wieder wie von unsichtbarer Faust geschüttelt, und in der Wand neben ihnen tat sich ein breiter Riß auf. Gaius hielt Marcellas Decke mit einem Gürtel fest, den er um ihre Taille legte.

»Du willst sichergehen, daß ich nicht fliehe, nicht wahr?« schrie Marcella ihn an. Sie wehrte sich gegen seinen festen Griff, aber sie hatte keine Chance.

»Ja, ich will sichergehen, daß du nicht nackt über die Straßen läufst«, gab er ebenso laut zurück. Putz rieselte auf sie nieder, und Gaius zog die junge Frau an sich, um sie vor einem Sturz zu bewahren.

»Bilde dir bloß nicht ein, daß ich dich attraktiv finden könnte, weil du wie ein Paket verschnürt bist. Nur triefnasige Dummköpfe, die zu faul sind, darüber nachzudenken, wie sie eine Frau gewinnen können, fallen über eine Frau her, die sich nicht wehren kann. Mir ist der Gedanke zutiefst zuwider, und die Tat erniedrigt nicht nur die Frau, sondern auch den Mann.«

»Dann binde mich los!« kreischte sie.

»Oh, verstehe mich nicht falsch.« Seine Stimme klang eisig, während er sie zur Tür schleppte. »Es weckt nicht mein Verlangen, dich verschnürt zu sehen. Aber unter diesen Umständen finde ich die Lösung durchaus hilfreich. Du bist nicht in der Lage, dich in einer respektablen Gesellschaft zu benehmen. Deshalb behandle ich dich wie eine Gefangene, die ich in die Sicherheit führen will.«

Sein Gesicht zeigte nichts als Feindseligkeit, aber seine Hände waren unerwartet behutsam, als er sie zur Tür zog. Sie brannte nach seinen kosenden Händen, und sie rief die Götter an, dafür zu sorgen, daß zwischen ihnen eine bessere Stimmung entstand.

»Sei vorsichtig mit ihr«, sagte Petro und schüttelte sich den Staub aus den Haaren. »Ein zorniger Mann kann einer Frau Schaden anrichten, ohne es zu wollen.«

»Hast wohl Angst um deine Investition, was?« Gaius' Griff um ihren Arm verstärkte sich noch, als er in der Tür stehenblieb. Seine gespannten Muskeln fühlten sich wie Eisen an.

»Angst nicht, aber ich sorge mich. Ja, sie ist Geld wert«, sagte Petro.

Marcella starrte ihn voller Entsetzen an.

»Ich habe mehr Gefangene begleitet, als du gewöhnliche Flittchen gemalt hast.« Seine Kinnmuskeln mahlten. »Ganz egal, wie sehr ich sie wegen ihrer schmutzigen Verbrechen verachtete, niemandem ist je ein Leid zugestoßen. Kannst du dasselbe auch von deinen Modellen sagen?«

Petronius hob die Schultern und beendete das Verpacken des Bildes. »Jedes Leben ist ein Risiko.«

»Ich will meine Tasche«, rief Marcella laut. Sie versuchte, den entsetzlichen Vergleich, den Gaius gezogen hatte, aus ihrem Kopf zu verbannen, indem sie sich zwang, an praktische Dinge zu denken. »Sie enthält alles, was ich besitze.«

»Deine Tasche! Bei Jupiter, kannst du nicht an etwas denken, was wirklich wichtig ist?« Gaius zog sie von der Tür weg. Sie prallte gegen seinen Körper. »Meine kleine Frau, du bist in dieser unanständigen Szene überrascht worden. Unser Leben ist in Gefahr. Die ganze Stadt ist in Aufruhr, überall herrscht das blanke Chaos. Und du denkst an deinen Gesichtspuder und deine Brenneisen für die Locken!«

»Du Bastard!« schrie sie und trat nach ihm, und als das nicht fruchtete, setzte sie ihre Zähne an seinen Arm.

»Trau dich bloß nicht!«

Durch einen plötzlichen Dreh hatte er sie von sich abgewendet. Sie sträubte sich vergebens gegen seine eisenharten Muskeln, die noch weniger nachgaben als ihre Fesseln.

»Ich bin deiner Entschlossenheit mehr als gewachsen, Marcella. Versuche nicht noch einmal, mir zu entwischen. Als Erwachsener habe ich als erstes gelernt, wie man einen Gefangenen bewegungslos fesselt.«

»Ich bringe dir die Tasche nach«, sagte Petro ruhig. »Zusammen mit dem Bild.«

Marcella stemmte sich mit den Füßen gegen die Holzstufen, aber Gaius trieb sie an, schubste sie weiter und hielt sie nach wie vor in seinem eisernen Griff.

»Daß du dich nicht schämst!« schrie sie, und noch einmal versuchte sie, ihn zu beißen. Die Treppenstufen brannten unter ihren nackten Füßen, und die Decke verfing sich zwischen ihren Beinen.

Als sie sich wieder mit aller Gewalt gegen eine Stufe stemmte, hob er sie kurzerhand auf, schwang sie über eine Schulter und trug sie die letzten Schritte. Dabei murmelte er ein paarmal: »Möge Merkur Erbarmen mit uns haben.«

Ein kleiner Bauernkarren stand vor dem Haus, und ein derb aussehender Mann hielt die Zügel eines verängstigten Pferdes. Überall sah Marcella

Menschen, die sich mit ihrer Habe abschleppten, und dabei haderten sie mit den Göttern oder riefen sie um Beistand an.

Eine Frau rannte an ihnen vorbei, zwei Kleinkinder hielten sich an ihrem Kleid fest und liefen neben ihr, während sie einen Säugling in den Armen trug. Der Kopf des Kleinen wurde bedenklich hin und her geschüttelt.

»Endlich bereit?« rief der Fuhrmann. »Hast du dein Kunstwerk?« Er warf einen Blick auf Marcella. »Seltsame Statue.«

Gaius hievte Marcella auf den Karren und warf dem Fuhrmann einen schweren Geldbeutel zu. »Hier hast du das Geld zurück, wie ich versprochen habe, obwohl du es nicht verdient hast, nachdem ich dich dabei erwischt habe, wie du das verlassene Haus geplündert hast. Aber wenigstens bist du habgierig genug, daß du auf uns gewartet hast. Ich wette, das hättest du nicht getan, wenn ich dir nicht versprochen hätte, deine Beute zurückzugeben.«

Auf dem Karren stank es nach Hühnermist und nach anderen Tieren, und Marcella versuchte mühsam, in eine sauberere Ecke zu rutschen.

»Es tut mir leid, daß es mir nicht gelungen ist, eine Kutsche zu organisieren, die der kleinen Frau angemessener wäre, aber das ist alles, was ich auftreiben konnte«, sagte Gaius, dann sprang er zum Fuhrmann und nahm ihm die Zügel ab.

Es war dunkel wie am Abend.

Marcella schaute zum Berg hoch. Feuer schoß aus dem Gipfel, und eine dunkle Wolke aus Asche und Rauch hatte sich über der ganzen Stadt ausgebreitet.

Petro warf ihre Tasche und das Bild auf den Karren.

»Du mußt Lydia holen!« schrie Marcella gegen den Lärm der anderen Menschen an, die sie umgaben. »Schnell! Lauf!«

»Ich komme mit euch«, antwortete Petro ruhig und hielt sich am Wagen fest. »Wer, zum Hades, schert sich um Lydia?«

Gaius gab dem Pferd die Peitsche, und das Tier setzte sich in Bewegung. Der Karren ruckte an.

»Da du glaubst, daß dies die richtige Zeit zum Malen ist«, rief Gaius, »solltest du es auch jetzt tun. Überall gibt es ungewöhnliche Motive!«

»Du hättest mir sagen sollen, wer dein Freund ist«, zischte Petro wütend in Marcellas Ohr. »Ich hätte ein ganz besonderes Bild für ihn gemalt.«

Der Rest seiner Worte wurde verschluckt von einem gewaltigen Dröhnen, und gleich darauf regnete es heiße Asche, die sie fingerdick bedeckte. Ein Holzscheit fiel auf die Decke, und eine kleine Flamme flackerte auf.

Marcella schrie und kreischte, aber so sehr sie sich auch bemühte, sie konnte die Decke nicht abstreifen, und sie konnte das brennende Holzscheit auch nicht entfernen, da ihre Hände gebunden waren.

# Neuntes Kapitel

»Oh, Göttin Fortuna, hilf mir.«

Marcella flog unsanft gegen den Seitenaufbau des Karrens. Es war, als würde die ganze Straße hochgehoben, als wäre ein riesiger Maulwurf am Werk. Sie fluchte laut und schrie zu den Göttinnen und Göttern, sie zu verschonen. Die Flamme auf der Decke hatte Nahrung gefunden und breitete sich aus, unbemerkt von den anderen Menschen auf dem Karren, die genug mit sich selbst zu tun hatten. Die Fesseln ihres Körpers gaben nicht nach, deshalb wälzte sie sich herum und erstickte das Feuer, als es ihr gelang, sich auf den Bauch zu legen. Sie spürte die Hitze als scharfen Schmerz, und wieder schrie sie gellend auf.

Sie blieb eine Weile still liegen, roch ihre verbrannte Haut und fühlte den Schmerz der Wundstelle, aber sie traute sich nicht, sich wieder auf den Rücken zu wälzen, weil sie nicht wußte, ob das Feuer wirklich gelöscht war.

»Mars, gib uns Kraft!« Gaius' Stimme durchdrang den Lärm des Karrens und der anderen schreienden Menschen. Immer noch flog Asche durch die Luft.

Ohne Vorwarnung zügelte Gaius das stark schwitzende Pferd und sprang auf den Boden. Er hob die beiden kleinen Kinder auf, die Marcella in der Stadt an den Rockschößen ihrer Mutter gesehen hatte. Die Mutter kletterte wortlos mit ihrem Baby auf den Karren und warf Gaius einen dankbaren Blick zu.

»Nimm uns auch mit!« rief ein alter Mann. »Ich

bitte dich! Ich kann keinen Schritt mehr gehen, und mein Enkel verdient nicht den Tod!«

Gaius hob ihn in den Karren, als wäre er ein Sack mit Federn, und der Knabe quetschte sich zwischen die beiden Kleinkinder und Marcella.

»Er muß ein Wagenlenker sein«, keuchte der alte Mann, nachdem der Karren sich wieder in Bewegung gesetzt hatte.

»Nein, er ist ein Heeresmann«, sagte Marcella. »Er betet zu Mars, dem Rächer.«

Vor ihnen tauchte ein hoher Wagen auf, der bis obenhin mit Hausrat vollgepackt war und in halsbrecherischer Fahrt versuchte, Pompeji hinter sich zu lassen.

»Schade«, sagte der alte Mann. »Bei einem Wagenlenker wären wir besser aufgehoben. Ich meine, er ist gut, aber was wir brauchen, ist einer, der uns so schnell wie möglich aus der Gefahrenzone herausbringt. Ob er wohl an dem Wagen da vorn vorbeikommt? Platz genug wäre da ...«

Nach der langen Rede brachte der Mann keinen Ton mehr heraus, er rang nach Luft, aber das half ihm nicht, denn die Luft war voller Asche, die sich in die Bronchien fraß.

»Wir sollten beten, daß er keltisches Blut in den Adern hat«, sagte die Mutter ruhig, als ob sie sich in ihrem Heim mit Freunden unterhielte. »Die Kelten haben Julius Cäsar mit ihren Kriegswagen schwindlig gefahren.«

Marcella hustete.

Der Karren war jetzt auf einer Höhe mit dem schwer beladenen Wagen, und von dort fiel eine Pfanne herunter und traf den Knaben am Kopf. Er schrie überrascht und vor Schmerz auf.

Gaius riß das Pferd auf einen schmalen Seitenweg.

»Nein!« schrie Marcella. »Dieser Weg führt direkt in die Berge! Dreh um!«

Sie blinzelte durch die aschegefüllte Luft zurück auf den Weg, den sie verlassen hatten, und bemerkte, daß der Wagen plötzlich angehalten hatte. Haushaltsgegenstände lagen auf den Steinen verstreut.

»Sie haben im vergangenen Jahr einen Poller mitten auf den Weg gesetzt, weil sie keine Karren mehr durchlassen wollen«, wußte die Frau. Sie war immer noch bewundernswert gelassen und kuschelte ihre drei Kinder an sich. »Wir wären tot oder mindestens schwerverletzt, wenn er auf dem Weg geblieben wäre.«

Marcella sah, daß sich die Frau ein kleines billiges Bildnis der Göttin Minerva um den Hals gebunden hatte, Beschützerin der Frauen.

Nach ein paar scharfen Abbiegungen fuhren sie durch eines der wenig befahrenen Stadttore. Vor ihnen erstreckte sich jetzt die Landschaft, auf der ein dunkler Schleier aus Asche lag. Trotzdem meinte Marcella, daß die Luft klarer war als in der Stadt.

Gaius führte das Pferd wie jemand, der sich mit dieser Aufgabe auskannte. Sie war oft bei den Wagenrennen gewesen, aber keines dieser Pferde war so nervös und panisch gewesen wie das Tier, das ihren Karren in die vermeintliche Sicherheit zog. Jetzt mehrten sich die Olivenhaine und Weinberge zu beiden Seiten der Straße, und die Luft wurde klarer.

»Laß mich heraus, bitte, Herr«, rief die Mutter,

als sie einen kleinen Bauernhof passierten. »Ganz in der Nähe wohnt meine Familie.«

Der alte Mann nutzte die Gelegenheit. »Auch wir wollen deine Gastfreundschaft nur noch bis zur nächsten Gabelung ausnutzen«, sagte er.

Als Gaius ihm kurz darauf aus dem Karren half, sagte der Alte gerührt: »Mögen Fortuna und die Götter, die du verehrst, immer bei dir sein, mein Herr. Ich werde den Göttern ein Opfer bringen, damit sie dir ein Leben in Wohlhabenheit gewähren.«

»Und mögen Jupiter, Juno und Minerva mit dir sein«, antwortete Gaius. »Wir alle werden Opfer bringen, wenn wir verschont werden.«

Er setzte die Reise schweigend fort und gönnte dem Pferd keine Rast, bis sie sich einer kleinen Villa innerhalb eines gepflegten Weingartens näherten. Er zügelte das Tier.

»Das Pferd ist müde. Auch wir brauchen Ruhe.«

Gaius schritt zum Haus, während der Fuhrmann das Bild und Marcellas Tasche an den Wegesrand legte.

Dann packte er Marcella und drückte und schob und trug sie vom Boden des Karrens und stellte sie auf die Beine.

»Binde mich los!« befahl sie.

»Ich will nicht den Fluch der Götter oder deines Freundes heraufbeschwören«, sagte der ungeschlachte Fuhrmann. »Nicht, nachdem ich gesehen habe, wie er fährt. Muskeln wie ein Ochse und eine Entschlossenheit, die man sonst nur bei den Göttern vermutet. Wenn er gegen Herkules kämpfte, wüßte ich nicht, auf wen ich mein Geld setzen sollte. Ich bin weg.«

Der Karren verschwand schnell hinter dem nächsten Hügel. Sie suchte den Weg nach einem scharfen Stein ab, doch sie fand keinen.

Gaius kehrte zurück. »Das Haus ist verschlossen, es ist niemand da«, sagte er. »Du und ich werden die Nacht dort verbringen, denn es ist gefährlich, nachts zu Fuß zu marschieren. Es gibt keine Säulen, die uns zerschmettern könnten, und außerdem hoffe ich, meine kleine Frau, daß wir das Schlimmste hinter uns haben.«

»Nenne mich nicht so! Ich bin keine Hure! Ich bin eine Genießerin – das hast du selbst gesagt!«

Er zerrte sie auf die breite Veranda vor der Villa und dann weiter zum Eingang.

»Wenn ich diese Katastrophe überlebe, werde ich am meisten bedauern, daß ich dich in das Reich der Sinne eingeführt habe. Du bist noch nicht reif, um auf die Welt losgelassen zu werden.«

»Du hast den falschen Eindruck«, schrie sie ihn voller Verzweiflung an, während er mit der Schulter gegen die Tür rammte.

Er ging zu ihr, riß sie grob in seine Arme und preßte seinen Mund auf ihren. Es war ein wilder, unbeherrschter Kuß ohne jede Zärtlichkeit.

»Nein, ich habe nicht den falschen Eindruck. Du bist wütend auf mich, weil ich dir gezeigt habe, was für ein wertloser Geselle dieser Petronius ist und wie nah du am Abgrund warst. Mehr noch – du haßt dich selbst dafür, daß du immer noch nach meinem Körper verlangst.«

Der Geschmack seines Mundes war wie Ambrosia auf ihrer Zunge. Seine Berührungen versetzten sie in einen Zustand, in dem sie sich wie im Land der Lotusesser fühlte, aus dem kein Reisender je zurückkehren wollte. Die grausamen Worte taten ihrer Sehnsucht nach ihm keinen Abbruch.

»Du hast zugelassen, daß man dich in eine erotische Pose bringt und dabei fesselt«, sagte er voller Verachtung, »und dafür hast du dir den falschen Mann ausgesucht. Wenn man solche Sachen mit sich geschehen läßt, muß man ein absolutes Vertrauen zu dem Mann haben, sonst kann aus dem Spiel leicht blutiger Ernst werden.«

Er ließ abrupt von ihr ab und widmete sich wieder der Tür.

Das Holz begann unter der Wucht seines Körpers zu splittern.

»Ich verstehe, daß einige Frauen sich davon angezogen fühlen, die Unschuldige zu spielen«, sagte er und sah sie über die Schulter an. »Und je verdorbener sie sind, desto sehnsüchtiger trauern sie der verlorenen Unschuld nach.«

Als die Tür aus den Angeln sprang, wandte er sich Marcella mit funkelnden Augen zu. Sein Gesicht glänzte vom Schweiß. »Aber du gehörst nicht zu diesen Frauen, denn du kannst der normalen Spiele der Liebe noch nicht überdrüssig sein. Glaube mir, wenn du deine Talente mit den richtigen Partnern einsetzt, wirst du ihrer nie überdrüssig. Die Liebe ist das schönste Spiel, was zwei Menschen miteinander spielen können – es bedeutet, einander Lust zu geben und zu bescheren.«

»Er hatte nicht vor, mich zu vergewaltigen«, heulte sie, aber sie zuckte, als sie sah, wie sich Gaius' Brustkorb vor Ärger hob und senkte.

»Kann sein, kann nicht sein.« Seine Stimme klang

besorgt, fand sie. »Aber die Tür stand offen, und wer weiß, wer alles hätte hereinkommen können.«

Er packte ihren Arm und zog sie ins Haus. Durch einen Korridor gelangten sie in den Innenhof, wo ein Brunnen im schwindenden Tageslicht leise sprudelte.

»Wenigstens fließt das Wasser noch. Als ich bemerkte, daß viele Brunnen ausgetrocknet waren, beschloß ich, Pompeji so schnell wie möglich zu verlassen«, sagte er. »Warte hier, ich besorge uns eine Lampe.«

Sie gehorchte und wartete, bis er zurückkam. Dann folgte sie ihm ins Wohnzimmer und ließ sich auf einer Liege nieder, während er die Wandlampen anzündete.

»Die Hausbesitzer müssen überhastet geflohen sein, denn das Feuer in der Küche war noch so heiß, daß ich eine Wachskerze anzünden konnte.« Er war immer noch reserviert und verärgert, aber sie war zu müde, um weiter gegen ihn anzukämpfen.

Sie legte sich zurück auf die Kissen und schloß die Augen.

»Du bist wohl in einer verführerischen Stimmung, was?« fragte er.

»Nein. Ich habe überall blaue Flecken, weil ich auf dem Karren von einer Ecke in die andere geflogen bin, weil ich mich nirgendwo festhalten konnte, denn du hattest freundlicherweise beschlossen, mich nicht loszubinden«, fauchte sie.

Er stand da, turmhoch über ihr, betrachtete sie lange, und sein Ärger schmolz. »Ich hatte keine Zeit, dich loszubinden.«

»Du hättest genug Zeit gehabt«, gab sie zurück.

Sie hörte an seinem Tonfall, daß er seiner nicht mehr ganz so sicher war. »Du warst vollauf damit beschäftigt, deine falschen Schlüsse aus der Szene zu ziehen, die du gesehen hast. Und das war dir recht so, denn du hast es gern, wenn ich in einer Situation bin, in der ich mich schämen muß.«

Er hob ihren Arm und sah die Stelle, wo der Holzscheit sie verbrannt hatte. »Oh, Asclepius, wie ist denn das geschehen?«

»Es war ein Holzscheit. Ich mußte mich herumwälzen und auf den Bauch werfen, damit ich die Flamme auf der Decke löschen konnte.«

»Die Wunde muß behandelt werden. Warte, ich suche im Haus nach geeigneten Mitteln.«

»Es ist wohl zuviel verlangt, dich zu bitten, mich zuerst loszubinden? Oder stimmt es gar nicht, daß es dir zuwider ist, dich mit wehrlosen Frauen abzugeben?«

Er sah sie an, und sie wußte sofort, daß sie ihn zu sehr gereizt hatte.

Er beugte sich so nahe zu ihr, daß sie seinen wütenden Atem im offenen Mund spüren konnte. Er zerrte sie auf die Füße. Seine Haare rochen nach Asche, und seine Haut gab den starken Moschus von Angst und Gefahr ab. Sein Gesicht war von Asche und Schweiß verschmiert. Sie betete ihn an. Es gab kein anderes Wort für das, was sie empfand.

»Ich habe dir bei unserem ersten Treffen gesagt, daß ich nie eine Frau enttäusche, wenn ich es vermeiden kann«, sagte er harsch und zog sie an sich heran. »Du willst offenbar glauben, daß ich ein schlimmer Zeitgenosse bin, also werde ich mir Mühe geben, deine Erwartungen zu erfüllen. Du hast dich bereit erklärt, dich vor dieser kleinen

Künstlerratte zu entkleiden. Jetzt bin ich an der Reihe, dich zu genießen. Warum sollte ich noch länger warten?«

Er hielt sie fest umschlungen und stieß ein Knie zwischen ihre Schenkel.

»Bastard«, sagte sie und sträubte sich. Sie versuchte, ein Knie in seine Körpermitte zu stoßen. »Du hast gelogen, als du gesagt hast, daß du nie eine Frau gegen ihren Willen nehmen würdest.«

»Aber es wäre doch gar nicht gegen deinen Willen«, murmelte er.

Sie konnte die Haare auf seinem Schenkel spüren, als er gegen ihr Delta stieß.

»Gut, du bist gefesselt«, sagte er, »du magst dich auch nicht wehren können, aber du kannst mir nicht glaubhaft versichern, daß du es nicht willst. Oder willst du mir sagen, daß ich dich trocken und uninteressiert vorfinde, wenn ich einen Finger in dich hineinstecke? Wenn ich einen solchen Beweis für deine Gegenwehr hätte, würde ich sofort aufhören.«

»Du bist ein Strauchdieb. Ein Entführer.«

Sie wich einen Schritt zurück. Mit den Kniekehlen stieß sie gegen die Liege. Sie stolperte, aber er fing sie auf und nahm sie in die Arme.

Er zog seinen gewaltig ausgefahrenen Phallus aus den Kleidern und schob ihn mit verräterischer Leichtigkeit in ihre feuchte Vagina. Sie keuchte überrascht und spürte, daß er sie an den Hinterbacken packte und noch enger an sich zog.

Er pumpte in einem stetigen Rhythmus und ignorierte ihre Proteste, denn ihr Körper kündete von einer anderen Sprache. Jauchzer des Entzückens drangen über ihre Lippen, und Wirbel der

Lust entfachten ein Feuer, das sich vom Schoß in alle Fasern ihres Körpers ausbreitete.

Mit den gespreizten Fingern einer Hand fuhr er über ihren Rücken, die andere Hand legte sich über ihre Brüste und zwirbelte die Brustwarzen. Sie war benommen vor Lust, einer Ohnmacht nahe. Er preßte seinen Mund auf ihren und nahm Besitz von ihr, wissend, arrogant und selbstbeherrscht. Er schien zu unterstellen, daß sie ihm gehörte, und sie hatte nicht die Kraft, ihm zu widerstehen.

»Jetzt sage mir, daß du es nicht willst.« Seine Stimme klang wild. Er stoppte jede Bewegung.

»Nein«, flüsterte sie und trieb ihm ihren Leib entgegen, um ihm zu zeigen, wie versessen sie auf seine Stöße war.

Er hob die Augenbrauen und glitt aus ihr heraus. Sie jammerte kläglich.

»Ich habe nein gesagt«, keuchte sie,. »nein, ich kann dir nicht sagen, daß ich es nicht will. Ich will nicht, daß du aufhörst.« Sie wollte nicht länger mit ihm kämpfen. Sie wollte ihn genießen.

Ein triumphierendes Glitzern trat in seine Augen. Er zog sie wieder an sich, drang erneut in sie ein. Sie gab sich ihm hin, als wäre es die ultimative Erlösung für ihn, und als sie beide zur gleichen Zeit den Höhepunkt erlebten, brauchten sie gleich lange, um wieder zu Atem zu gelangen.

»Und nun sage mir, daß es dir nicht gefallen hat«, forderte er sie auf.

Noch bevor sie antworten konnte, preßte er seine Lippen auf ihre, und seine Zunge bohrte sich tief in ihren Mund.

»Es hat mir nicht gefallen«, sagte sie mit zitternder Stimme, die Hände um seinen Nacken geschlungen, sein Phallus noch warm in ihr. »Ich habe es genossen wie nie. Ich wollte es nicht, aber du hast mir eine Wonne beschert, die ich nie vergessen werde.«

Seine Küsse veränderten sich sofort, sie wurden sanfter und zärtlicher, und eine lange Zeit standen sie reglos da, vereint im bebenden Nachglühen ihrer Lust, und nahmen Geruch und Geschmack des anderen in sich auf.

Schließlich befreite er sich aus ihrer Umarmung und zog behutsam an ihren Fesseln. »Dein Malerfreund war erpicht darauf, daß du ihm nicht weglaufen konntest. Er hat dich so fest gewickelt, daß sich das Blut staut. Es wird ein bißchen schmerzen, ehe die Zirkulation wieder normal fließt.«

»Er wollte, daß das Bild realistisch aussieht.«

Er schnaufte ungeduldig, aber seine Finger gingen behutsam zu Werke, als er die Knoten löste. »Ist dir nie der Gedanke gekommen, daß er dich vielleicht für einen seiner unappetitlichen Kunden zurechtgemacht hat? Er traf keine Anstalten, dir zur Hilfe zu eilen, als ich dich gewaltsam wegriß. Glaubst du denn, er hätte dir geholfen, wenn ich ein Fremder gewesen wäre und dich vergewaltigt hätte?«

Sie wand sich vor Widerwillen, als sie an Caballius dachte.

»Könntest du beschwören, daß dein Malerfreund Petronius ausschließlich künstlerische Motive hatte, dich so hart zu verschnüren? Würdest du es bei Venus und Jupiter beschwören?« Er sah sie forschend an.

»Ich fand sein Verhalten schon ein bißchen seltsam, aber ich führte es darauf zurück, daß er fürchtete, seine Freundin Lydia könnte hereinplatzen.«

»Wenn ich nicht aufgetaucht wäre, welche entwürdigenden Posen hättest du dann noch einnehmen sollen? Und wieso kommt er überhaupt auf solche abstrusen Ideen? Hat er sie alle im Kopf? Sind das die Gedanken, die ihn beschäftigen?«

»Es sagt, daß er seine Beobachtungen auf Festen macht«, sagte sie leise, in die Defensive gedrückt. »Er sagt, daß Männer sich nicht für solche expliziten Bilder zur Verfügung stellen.«

»Einige Männer mögen es, wenn sie Zuschauer haben. Andere zahlen vielleicht sogar dafür, wenn für die Ewigkeit festgehalten wird, wie sie ihren Schaft in eine x-beliebige Öffnung stecken.« Er schüttelte den Kopf. »Du hast ihn erst ein paar Tage gekannt. Du hast mir gesagt, daß er als Liebhaber eher langweilig war. Wieso hältst du deinen Petro für einen so lieben Menschen?«

Er sah sie fragend an, dann seufzte er und entfernte die letzten Schnüre.

»Ich weiß es nicht genau. Ich nehme an, es hatte damit zu tun, daß er von der Herrschaft meiner Freundin Lydia den Auftrag für die Wandgemälde erhalten hatte.«

Er starrte sie fassungslos an. »Inzwischen müßtest du gelernt haben, daß Status und Geld nicht immer Hand in Hand gehen mit Liebenswürdigkeit und Freundschaft. Reichtum wird oft durch Skrupellosigkeit gewonnen.«

Ohne weiteres Wort ging er hastig aus dem Zimmer.

Sie zog die Decke um sich und saß bibbernd da, entsetzt über die Gefahren, die ihr hätten drohen können, und die sie nicht vorhergesehen hatte. Das Blut floß zurück in ihre Arme, zuerst spürte sie nur ein leichtes, unangenehmes Kribbeln, aber dann floß es stärker, und die Schmerzen wurden so stark, daß ihr Tränen aus den Augen quollen. Sie rieb sich über die roten Striemen und war froh, daß er nicht bei ihr war. Er sollte sie nicht weinen sehen.

Als er mit einer Schatulle voller Arzneien zurückkehrte, hatte sie die schlimmsten Schmerzen überstanden, jetzt prickelte es nur noch, und ihre Haut brannte.

»Wie durch ein Wunder und durch Asclepius' Gnade haben sie das hier zurückgelassen.«

Er setzte sich neben sie auf die Liege und schlug die Decke zurück, damit er sich ihre Wunde anschauen konnte.

»Ich habe einen Nachteil entdeckt«, sagte er. »Es gibt zwar einige gefüllte Weinkrüge, an denen wir uns schadlos halten können, aber es gibt nichts zu essen. Wir werden wohl im Garten auf Nahrungssuche gehen müssen.«

Ihre Brüste standen stolz über dem flachen Bauch. Sie schlug instinktiv die Beine übereinander. Die Striemen waren schon blasser geworden, und sie spürte, wie ein inbrünstiges Sehnen sie erfüllte. Ihr spontaner Liebesakt hatte ihr erstes Verlangen gesättigt, sie aber auch mit einer tiefen Sehnsucht zurückgelassen.

»Es fällt mir schwer, den Arzt in dir zu sehen«, sagte er, als er mit vermeintlichem Kennerblick eine Salbe auswählte.

»Ich habe bei den Soldaten viel gelernt«, sagte er. »Soldaten erleiden oft schlimmste Verletzungen. Deine Wunde ist nicht sehr schlimm, aber sie wird ein paar Tage schmerzen. Du hast richtig reagiert, dich sofort auf den Bauch zu wälzen, um die Flamme zu ersticken. Das war sehr tapfer und hat uns vielleicht allen das Leben gerettet, denn zu diesem Zeitpunkt kam es auf jeden Augenblick an.«

Sie zog die Nase hoch, um die Tränen zurückzuhalten, denn sie war gerührt über seinen Versuch, sich bei ihr quasi für die gewaltsame Entführung zu entschuldigen.

Behutsam legte er einen Verband über die wohltuende, kühlende Salbe. Als er die Aufgabe beendet hatte, nahm er ihre Hände und zog sie von der Liege hoch. Die Decke fiel auf den Boden, und er sah voller Ernst in ihre Augen.

»Du hast mich zorniger gemacht, als ich seit Jahren gewesen bin. Ich glaube, ich hätte deinen Maler zu Brei geschlagen, wenn der Berg sich nicht so gewaltig bemerkbar gemacht hätte. Du hast mich dazu gebracht, eine andere Seite meines Naturells kennenzulernen. Ich wußte, daß ich auf Männer wütend sein kann, wenn ich im Krieg bin, aber bisher wußte ich nicht, daß eine Frau mich derart in Rage bringen kann.«

»Es war nicht das, was du gedacht hast«, sagte sie leise. »Er hat mich gemalt. Ich glaube nicht, daß es ihm um irgend etwas anderes ging. Er liebt Lydia. Das wußte ich sofort, als ich die beiden miteinander gesehen habe.«

Er hob seine Augenbrauen.

»Ich sehe ein, daß es törícht war, ein solches Risiko einzugehen«, sagte sie zögerlich.

»Und warum, zum Hades, hast du es dann getan?«

»Ich brauchte das Geld.«

Er starrte sie wütend an. »Das ist doch lächerlich! Du hättest zu mir kommen können. Wie jeder Mann mit meiner gesellschaftlichen Position habe ich hunderte von Männern, die mir einen Gefallen schuldig oder die abhängig von mir sind. Wenn ich in Rom bin, stehen die Leute bei mir Schlange, weil sie für das eine oder andere Unternehmen Geld brauchen.«

»Das kannst du jetzt leicht sagen!« rief sie erregt. »Ich gehöre nicht zu denen, die einen wohlhabenden Patron haben. Ich bin frei geboren, aber ich muß mir auf sehr harte Weise den Lebensunterhalt verdienen.«

»Aber warum brauchtest du so dringend Geld?«

»Weil ich dich suchen wollte!« schrie sie. »Ich weiß jetzt, daß das ein Fehler war – du bist nichts als ein jähzorniger, arroganter und übelgelaunter Bastard, der mehr Wut im Leib hat als Leidenschaft. Und ich habe gedacht, daß du ganz anders bist.«

Er ließ sie abrupt los, und sie stand da, die Arme an den Seiten, schaute ihn kläglich an und fühlte sich verraten.

Er streichelte ihr sanft über die Wangen. »Ich habe nicht einmal im Traum daran gedacht, daß ich die Ursache für diese schreckliche Szene sein könnte. Ich habe dich wollüstig auf dieser Liege gesehen, und mein erstes Empfinden war Lust. Ich hätte dich am liebsten an Ort und Stelle genommen, Marcella.«

Sie hielt den Atem an, als sie die Wucht seiner Leidenschaft spürte.

Sie erkannte, daß seine Wut und sein besitzergreifendes Verhalten aus dem starken körperlichen Verlangen nach ihr resultierten. Diese Erkenntnis machte sie stolz und verlieh ihr ein Gefühl der Macht.

»In diesem kurzen Augenblick stellte ich mir vor, wie ich zu dir schreite, deine Schönheit einatme, deine Brüste streichle, deinen Mund schmecke, deinen Schoß öffne. Ich wollte dich lieben, bis du vor Glück geschrien hättest, bis ich meine Kraft in dir vergossen hätte. Es war eine Szene von olympischem Entzücken. Das war es, was du mir gegeben hast. Und im nächsten Augenblick war dieses Bild zerstört.«

Er packte ihren nackten Körper und starrte ihr wild in die Augen. »Kannst du dir meine Verzweiflung vorstellen, die einem solchen Glücksgefühl folgen muß, wenn es erst einmal zerstört ist? Es ist besser, nie den Nektar der Götter geschmeckt zu haben, wenn man danach mit trocken Brot auf Diät gesetzt wird.«

»Ja«, sagte sie, den Blick gesenkt, »ich kenne diese trüben Gedanken.«

»Dann erst bemerkte ich, daß du nicht allein warst, und am schlimmsten war meine Entdeckung, daß du hilflos verschnürt vor ihm lagst. Da hätte ich ihn am liebsten umgebracht.«

Er hielt sie wieder in den Armen, und sie spürte, daß sein Körper zitterte, als er sie an sich heranzog. Sie fühlte seinen Atem auf der Wange und das leichte Kratzen seines Barts.

»Ich lag da und habe an dich gedacht«, murmelte sie. »Hast du nicht gesehen, daß ich bereit für dich war?«

»Ich habe gesehen, daß deine Nippel steif und deine Schamlippen geschwollen und feucht waren, aber ich wußte auch, daß deine Lust nicht mir galt.«

»Und doch war es so«, flüsterte sie, ihre Lippen in seinem Nacken. »Wann immer ich an dich denke, verlangt mein Körper nach dir.«

»Und jetzt bist du hier bei mir, und mein Verlangen ist größer, als ich es beschreiben kann. Ich muß an mich halten, um dich nicht auf den Boden zu legen und über dich herzufallen.«

»Ein Bett wäre mir lieber«, sagte sie keß.

Er röhrte vor Lachen. »Wir haben die ganze Nacht für uns«, sagte er grinsend, und diesmal lasse ich nicht zu, daß mein Trieb mich davon abhängt, die sinnlichen Freuden der Liebe länger zu genießen.«

Das kalte Bad war eine köstliche Qual. Ihre Brustwarzen standen wie kleine harte Spitzen ab, und zögernd öffnete sie die Schenkel, um das Wasser an ihren Schoß zu lassen. Der Schock durchlief sie in einem Wirrwarr sinnlicher Gefühle. Sie tauchte ihre Haare ins Wasser, um die Asche herauszuwaschen, aber sie stellte sich ungeschickt an, denn bisher hatte sie immer eine Sklavin gehabt, die ihr dabei geholfen hatte.

»Es ist schade, daß die Feuer ausgegangen sind, aber wir werden uns bald an die Kälte gewöhnt haben. Die Barbaren ertragen schließlich auch das kalte Wasser.« Gaius trat auf sie zu, hoch aufgerichtet und erigiert.

»Du mußt lange an der Grenze des Nordens gewesen sein, wenn du dich so schnell an die Kälte gewöhnt hast.« Sie zeigte auf seine Erektion, wollte aber auch die Gelegenheit nutzen, etwas mehr über ihn zu erfahren.

»Du meinst Britannien und Gallien? Glaubst du, ich hätte unter den Druiden und den wilden Kaledoniern aufgeräumt?« Sein Lachen hallte in dem kargen kleinen Raum wider. »Ich bin ein- oder zweimal jenseits der Alpen in Gallien gewesen. Sie haben das ganze Jahr über dort Schnee, und es ist so kalt, daß es einem die Finger abfriert. Du hältst es nicht für möglich, bis du es selbst erlebt hast.«

»Hast du denn an der Donaugrenze gekämpft?«

Er küßte sanft ihren Mund. »Dafür bin ich nicht tapfer genug«, sagte er dann. »Ich habe es arrangiert, daß ich weiter im Süden eingesetzt wurde. Ich mag das warme Land und das lockere Leben. Ich habe ein kleines Haus in Tripolitania, wo ich mich zum Ausruhen zurückziehe.«

Er legte eines der Handtücher, die sie gefunden hatte, auf den Marmorboden aus schwarzen und weißen Fliesen. »Willst du vielleicht den ganzen Abend über meine militärische Karriere sprechen?« fragte er.

Er rubbelte sie mit einem anderen Tuch trocken, bis sie sich wärmer fühlte und das Leben allmählich in ihren zitternden Körper zurückkehrte. Gaius warf das feuchte Tuch weg und tastete sie ausgiebig mit seinen Händen ab, als wollte er letzte Wassertropfen trocknen.

Sie vergaß, worüber sie gesprochen hatten und gab sich dem herrlichen Gefühl hin, von seinen sanften Händen berührt zu werden. Sehnsüchtig schaute sie ihn an. »Du siehst wie die Statue des Apollo im Forum aus«, murmelte sie. »Dein Körper hat das griechische Schönheitsideal, breite Schultern, schmale Taille.«

»Du kennst dich aus«, sagte er, lächelte und stieg in das Tauchbecken.

Sie streichelte mit den Händen an seinen langen Beinen entlang und fuhr über die gespannten Muskeln seiner Waden. »Ich bin gebildet«, sagte sie streng, »ich bin nicht das gewöhnliche Tavernenmädchen, auch wenn ich in der Taverne arbeiten mußte, um meinen Lebensunterhalt zu verdienen. Als ich dreizehn war, wurden meine Eltern in einem schrecklichen Sturm auf hoher See getötet, und auch ihr ganzes Vermögen ging bei dem Unglück unter. Ich sollte verheiratet werden, aber die Eltern des Jungen machten einen Rückzieher, als sie erfuhren, daß ich keine Mitgift mehr in die Ehe bringen konnte. Ich hatte Glück, daß mein Onkel und meine Tante mich bei sich aufnahmen.«

Sie fuhr jetzt mit leichter Hand über seine Schultern und den Rücken entlang, dann berührte sie die Innenseiten seiner Schenkel mit den Fingerkuppen.

»Du weißt, wie man einen Mann entflammt, mein Liebling«, murmelte er. Sie sah, wie sein Phallus wuchs und vom Wasser umspült wurde.

Er legte seine Hände auf ihre Brüste und rieb sie zart. Marcella fühlte sich benommen vor Glück. Sie wusch ihn, fuhr über Brustkorb und Bauch, nahm sein Glied und hielt es ins kalte Wasser, aber es behielt seinen Umfang bei.

Als er auch trocken war, gingen sie Hand in Hand in eines der Schlafzimmer.

»Lege dich hin und öffne dich für mich, Marcella«, bat er. »Mich verzehrt die Erinnerung an deine zauberhafte Muschel, ich will sie mir für immer und ewig einprägen.«

Sie schritt rückwärts, damit sie den Blick nicht von ihm und seinem vibrierenden Penis wenden mußte. Sie konnte es kaum erwarten, ihn in sich zu spüren.

Sie wollte seinen nackten Körper auf ihrem fühlen, wollte seine gewaltige Kraft spüren, die ihr die Lust brachte. Sie legte sich auf den Rücken und spreizte langsam, fast scheu, ihre Beine. Sie hörte ihn laut einatmen.

»Du bist noch schöner als in meiner Erinnerung. Diesmal lächelst du mich an, du hast keine Angst und schämst dich nicht. Und du bist bereit. Ich sehe, deine Schamlippen sind geschwollen und feucht.«

Er kniete vor ihr auf dem Bett, und mit den Knien hielte er ihre Beine geöffnet. Er lehnte sich über sie, stützte sich mit den Händen ab und küßte sie auf den Mund.

Jetzt senkte er langsam den Körper und lag auf ihr, und seine Zunge drang ohne jede Hast in ihre Mundhöhle.

Sie hob die Beine an und schlang sie um ihn, sie drückte damit seinen Rücken noch mehr nach unten, denn sie wollte seine Männlichkeit spüren. Er war hart wie Fels, aber er verharrte über ihr, ließ sich nicht von ihr dirigieren.

»Mein Liebling, du willst mich verführen, aber ich möchte nicht ein zweites Mal an diesem Tag alles nach ein paar Stößen beendet wissen. Ich will, daß du diese Nacht bis an dein Lebensende in Erinnerung behältst. Und es soll eine süße Erinnerung sein, nicht eine, die nach Augenblicken schon vorbei ist.«

Er setzte sich über ihre Schenkel, sein Pfahl hoch

und hart über ihrem Bauch. Sie streckte die Hände aus und fühlte die sanfte Kraft, fuhr mit den Fingern den Schaft entlang und nahm die Eichel in einen Drei-Finger-Griff.

Sie setzte sich auf und schob ihn gewaltsam von sich, bis sie sich tief bücken konnte, um das Ziel ihrer Begierde mit dem Mund zu umfangen. Es war ein Gefühl des Vertrauten, als wäre sie nach langer Reise zurück nach Hause gekommen. Ein unsagbares Glücksgefühl erfüllte sie, als sie leckte und lutschte und saugte und den winzigen Tropfen von der Spitze ableckte.

Sie wollte alle Köstlichkeiten aufnehmen, die sein Körper zu bieten hatte.

Er griff nach ihren Brüsten und zwirbelte die Warzen, bis sie sich vor Verlangen versteiften. Das sanfte Drücken und Kosen seiner Finger und Daumen ließ sie unruhig herumrutschen, bis sie mit gespreizten Beinen neben ihm lag. Er packte die Beine und legte sie sich über die Schultern.

»Ich möchte dich aus nächster Nähe schauen«, raunte er. »Es ist ein wunderbarer Anblick. Der beste in der Welt, Marcella, mein Schatz.«

Sie spürte seine Blicke, und unwillkürlich zogen sich ihre inneren Muskeln erwartungsvoll zusammen.

Er lächelte und legte einen Finger zwischen die Labien. Langsam ließ er ihn auf und ab gleiten. Sie schob sich ihm entgegen, wollte ihn tiefer spüren, aber er reagierte nicht darauf.

Er beugte sich vor und streckte sich über ihren Bauch, bis sein Mund ihre Brustwarzen erreichen konnte. Er fuhr mit der Zunge über die harten Nippel, und sie stöhnte mit vollem Mund.

Sie spannte ihre Beinmuskel an und spürte die Haare seiner Brust, die sanft gegen die samtenen Falten ihrer Vulva rieben.

Er fuhr fort, ihre Brüste zu kosen, und sie bemerkte, wie sich das Feuer der Lust in ihrem Körper ausbreitete. Sie streckte instinktiv die Zehen, ihr Becken glitt auf und ab, und ihre Brüste schickten immer wieder neue ekstatische Schübe ins Zentrum ihres Empfindens. Seine herrlichen Berührungen entflammten all ihre Sinne, und seine Stimme, die süße Dinge in ihr Ohr murmelte, hörte sich an wie tausend Flöten des Gottes Pan. Ohne jede Vorwarnung erreichte sie einen Höhepunkt. Sie schlaffte ab und lag ganz still da.

Er lächelte und küßte sie leicht auf die Lippen. »Wie ich schon sagte, du bist eine Genießerin. Nicht alle Frauen reagieren so rasch auf leichte Berührungen. Du bist wunderbar, Marcella.«

»Ich habe noch nie so rasch einen Höhepunkt erlebt.« Sie fühlte sich gleichzeitig erschöpft und euphorisch. »Er kam ganz unerwartet über mich.«

Er fuhr mit der Zunge über ihre Brüste und dann über ihren Bauch. Er ließ ihre Beine von seinen Schultern hinab und legte die Hände auf ihre Hüften.

»Jetzt beginnt der zweite Teil der Verführung«, kündigte er an.

Die raschen Bewegungen seiner Zunge, die über den zitternden Kitzler schnellte, ließen sie vor Wonne aufstöhnen. Es war ihr, als würde sie auf seidenen Schwingen hoch auf den Olymp gehoben, auf eine Ebene der Lust, die sie bisher noch nie erreicht hatte.

Er küßte die Klitoris mit geschlossenen Lippen, leckte die feuchten Falten ihres Geschlechts entlang, unermüdlich nach oben und dann nach unten, während er mit der Kuppe des Daumens leicht über den Kitzler rieb. Ihre Anspannung wurde schier unerträglich, sie seufzte und stöhnte, packte seine Haare, bäumte sich auf und erlebte den nächsten Höhepunkt, wuchtiger, heftiger, gewaltiger als vorher. Hitze wallte in ihrem Körper auf, und als sie abgeklungen war, lag sie in glücklicher Entspannung da und schaute dankbar zu ihm.

Es dauerte eine Weile, ehe sie genug Energie gesammelt hatte, um sich auf ihn zu schwingen. Sie rutschte mit dem Hintern seine Schenkel hinunter. »Jetzt werde ich dich verführen«, sagte sie und legte beide Hände um den harten, lebhaft zuckenden Schaft.

Er lachte. »Das hast du schon getan. Ich bin gefangen von deiner Schönheit und der natürlichen Art, wie du auf meinen Appetit reagierst. Du bist die erregendste Frau, die ich je kennengelernt habe, Marcella.«

Noch während er sprach, hatte sie den Schaft tief in den Mund genommen.

Seine Finger verfingen sich in ihren Haaren, als sie begann, den Kopf auf und ab zu bewegen. Mit der Zunge fuhr sie aufreizend langsam über die Penisspitze.

Der Geschmack seiner Lust weckte Gier auf mehr in ihr.

Abrupt schob er ihren Kopf hoch. »Das ist zuviel, mein Schatz«, murmelte er. Mit einer flüssigen Bewegung legte er sie auf den Rücken, und er schwang sich über sie. »Ich möchte, daß du immer wieder kommst«, raunte er ihr ins Ohr, während er langsam in sie eindrang. »Ich will in dir kommen, und dabei will ich spüren, wie dein Körper geschüttelt wird, wie du dich vor Lust aufbäumst.«

Er küßte sie auf den Mund, stieß die Zunge tief hinein, als wollte er ihren Körper und ihre Seele schmecken.

Der Rhythmus ihrer gemeinsamen Bewegungen war hypnotisch, und sie vergaß um sich herum Zeit und Raum. Sie bewegte sich in einem Stadium unvorstellbaren Glücks. Die Wellen der Leidenschaft schlugen mit Macht über ihr zusammen.

Sie konnte nicht mehr zählen, wie oft sie schon einen Höhepunkt erlebt hatte. Die nächsten Momente danach blieb sie still, und auch Gaius bewegte sich nur noch schwach in ihr, aber nach einer Weile nahm er den treibenden Rhythmus wieder auf und riß sie mit.

Schließlich beschleunigte er seine Bewegungen. Sie spürte, daß er sich nicht mehr lange zurückhalten konnte, daß er endlich die Selbstbeherrschung verlor.

Sie stieß von unten gegen ihn, erwiderte seine Stöße mit ihrer jugendlichen Kraft und stimulierte ihn zusätzlich. Er schüttelte sich unkontrolliert, und sein Atem kam hechelnd.

»Marcella, du verzauberst mich wie die Sirenen. Ich habe mich nicht mehr unter Kontrolle ...«

Im nächsten Augenblick spürte sie, wie er sich mit majestätischer Kraft in ihr ergoß. Er sank auf sie nieder, umarmte sie, preßte sie ganz eng an sich und blieb mit ihr verbunden.

»Mein Schatz, du verzauberst mich wirklich. Ich habe noch nie eine Frau wie dich getroffen, und ich will, daß du mein ganzes Leben bei mir bleibst.«

Die Worte wirkten wie Balsam auf sie, und sie blieb still in seinen Armen liegen, bis sie eingeschlafen war.

# Zehntes Kapitel

»Hallo. Ich habe was zu essen gefunden. Die Speise der Götter«, rief sie lachend, als sie am anderen Morgen über die unebenen Treppe der Veranda stolperte. Ein paar dicke, reife Trauben kullerten über den gefliesten Boden.

Sie sagte ihm nicht, was sie sonst noch entdeckt hatte, während sie die Villa und das Grundstück erforscht hatte. Sie wollte einige Geheimnisse für sich bewahren, und ihn um Rat zu fragen, hätte ihren Stolz verletzt, weil es ein Anzeichen von Schwäche gewesen wäre.

Er saß auf einer niedrigen Bank und sah ernst drein. Ihr war bewußt, daß sie in den Kleidern, die sie trug, nicht besonders attraktiv aussah. Die schweren Schuhe ließen sie aussehen wie die römische Matrone, der sie gehörten, denn sie hatte den Schrank der Hausbesitzerin durchwühlt. Aber ihn schien ihr Äußeres nicht zu stören, denn jetzt lächelte er sie strahlend an.

Sie beugte sich zu ihm hinunter und küßte ihn auf die Augenbrauen. Ihre Brüste rieben sich gegen den rauhen Stoff des Kleids, das ebenfalls der Frau des Hauses gehörte. Gaius legte besitzergreifend einen Arm um ihre Hüften.

»Und ich habe ein paar sehr trockene Kuchen und einige Eier in einer Holzkiste gefunden. Damit werden wir uns begnügen müssen.«

»Die Eier sind bestimmt nicht mehr frisch, aber das wissen wir erst, wenn wir sie probiert haben.«

»Ich glaube, wir müssen bald weiter. Ich habe das Gefühl, daß neue Erdstöße unterwegs sind«, sagte er. »Die ganze vergangene Nacht hat sich die Erde nicht beruhigt, und der Wind weht stärker denn je.«

Sie lächelte in Erinnerung an die leichten Beben der vergangenen Nacht. Sie hatte befriedigt in seinen Armen gelegen und sich überaus sicher gefühlt.

Sie hatten sich oft geliebt, die halbe Nacht lang, bis sie beide völlig erschöpft gewesen waren.

Irgendwann in der Nacht hatten sie einen kleinen Vorrat an Wein gefunden, auch ein paar sehr harte und ausgetrocknete Brote. Sie hatten sie in den Wein getunkt, und sie hatten das Brot so gierig verschlungen, als wäre es eine Delikatesse auf einem festlichen Bankett.

»Ich hatte gehofft, daß wir hier auf dem Land sicher genug sind«, fuhr er fort, »aber wir können den Berg nicht mehr sehen, weil die Aschewolke alles verdüstert. Und sie wird immer größer. Um sicher zu sein, müssen wir weiter weg. Merkst du auch, daß die Luft seit gestern abend dicker geworden ist? Für die Stadt selbst habe ich kaum noch Hoffnung.«

»Der Garten ist mit einer feinen Schicht aus Asche bedeckt. Ich habe so etwas noch nie gesehen«, sagte sie hilflos. »Bisher dachte ich, daß Terentius solche Geschichten erfindet, um mir Angst einzujagen.«

»Ich habe von solchen Katastrophen gehört, sie aber auch noch nicht selbst erlebt. Der berühmte Geograph Strabo hat den Berg vulkanisch genannt. Als Spartakus und seine Abtrünnigen vor langer, langer Zeit in den Krater gestiegen sind, schafften sie es, sich hinter die feindlichen Linien zu schmuggeln, weil es niemand für möglich hielt, daß sie dieses Wagnis eingehen würden.«

»Diese Geschichte habe ich gehört«, sagte sie. »Aber die meisten Leute waren der Meinung, daß der Berg jetzt sicher sei.«

»Vielleicht wiegten sich die Pompejaner in Sicherheit, weil Spartakus damals unbehelligt davonkam«, meinte Gaius. »Und außerdem war der letzte Ausbruch vor siebzehn Jahren nicht sehr schlimm. Da wir gerade von Ausbruch sprechen ...«

Er drückte beide Daumen gegen ihren Venusberg und hob ihr Kleid hoch, ehe er das Lendentuch aus Musselin ungeduldig wegzog. Jetzt lag ihr Geschlecht offen vor ihm.

»Es mag sein, daß ich übervorsichtig bin, wenn ich meine, daß wir eine größere Distanz zwischen dem Berg und uns bringen sollten«, sagte er rauh, »aber ich möchte, daß wir beide überleben, damit ich dir noch viele Male dieses Vergnügen bereiten kann.«

Er sah sie an, und ihre Blicke trafen sich. Sie schmachtete, als sie das Glitzern in seinen Augen sah. Ihre Lenden zuckten vor angespannter Erwartung.

Sie stellte einen Fuß neben ihn auf die Bank. Er berührte ihre Klitoris mit einem Finger, bevor er ihn behutsam hineingleiten ließ. Sie stöhnte auf.

Sie schwang sich über seinen Schoß, das Gesicht ihm zugewandt. Seine feingliedrigen Finger streichelten ihre intimen Stellen. Sie zerrte an seiner Tunika, bis sie seinen erregt zuckenden Phallus in Händen hielt.

Er hob sie an und ließ sie langsam über seinem

Schaft nieder. Während er Stück für Stück in sie hineinglitt, schlang sie die Arme um seinen Hals und preßte ihre Brüste gegen seinen Oberkörper. Sie preßte ihre Lippen gegen seine Halsseite und hinterließ eine Spur von kleinen feuchten Küssen.

»Ich liebe es, meine Mahlzeiten in bequemer Stellung einzunehmen«, sagte er grinsend. Er sah sorgenfrei und jungenhaft aus, die Falten seines Gesichts hatten sich geglättet. Er reichte ihr eine Traube. »Das steht uns besonders zu, weil wir einen langen Weg vor uns haben.«

»Wir haben keinen Karren und kein Pferd«, sagte sie, während sie die Traube mit dem Mund von seinen Fingern aufnahm und auch die Finger mit der Zunge näßte. Er stöhnte auf, und sie streichelte seine Stirn und strich die Brauen glatt.

Er legte eine Hand auf ihre Brust. »Wir müssen zu Fuß gehen«, sagte er. Als sie eine Traube zwischen seine Lippen schob, schloß er die Augen und saugte die süße Frucht in seinen Mund. Dann schob sie eine Traube in ihren Mund, biß sie durch und schob sie mit der Zunge in seinen Mund. Er lachte und schaute sie mit unverhohlener Bewunderung an.

»Die Straße war in einem guten Zustand, und wenn wir uns beeilen, können wir bis Mittag schon das Meer erreichen«, sagte sie, während sie begonnen hatte, ihre Hüften leicht zu bewegen. »Dort müssen wir auf einen Fischer hoffen, der bereit ist, uns die Küste entlang in Sicherheit zu bringen.«

Sie fuhr fort, ihre Hüften zu bewegen, während sie sich gegenseitig mit Trauben fütterten. Er hielt den Krug an ihren Mund und gab ihr verdünnten

Wein zu trinken. Ein paar Tropfen rannen über ihr Kinn, und noch bevor sie in ihrem Kleid versickern konnten, hatte er sie aufgeleckt.

»Hast du genug?« fragte er, als die Erde unter ihnen bebte. Der Tisch vor ihnen polterte, und einige Töpfe auf der Veranda fielen um. Sie spürte tief in sich, wie sein ganzer Körper vibrierte.

»Nein, ich habe noch nicht genug«, flüsterte sie. »Dies war für uns. Selbst die Götter wollen, daß wir uns vergnügen. Sie arbeiten sogar für uns. Ich brauche mich nicht zu bewegen, und du brauchst es auch nicht – die Götter schicken diese Vibrationen, um uns durch die Bewegungen der Erde Vergnügen zu schicken.«

Er legte seine Hände auf ihre Hüften und packte sie kräftig, hob sie an und rammte sie auf seinen Pfahl. Ihre inneren Muskeln reagierten durch ein ungestümes Zucken und Zusammenziehen, und im nächsten Moment wurde sie von einer solchen Wucht geschüttelt, die sie nicht für möglich gehalten hatte. Seine Antwort erfolgte sofort, sein Körper barst und schüttete seinen Vorrat in sie hinein, obwohl er sich wunderte, daß nach der vergangenen Nacht überhaupt schon wieder das Reservoir gefüllt war.

Lange Zeit hielten sie sich eng umschlungen. Sie genossen ihre Nähe und kosteten das friedliche Alleinsein aus, denn sie wußten, daß es bald mit der Ruhe und der Abgeschiedenheit vorbei sein würde.

»Der Berg spuckt wieder Feuer.«

Einige Stunden später standen sie an der Straße und schauten hinunter auf die Stadt, aber sie sahen nur eine dicke Rauchwolke. Gaius' Augen waren ernst und müde.

Die Beben waren immer stärker geworden, und ein paarmal waren sie aus dem Gleichgewicht und auf die Straße geworfen worden, schwankend wie ein Schiff im Sturm. Marcella war übel von der ungewöhnlichen Mahlzeit, und sie spürte auch, wie die Angst sich in ihr Herz schlich.

Als ein Mann sich ihnen schleppend näherte, drehte sich Gaius um und rief: »Was ist in der Stadt geschehen?« Der Mann trug eine kleine Tasche über der Schulter.

»Gestern abend war es wie eine Vision des Hades. Wir glaubten, wir könnten heute morgen das Weite suchen, aber es war das vollendete Chaos«, antwortete er, ohne seine Schritte zu verlangsamen, nachdem er sie eingeholt hatte. »Hunderte von Menschen sind von herunterfallenden Steinen erschlagen worden. Die Luft ist so dick verrußt, daß alte Leute und Kinder umfallen wie die Fliegen, weil sie nicht mehr atmen können. Ich habe viele Menschen gesehen, die unter umstürzenden Säulen begraben wurden.«

»Wir hatten Glück, daß wir gestern herausgekommen sind«, sagte Gaius. »Aber es wäre besser gewesen, wenn wir noch einen Tag eher die Stadt verlassen hätten.«

»Ich habe nur diese Tasche mitnehmen können«, sagte der Mann verbittert. »Es blieb nicht mehr Zeit, andere Wertsachen mitzunehmen. Ich bin ruiniert. Wenn die Stadt nicht vollständig zerstört ist, wenn ich zurückkehre, wird alles, was ich besitze, geplündert sein. Es gibt immer noch Leute, die dort bleiben und wahrscheinlich nur darauf warten, daß sie alles an sich reißen können.«

»Das kann ich mir denken«, sagte Gaius.

»Sie plündern die Häuser der Reichen«, fuhr der Mann fort, »und sie laden alles auf jeden Karren, den sie finden können. Über die Häuser am Hang wälzt sich eine dicke, glühende Lavaschicht. Ich habe Menschen und Tiere gesehen, die damit übergossen werden, als wären sie Fliegen im kochenden Sirup. Ich bin nur deshalb entkommen, weil ich mal ein Athlet war, und ich habe immer noch eine gute Ausdauer. An einigen Stellen am Hang floß die Lava schneller, als ein Pferd galoppieren kann.«

»Mars und Vulcan mögen uns beschützen«, murmelte Gaius betroffen. »Wir hätten doch in der Nacht aufbrechen sollen, auch wenn die Reise in der Nacht beschwerlich und gefährlich ist.«

»Mars und Vulcan sind die richtigen Götter, an die man sich wenden muß«, rief ein zweiter Mann in ihrem Rücken. Er holte so rasch aus, daß er sie bald schon überholt hatte. »Wenn ich diesen Tag überstehe, werde ich Vulcan ein üppiges Opfer darbringen. Ich werde solange arbeiten, bis ich ihm eine Statue errichten kann. In einem Tempel in Rom. Dies gelobe ich feierlich.«

Marcella schlang den Umhang enger um ihren Leib. Sie sah die ausgeprägten Muskeln des Mannes und bemerkte die entsetzlichen Narben von Beinwunden, die er sich vor längerer Zeit zugezogen haben mußte.

»Er ist ein Wagenlenker«, flüsterte sie Gaius zu. Er nickte.

»Ich habe schreckliche Szenen gesehen«, sagte der Mann, der so stramm marschierte, daß besonders Marcella Mühe hatte, ihm zu folgen. »Selbst ich war schockiert, obwohl ich dachte, ich hätte schon alles bei den Wettkämpfen gesehen. Auch bei uns gibt es Unglücke und Todesfälle, entsetzliche Verletzungen, aber das ist nichts gegen das ...«

»Nun, ich habe einiges auf verschiedenen Schlachtfeldern gesehen«, sagte Gaius mit gepreßter Stimme. »Die Götter merken, wenn wir überheblich werden und glauben, alles zu wissen. Dann schicken sie uns Zeichen ihrer Macht.«

»Ich habe einen Mann gesehen, der ganz gelassen auf der Straße stand und Kohlezeichnungen von den Toten und Sterbenden anfertigte. Er konzentrierte sich auf die Ausdrücke in ihren Gesichtern — blankes Entsetzen, Todesangst, höllische Schmerzen. Er ignorierte sie nicht, einige zog er unter den Trümmern weg und legte sie auf Holzplanken – vielleicht deshalb, daß er sie dort besser zeichnen konnte, um später sein Geld mit ihnen zu machen. Dieser Kerl verdient nicht, daß er lebt.«

Petro! Gierig genug, um auch noch aus dieser Situation die letzten Dinare herauszuholen. Ob er es wirklich gewesen war?

Marcella schüttelte sich. »Ich wüßte gern, was mit Lydia geschehen ist – und mit Onkel und Tante. Und auch mit Petro.«

»Kümmere dich ausschließlich um dich, Marcella«, riet Gaius. Er holte jetzt weiter aus, um dem Wagenlenker folgen zu können. »Dein Maler gehört zum Abschaum, begreifst du das immer noch nicht? Bei ihm wärst du gewiß auf die schiefe Bahn geraten. Glaube nicht, daß eine Freigeborene nicht auch in die Sklaverei verkommen kann.«

»Aber seine schönen Bilder!« rief sie. Sie wollte nicht glauben, daß jemand mit dieser Gabe wirklich schlecht sein konnte.

»Schöne Bilder haben nichts mit dem Leben zu tun:» Sein Gesicht war angespannt und ernst, wie ein General in der Schlacht, dachte sie. Eben noch hatte er, der Geliebte, in ihren Armen gelegen, jetzt war er der Anführer, der das Kommando übernommen hatte.

Sie sah mit ungläubigem Staunen zu ihm auf, bewunderte seine Kraft und seine Entschlossenheit. Sie selbst war müde und erschöpft, und ihr Körper wollte nicht weiter, aber ihr Geist war noch hellwach.

Warum konnte sie nicht weiter in seinen Armen liegen und noch einmal von der Wonne träumen, die er ihr bereitet hatte? Statt dessen mußte sie über die Steine stolpern, die vom Beben der Erde noch unebener geworden oder gar aus dem Boden herausgerissen waren.

»Ich muß eine Weile ruhen, Gaius«, sagte sie schwach. »Diese Schuhe sind zwar kräftig, aber sie sind mir zu klein. Das Leder ist hart und hat sich den Füßen der Besitzerin angepaßt. Es schneidet in mein Fleisch, und ich laufe mir Blasen.« Sie setzte sich hin und schlug verzweifelt die Hände vors Gesicht.

In diesem Moment wurde die Erde von einer gewaltigen Explosion geschüttelt. Marcella wurde herumgeschleudert, und dann ging ein Regen aus Asche und Schlacke über sie alle nieder. Sie schlug ein paarmal hart auf dem Boden auf und zog sich

Hautabschürfungen zu, und die bandagierte Brandwunde begann stark zu schmerzen.

Gaius warf seinen dicken Umhang schützend über sie, und sie schmiegten sich aneinander, bis das Schlimmste überstanden war. Sie fühlte seinen Atem auf ihrem Gesicht, und sie wandte sich ihm zu und hauchte einen Kuß auf die schmutzige Wange.

»Wir müssen weiter. Jetzt. Oder du wirst schlimmere Schmerzen ertragen müssen als ein paar Blasen«, rief er gegen den plötzlich aufheulenden Wind.

Sie raffte sich auf, und Hand in Hand liefen sie die Straße hinunter. Heiße Schlacke fiel auf sie herab, doch sie konnte ihr nichts anhaben, weil sie an ihrem Umhang, den sie in der Villa erhalten hatte, abprallten. Aber bei jedem Einschlag zuckte sie zusammen. Ein Aufschrei des Entsetzens gellte links von ihnen am Straßenrand auf.

»Juno und Hestia, Diana und Minerva, verschont mich!«

Drei Männer beugten sich über eine alte Frau. Der eine trat sie mit harten Stiefeln, wie sie Gladiatoren trugen, ein anderer zerrte an einer Tasche, an die sich die Frau mit letzter Kraft klammerte.

»Das ist alles, was ich noch auf dieser Welt besitze!« kreischte sie.

Gaius ließ Marcellas Tasche fallen und rief: »Lauf weiter! Ich werde dich bald eingeholt haben.«

Er sprang den kräftigsten der Straßenräuber an und fällte ihn mit einem einzigen Schlag in den Rücken.

»Nein!« schrie Marcella voller Angst. »Ich gehe nicht weiter.«

»Lauf!«

Er trat den zweiten Verbrecher mit einer blitzschnellen Bewegung seines Fußes unters Kinn. Er wurde von der Wucht des Tritts hochgehoben und über die Frau hinweg geschleudert. Blut schoß aus der Nase des Räubers. Er krümmte sich auf dem Boden. Gaius wandte sich dem dritten Mann zu, der gerade sprungbereit war, und der erste kam langsam wieder auf die Füße. Ein Messer glitzerte in der Hand des dritten Mannes, und er umkreiste Gaius mit der Entschlossenheit eines Gladiators, dessen Leben von jedem Kampf abhing.

Marcella schrie: »Gaius!«

Sie hatte Angst, daß er zu anständig kämpfte und deshalb den miesen Tricks dieser Bande nicht gewachsen war. In diesem Augenblick wurde ihr bewußt, daß sie nicht nur nach seinem Körper gierte, sondern daß sie viel mehr für ihn empfand – etwas, das ewig andauern konnte.

»Nana, Nana ...«

Die dünne Stimme eines kleinen Kindes durchschnitt die Kampfgeräusche und den Lärm der Naturelemente. Der Junge war vielleicht zwei Jahre alt und stand mit großen Augen vor Marcella und schaute zu ihr hoch.

Marcella bückte sich und hob den Jungen auf, drückte den mageren Körper an sich. Er wirkte ruhig und zufrieden, zu jung, um die Gefahren zu begreifen.

»Es ist alles gut«, murmelte Marcella, aber sie wußte, daß sie es mehr sagte, um sich selbst zu beruhigen. Liebevoll strich sie über die dunklen krausen Haare des Jungen.

Wieder bebte die Erde, und sie fiel hart auf den

Ellenbogen, als sie versuchte, dem Jungen den Aufprall auf den Boden zu ersparen. Eine Wolke aus Schutt und Asche ging über sie nieder, und diesmal weinte er und rief nach seiner Großmutter.

»Bleib ruhig, mein Schatz, sie kommt bald wieder. Du bist ein tapferer kleiner Kerl. Kennst du schon dieses neue Spiel? Du versteckst dich, und ich muß dich suchen.« Sie schob das Gesicht des Jungen unter ihren dicken Mantel, damit er nicht noch mehr Asche einatmen mußte.

Sie schaute hinüber zu der Stelle, wo Gaius mit den drei Männern gekämpft hatte.

Sie sah nichts als eine Aschewolke.

Die Menschen waren verschwunden. Nichts Lebendes war zu sehen.

Sie zitterte vor Angst und stolperte blindlings auf die Füße. Sie raffte auch den Jungen hoch und griff mit der anderen Hand nach ihrer Tasche, die beim Laufen immer wieder gegen ihre Beine schlug. Schlacke fiel auf sie herab, traf Kopf und Schultern. Die Angst verlieh ihr den Mut und die Kraft einer Bärin.

Blind stolperte sie voran. Sie hustete die rauchgeschwängerte Luft aus. Tränen zogen weiße Furchen in das geschwärzte Gesicht und trübten ihre Sicht.

Sie hatte ihren Liebhaber wiedergefunden, aber schon Stunden später hatte sie ihn erneut verloren.

Die Götter hatten sich gegen die Welt und gegen sie verschworen. Sie wollten vernichten.

»Oh, Vulcan, Gott des Feuers«, betete sie, »habe Erbarmen mit uns.«

Aber in ihrer Stimme schwang keine Hoffnung mit.

## Elftes Kapitel

Sie hielt sich an der Seite eines mittelgroßen Frachtschiffs fest, und der Junge klammerte sich mit seinen erbärmlich dürren Händchen an sie. Sie konnte sich nicht erinnern, wie sie ans Meer gekommen waren.

Um sie herum schrien Menschen, sie schrien sich gegenseitig an oder haderten mit dem Schicksal und den Göttern, andere beklagten laut und jammernd ihre Angehörigen oder Freunde, die den Ausbruch des Vulkans oder die Folgen der Beben nicht überlebt hatten. Wieder andere brachten Opfer, warfen Geschenke ins Meer, um den Göttern zu gefallen und sie milde zu stimmen.

Das Meer war unruhig, um sie herum gischteten die Wellen, denn immer noch wälzte sich die kochende Lava über die Hänge und ins Meer, und überall am Ufer zischte es, beißender Rauch stieg hoch und vermischte sich mit der Wolke aus Asche.

Kleinere Boote hatten Mühe mit den Wellen und mit verzweifelten Pompejanern, die sich an die Außenwände krallten, um noch ins Boot gehoben zu werden. Marcella sah, wie ein Boot kenterte und hörte die Schreie der Menschen, die ins Meer kippten und sofort auseinander getrieben wurden.

Der Mann neben ihr kam ihr irgendwie vertraut vor. Er hatte kräftige Muskeln und ein verbittertes Gesicht, und er betete zu den Göttern der Kämpfer und Soldaten. Marcella wurde an Gaius erinnert, und es war ihr, als würde ihr Herz von einer Riesenfaust zusammengequetscht: Sie wußte, daß Gaius tot war.

»Sie haben die Kriegsschiffe geholt!« hörte sie einen Mann rufen.

Sie blinzelte in die Beinahe-Dunkelheit und konnte die Umrisse eines gewaltigen Schiffs ausmachen, das entschlossen die Wellen zerschnitt und aufs Ufer zuhielt. Die Ruder bewegten sich in absoluter Gleichförmigkeit.

»Wir haben das Schlimmste bald überstanden«, sagte der Mann neben ihr. »Wenn wir dort drüben an den Felsen vorbei sind, geraten wir in ruhigeres Gewässer.«

»Wir haben dich auf dem Weg aus der Stadt gesehen«, sagte Marcella, weil sie plötzlich wußte, woher ihr der muskulöse Mann so vertraut vorkam. »Du bist der Wagenlenker.«

»Mein Name ist Virius. Du warst bei diesem Heroen, nicht wahr? Er nannte dich Marcella. Er hatte keine Chance.«

»Du hast es gesehen?«

»Ich kam zu spät, um helfen zu können. Sie wurden von der Schlacke erschlagen und zugedeckt.«

Er sagte es so nüchtern, als sei es die selbstverständlichste Sache der Welt. Marcella preßte die Augen zusammen und barg das Kind unter ihrem Mantel, damit es die schmutzige Luft nicht einatmen mußte. Es kam ihr wie ein Ewigkeit vor, ehe sie an den Felsen vorbei waren und das offene Meer erreicht hatten. Sie lagen jetzt im Schutz des Vorgebirges, das den größten Teil des Ascheregens abfing.

Die Passagiere starrten gebannt und voller Entsetzen hinüber zur Bergspitze, und durch die dicke schwarze Rauchwolke sahen sie einen Feuerstoß, der aus dem Krater hochschoß. Marcella hielt den

Atem an. Wer jetzt noch in Pompeji war, hatte keine Chance mehr. Auch Gaius nicht. Er würde nicht zurückkehren, und so mußte sich ohne ihn durchschlagen.

»Jetzt fahren wir in die Normalität«, sagte Virius.

Stunden später trieb das Schiff unter einem strahlend blauen Himmel gemächlich durch die grüne See.

Virius berichtete, wie er sie unterwegs wiedergetroffen hatte. »Die letzten paar hundert Schritte haben ich dich fast getragen«, sagte er. Er hatte Marcella und das Kleinkind aus dem Gedränge und dem Geschrei der anderen Passagiere weggeholt und in eine kleine Frachtkammer geführt, wo sie sich auf Weizensäcken ausruhen konnten.

»Du warst fast ohnmächtig, und das Kind hatte sich an dir festgeklammert. Du bist immer wieder zu Boden gestürzt, weil du über deine Tasche gestolpert bist. Ich dachte, das Kind sei dein eigenes.«

Sie schaute auf und musterte seine kräftigen Muskeln. Sie begriff, daß er ihr und dem Kind das Leben gerettet hatte. Sie schuldete ihm wenigstens Höflichkeit. »Du mußt viele Wagenrennen fahren«, sagte sie.

»Die längst Zeit des Jahres bin ich in Galliens Arenen, in Rom während der Septemberspiele. Ich war in Pompeji, um mich über die Trainingsmethoden der einheimischen Wagenlenker zu informieren.«

Seine dunklen lockigen Haare und sein strahlendes Lachen, bei dem er ebenmäßige weiße Zähne zeigte, würden ihn bei jedem Rennen zum Liebling der Frauen machen, dachte Marcella. Selbst aus einiger Entfernung wirkte er attraktiv. »Hast du viele Rennen gewonnen?«

Sie mußte sich wirklich zwingen zu dieser höflichen Unterhaltung. Am liebsten hätte sie ihre Wut und ihre Verzweiflung herausgeschrien, hätte Gegenstände an die Wand oder auf den Boden geworfen, aber sie mußte sich um ein kleines Kind kümmern und einem Fremden gegenüber die Form wahren, denn schließlich verdankte sie ihm ihr Leben.

»Ich habe mit dem Zählen aufgehört, aber nach den nächsten Spielen in Rom werde ich Schluß machen. Ich gehe zurück nach Syrien, wo ich geboren bin. Meine Familie hat einen Glasbläserbetrieb, den ich vielleicht übernehme. Oder ich beginne mit der Herstellung von Tonstatuen von Mars und Vulcan. Nach dieser Katastrophe werden die Bürger im gesamten römischen Reich solche Statuen in ihren Häusern haben wollen.«

»Ich habe viele Rennen gesehen«, sagte Marcella, »und auch viele Unglücke.« Sie konnte sich immer noch nicht an die sachliche Art gewöhnen, mit der er die Tragödie hinnahm. Die Hysterie, von der sie auf dem Land und zu Wasser stundenlang umgeben waren, schien spurlos an ihm abzuprallen.

»Wagenlenker riskieren in jedem Rennen ihr Leben, das erhöht den Reiz und den Nervenkitzel für die Zuschauer«, sagte Virius stolz. »Wer den Mut nicht dazu hat, sollte gar nicht erst damit anfangen.«

Der kleine Junge seufzte in seinem Schlaf und kuschelte sich noch ein bißchen enger an Marcella.

»Du brauchst auch Schlaf«, sagte Virius. »Du bist nicht an solche Gefahren und Strapazen gewöhnt.«

Einige Stunden später wartete sie immer noch darauf, daß die Anspannung und Unruhe aus ihrem Körper wich. Sie konnte in der Nähe Leute reden und lachen hören. Sie gaben sich ihre Geschichten zum Besten, wie sie der Katastrophe entkommen waren. Das Kind schlief fest, und Marcella war bewußt, daß Virius ihr ab und zu Blicke zuwarf, während sie auf dem Rücken lag und die Erinnerungen aus dem Gedächtnis verbannen wollte.

Nach einer Weile wurde ihr Körper von Schluchzern geschüttelt, und die Tränen flossen ungehemmt. Er nahm sie sanft in seine kräftigen Arme, und sie schluchzte weiter und legte den Kopf an seine breite Brust. Sie konnte die Asche und den Rauch auf ihren Kleidern riechen, eine ständige Erinnerung dessen, was hinter ihnen lag.

Er hielt sie fest umschlungen, umklammerte ihre Beine mit seinen und zog sie mit einem Ruck auf sich. Während die Schluchzer allmählich abebbten, spürte sie einen seltsamen Vorgang. Es war, als ginge seine physische und mentale Kraft in ihren Körper über, als fände so etwas wie ein Austausch statt.

Er mußte die Veränderung ebenfalls wahrgenommen haben, denn er legte eine Hand unter ihr Kinn und küßte sie. Ihr Körper reagierte mit Dankbarkeit.

Sie hungerten nach der körperlichen Wärme des anderen. Er nahm sie in seine starken Arme, und ohne Mühe legte er sie auf den Rücken und schwang sich über sie. Das Gewicht seines Körpers empfand sie als trostreich und wohltuend; es war jemand da, der sich um sie kümmerte. Nach den Stunden der Todesangst ein willkommenes Gefühl der Sicherheit.

Er zurrte und zerrte an ihrem Kleid, schließlich half sie ihm, sich zu entblößen. Im nächsten Augenblick spürte sie seinen harten Schaft, wie er leicht in sie hineinglitt.

Sie schwelgte in Glücksgefühlen. Euphorie machte sich in ihr breit, die Wärme strahlte in alle Fasern ihres Körpers aus, und sie konnte sich keinen Ort auf der Welt vorstellen, an dem sie jetzt lieber gewesen wäre. Sie verlangte verzweifelt nach der beruhigenden Sensation des dicken Schafts in ihr. Sie spannte ihre inneren Muskeln an und drückte zu.

Er begann eine Serie von kurzen, heftigen Stößen, die sie nach Kräften erwiderte. Für diese Minuten war sie glücklich, und das sexuelle Erlebnis schloß die Tragödie und den schrecklichen Verlust aus ihren Gedanken aus.

Sie hielten sich umklammert, als müßten sie ihre Körper immer noch vor einer tödlichen Gefahr schützen.

Er setzte seine Zähne in ihrem Nacken an und ritzte leicht ihre empfindliche Haut, während sie die Fingernägel hart in seinen Rücken grub. Ihre Münder verbissen sich ineinander. Sie bäumte sich unter ihm auf, spornte ihn zu weiteren Stößen an. Er wurde immer wilder und erinnerte sie an einen Waldgott, wild und ungestüm, angefüllt mit unendlicher Begierde. Sie bot ihm Paroli, als wäre sie Diana, Göttin der Jagd. Bei der animalischen Paarung kam es nicht auf Feingefühl und Zärtlichkeit an, sie wollten sich beide ein Ventil schaffen für das, was hinter ihnen lag.

Zwei laute, spitze Schreie kündeten von ihrem Höhepunkt, und Augenblicke später ergoß er sich mit einem langanhaltenden Stöhnen in sie. Sie lag still unter ihm und schmeckte seinen Schweiß, Beweis seiner ausgiebigen Tätigkeit.

»Das war gut«, sagte er nach einer kurzen Erholungspause. »Das war genau das, was wir beide gebraucht haben, nicht wahr? Und diesmal ganz ohne Konkurrenz.« Er zog sich langsam aus ihr zurück, glättete seine Tunika und zupfte an ihrem Kleid, bis sie wieder bedeckt war.

»Niemand hat etwas bemerken können«, fuhr er fort. »Ich suche uns etwas Brot. Irgendwo auf diesem Schiff muß es einen Bissen Brot für uns geben.«

Sie blieb in der Dunkelheit still liegen, und sie spürte, wie eine neue Ruhe über sie kam. Sie schaute wieder optimistischer in die Zukunft, und stumm bedankte sie sich bei Juno für die Rettung ihres Lebens.

»Was hast du gemeint, als du gesagt hast, daß es ganz ohne Konkurrenz geschehen sei?« fragte sie später, als sie einige Pasteten aßen, die er von der Mannschaft gekauft hatte.

»In den Arenen führt man ein waghalsiges Leben«, antwortete er. »Aber es gibt einige Entschädigungen. Die eine ist Geld. Die andere sind Frauen. Frauen mögen Wagenlenker, besonders die reichen und eleganten Frauen.« Er grinste anzüglich.

Sie lächelte unsicher.

»Wenn sie uns besuchen«, fuhr er fort, »wissen die Kollegen und Trainer natürlich Bescheid. Sie versuchen, uns dabei zu beobachten. Wir müssen nicht nur in der Arena unseren Mann stehen, sondern danach auch im Bett, denn die Erwartungen der Damen sind hoch. Ich weiß von den Athleten und den Boxern, daß es bei ihnen genauso ist. Eigentlich will man nach einem Wettbewerb nur entspannen und ausruhen, aber wir werden wieder eingespannt. Und bei dir hat mir gefallen, daß es keine Fortsetzung eines anstrengenden Rennens war.«

Als sich das Schiff dem Hafen von Ostia näherte, drängten sich die Flüchtlinge auf die dem Ufer zugewandte Seite.

Der kleine Junge begann zu weinen. Sie wollte ihm etwas zu essen geben, aber er schob es mit den kleinen Händen weg und schrie noch lauter.

»Du willst zu deiner Nana, und ich will zu meinem Geliebten«, flüsterte sie ihm traurig ins Ohr.

Gleichzeitig flüsterte ihr Virius zu: »Bevor der Tag sich neigt, werden wir in Rom sein. Dort können wir uns entspannen.«

»Die Reise war kostenlos, aber die Ausschiffung lassen wir uns bezahlen«, rief der Kapitän, als die Taue festgemacht wurden.

Die Passagiere schimpften und fluchten, aber die Seeleute blockierten den Ausgang, und deshalb gab es keine Möglichkeit, sich vor dem Bezahlen zu drücken. Vor ihnen zögerte ein Mädchen und suchte den Blick eines Seemanns, der sie schließlich aus dem Pulk winkte und hinter einige Ballen führte.

»Frauen und Mädchen können auf die übliche

Art zahlen, wenn sie kein Geld haben. Männer, die nicht zahlen können, werden den Sklaventreibern übergeben.« Der Kapitän zeigte auf ein paar hart gesottene Kerle, die an der Kaiseite des Schiffs standen und auf ihre Stunde warteten.

Marcella hatte Angst, sie könnten in ihre Tasche sehen wollen. Sie war davon überzeugt, daß die Kerle ihr alles nehmen würden. Aber sie hatte das Geld auf harte Weise verdient, und sie würde darum kämpfen.

»Ich werde mich keinem dieser üblen Burschen hingeben, die alle möglichen Krankheiten mit sich herumschleppen mögen«, sagte sie entschlossen.

»Die Dame gehört zu mir«, sagte Virius. »Das Kind auch.«

Der Kapitän betrachtete ihn prüfend, dann zuckte es in seinem Gesicht. »Virius«, sagte er ungläubig. »Virius, den man den Unbesiegbaren nennt.«

Virius nickte. Selbst neben den stämmigen Seeleuten sah er wie ein Fels aus.

»Ich habe dich in den Septemberrennen gesehen«, sagte der Kapitän. »Das war in dem Jahr, als du den Titel gewonnen hast.«

»An das Jahr kann ich mich gut erinnern«, sagte Virius.

»Du bist wie ein Verrückter um das Oval gerast! Ein Rad hing in den Kurven immer in der Luft. Die Menge fieberte mit dir und spornte dich mit wilden Schreien an. Ich hatte einen Beutel mit Silberlingen auf dich gesetzt und fürchtete schon, daß ich ihn verlieren würde.«

»Ich habe das Risiko auf mich genommen«, sagte Virius. »Mein Gespann war nicht das schnellste, aber die Pferde waren erfahren und geschickt. Alle anderen Gespanne gingen weitere Wege als ich, und in jeder Kurve habe ich meinen Vorsprung ausbauen können, auch wenn nur ein Rad auf dem Boden war. Auf der Geraden haben sie mich dann wieder eingeholt.«

»Es war ein spektakuläres Rennen«, sagte der Kapitän, in dessen Stimme immer noch Ungläubigkeit mitschwang. »Ich dachte, daß sich die Pferde in den Kurven den Hals brechen. Das Rennen werde ich nie vergessen.«

»Ich auch nicht«, sagte Virius Invictus trocken. »Ich hatte Glück. Mögest auch du Glück haben.«

Der Kapitän nickte und trat beiseite, um den Wagenlenker und Marcella an Land gehen zu lassen.

Der kleine Junge strampelte plötzlich in ihren Armen.

»Mama!«

Eine jüngere Frau löste sich aus der Menge, und im nächsten Augenblick lag das Kind in ihren Armen.

»Er hat ein paar Wochen bei seiner Großmutter gelebt«, erklärte die Frau, während sie den Jungen streichelte. »Es ist ein Wunder, daß ich ihn in diesem Chaos wiedergefunden habe. Ich schätze, meine Schwiegermutter wird irgendwo in der Nähe sein.«

Marcella wandte sich ab, sie brachte es nicht übers Herz, der Frau zu sagen, daß die Großmutter wahrscheinlich nie wieder zurückkommen würde.

»Die Götter meinen es bisher gut mit uns«, sagte Virius, »jetzt brauchen wir nur noch eine Transportmöglichkeit nach Rom.«

»Was die Götter angeht, bin ich mir nicht sicher«, sagte Marcella traurig. »Ich glaube, daß Gaius tot ist. Die Götter haben ihn für eine kurze Periode der Lust und Sinnenfreude in mein Leben geschickt. Durch ihn haben sie mir eine neue Welt eröffnet. Vielleicht wollten sie mir damit einen Weg weisen.«

Virius schaute sie von der Seite an. »Ich habe eine ganze Reihe von Einladungen meiner römischen Freunde. Die meisten werden zu dieser Jahreszeit nicht in der Stadt sein, weil sie der Hitze fliehen, aber um so eher werden wir ein Bett für uns finden. Und dann brauchen wir ein paar Feste, um uns auf andere Gedanken zu bringen. Selbst zu dieser Zeit sollte es ein paar geben, die sich anzuschauen lohnen.«

Virius brachte sie zu einem einfachen Haus am Ortsrand von Rom, wo sie ungestört bis tief in den Tag hinein schliefen. Sie wachte in ihrem bequemen Bett auf und bemerkte, daß er mit beiden Händen über ihre Brüste strich. Schläfrig wandte sie sich ihm zu und küßte ihn, während ihre Hände nach unten glitten. Sein Phallus war hart erigiert, und sie richtete sich auf und wollte sich über ihm niederlassen.

»Nein«, sagte er, »dafür bin ich zu müde. Wir versuchen etwas weniger Anstrengendes.!

Er veränderte seine Position, bis er mit dem Kopf zwischen ihren Schenkeln lag, und sie legte sich auf die Seite, dicht vor sich seine Lenden. Sie sog seinen männlichen Geruch ein und sah, wie sein Penis aufgeregt zuckte.

Er spreizte ihre Schenkel und teilte mit Daumen

und Zeigefinger ihre Lippen, bis seine Zunge direkten Zugang zu ihrer Klitoris hatte, die er mit der Zungenspitze anstieß und leckte und verspielt verwöhnte.

Marcella langte nach dem Penis dicht vor ihren Augen und fuhr probend mit der Zunge über die Eichel, während eine Hand an dem Schaft leicht auf und ab glitt.

Seine beharrliche Zunge entflammte sie. Ihre Muskeln spannten sich, sie preßte sich noch härter gegen ihn, als wollte sie die Zunge tiefer in sich spüren. Rasch ließ sie den Schaft aus dem Mund gleiten, weil sie befürchtete, sie könnte ihn in ihrer Ekstase verletzen, als sie den Höhepunkt erlebte. Ermattet und glücklich blieb sie liegen, aber sie hatte keinen Augenblick den Phallus aus den Händen gelassen. Jetzt berührte sie ihn wieder leicht mit der Zunge, und dann spürte sie auch schon, wie es in dem harten Schaft rumorte, wie sich alles zusammenbraute, was sich kurz darauf in wilden Schüben auf ihrer Brust entlud. Ihr war, als wäre es heilender Balsam, der ihr Kraft und Stärke verleihen könnte.

»Locker und gemütlich, und gar nicht anstrengend. Genau so wollte ich es haben«, murmelte Virius.

Später an diesem Tag stieg Marcella in einem der Kleider, die man ihr in Pompeji gegeben hatte, vor einer beeindruckenden Villa aus einer Sänfte. Virius nahm sie am Arm und führte sie zum breiten Eingang.

»Das Fest hat schon begonnen«, bemerkte sie, als

sie einen geräumigen Vorhof erreichten, hinter dem es eine von Säulen getragene Halle gab. Die Gäste unterhielten sich angeregt. Marcella beobachtete besonders die Frauen, von denen es in Pompeji hieß, daß sie mehr Charme hätten und immer nach der letzten Mode gekleidet wären.

Eine Frau machte sich durch einen kurzen Ruf bei einer anderen bemerkbar. Ein Mädchen in einem blauen Kleid drehte sich um und lächelte.

Das Mädchen war schlank wie eine Nereide, und über dem blauen Kleid trug sie einen Umhang aus weißer Seide, die mit Silberfäden durchzogen war. Das Gesicht des Mädchens war von klassischer Schönheit, aber am überraschendsten waren die weißblonden Haare.

Die ältere Frau hätte man sich kontrastreicher nicht vorstellen können. Sie hatte eine dunkle Haut, und die schwarzen Haare, in die Mitte gescheitelt, hatte sie zu dicken Zöpfen geflochten, die von goldbestickten Bändern gehalten wurden. Ihr Kleid war kürzer, als die Mode es verlangte, und zeigte ihre Waden wie bei einem Mann.

Sie umarmten sich herzlich wie Freundinnen. Die dunkelhäutige Frau drückte ihren Mund auf die Lippen des Mädchens und bewegte eifrig die Zunge dabei. Das Mädchen legte die Hände auf die eigenen Brüste und drückte sie sinnlich, während die Frau mit einer Hand zwischen die Schenkel der Freundin griff.

Marcella starrte offenen Mundes zu den beiden, als wollte sie nicht glauben, was sie sah.

»Hetären«, sagte Virius geringschätzig. »Ich habe zu viele von ihnen gehabt, als daß ich nicht wüßte, daß viele von ihnen nichts für Männer empfinden.

Sie leben gut von ihrem Gewerbe, aber sie täuschen ihre Gefühle nur vor. Allerdings muß ich zugeben, daß ihre Schau oft gut ist.«

»Sie sind beide sehr hübsch.« Marcella war fasziniert von dem erdentrückten Anblick des jungen Mädchens. »Ich hätte nie gedacht, daß es so schöne Menschen gibt. Und sie genieren sich nicht, ihre Leidenschaft für einander in der Öffentlichkeit zu zeigen. Das finde ich großartig.«

Sie hatte sich für das blaue Kleid mit den eingewirkten Silberfäden für den heutigen Abend entschieden und den Gürtel so hoch wie möglich geschoben, so daß der weiche Stoff ihre Brüste koste. Ihre Arme waren nackt bis auf den Silberschmuck, den sie zum Kleid bekommen hatte.

»Du bist auch eine Schönheit«, sagte Virius. »Du siehst wie die Ehefrau eines jungen Senators aus oder wie die Geliebte eines bedeutenden Mannes.«

»Du hättest mich nicht in eine solche Villa mitgenommen, wenn ich nur die Sachen dabei hätte, die ich während der Reise am Leib hatte«, sagte sie unverblümt. Die beiden Frauen hatten sich voneinander gelöst und schritten tiefer in das Haus hinein. Sie bewegten die Hüften beim Gehen sehr betont, und der fließende Stoff ihrer Kleider unterstrich die berauschende Form ihrer Kurven. »Ich hatte wirklich Glück, daß es mir gelang, diese Kleider aus Pompeji zu retten.«

»Fortuna hat uns beigestanden. Ich wette, du hast so etwas noch nie geschmeckt.« Er wies auf eine Schüssel mit einer weißlichen Substanz, die eine Sklavin ihnen anbot.

»Probier's mal!«

Sie tunkte einen Finger hinein und kreischte. »Es ist heiß! Aber es dampft nicht!«

Er lachte laut auf. »Es ist nicht heiß. Versuche es noch einmal.«

Sie erinnerte sich, daß Gaius ihr erzählt hatte, der Schnee in den Alpen von Gallien sei so kalt, daß er sich heiß anfühlte. Sie nahm den silbernen Löffel und nahm ein Stückchen der Substanz heraus, dann führte sie den Löffel vorsichtig zum Mund.

»Es ist kalt, sehr kalt, du hattest recht. Woher kommt diese Speise?«

Das Stückchen, das sie genommen hatte, begann zu schmelzen, und die Flüssigkeit rann aus ihren Mundwinkeln. Sie lachte. »Man braucht Übung dazu.«

»Es sind riesige Eisklumpen, die leichtfüßige Gespanne aus den Bergen holen. Wenn sie Rom erreicht haben, ist kaum noch etwas übrig, weil es unterwegs schmilzt. Kaiser Nero hat mit dieser Marotte begonnen, und seither ist sie der letzte Schrei. Aber es hat einen interessanten Geschmack, nicht wahr?«

»Schmeckt so auch Schnee? Ich schmecke Honig und Eier und ...«

Er gluckste. »Nein, so schmeckt Schnee nicht. Und dein Eis schmeckt nur deshalb so, weil man es mit Honig und Eiern gemischt hat.«

Sie steckte den Rest der Köstlichkeit in den Mund, weil das flüssige Eis über den Löffel zu schwappen drohte.

»Die Wärme im Raum läßt das Eis natürlich noch schneller schmelzen. Komm, jetzt wollen wir mal sehen, was es alles zu bestaunen gibt. Ich bin froh, daß ich mal nicht im Mittelpunkt des Interesses stehe. Es ist ein Genuß zu erleben, wie andere sich zu meinem Vergnügen abrackern. Etwa jetzt müßte ein kurioser Wettbewerb starten. Ich habe zwei Sesterzen auf Nummer acht gesetzt.«

Sie leckte sich die Finger ab und folgte ihm durch die Menge aufregend gekleideter Menschen.

Die Räume waren üppig ausgestattet.

Verschlungene Mosaike auf den Böden, reich verzierte Stuckarbeiten und herrliche Malereien an den Decken.

»Ich kannte mal einen Maler«, sagte sie. »Ich dachte, er sei der begabteste Künstler, den man sich vorstellen kann, aber diese wunderschönen Gemälde sind eine Klasse für sich, an die kommt er nie heran.«

Hatte Petronius überlebt?

Hatte Gaius überlebt?

Ihr Herz war schwer, als sie Virius in einen Raum folgte, der mit üppigen Wandgemälden gestaltet war. Der Maler hatte Panoramen von Olivenhainen geschaffen, die dem Raum eine unendliche Weite zu geben schienen.

Aber niemand interessierte sich für die Kunst.

Das Gedränge in dem Raum war groß. Marcella mußte sich den Hals verrenken und sich auf die Zehenspitzen stellen, um etwas sehen zu können.

»Damen und Herren, freie Bürger und Sklaven, ihr seid alle willkommen, wenn ihr das nötige Kleingeld habt, um euren Wetteinsatz zu leisten. Wer von euch nicht bleiben will, möge jetzt gehen. Ich warne euch, daß Epikurier und Stoiker, Philosophen, prüde Menschen, Pädagogen und Ästheten die Schau nicht sehr ansprechend finden werden.«

»Was ist das denn für eine Schau?« fragte ein

hoch aufgeschossener Mann mit länglichem Gesicht und einem tristen Ausdruck.

»Sie ist verdammt gut, mein Herr, aber wenn du erst fragen mußt, ist sie wahrscheinlich nicht nach deinem Geschmack.«

Der Zeremonienmeister war ein freigelassener Sklave.

Die Goldketten um den Hals bewiesen, daß er seine Freiheit genutzt hatte, um es zu einem kleinen Vermögen zu bringen.

Einige Leute zwängten sich zurück, hatten offenbar kein Interesse an der Schau oder waren vor der Warnung zurückgeschreckt. Einige zuckten verlegen die Schultern, weil sie wohl kein Geld hatten. Andere zeigten unmißverständlich ihre Verachtung für jene, die blieben und jetzt noch neugieriger geworden waren.

»Wieviel Geld brauchen wir denn?« flüsterte Marcella.

»Es ist alles geregelt«, raunte Virius. »Ich habe dir doch gesagt, daß ich Verbindungen in Rom habe. Siehst du die Männer da vorn? Welcher, glaubst du, wird am längsten im Rennen bleiben?«

Sie sah erst jetzt die Aufstellung der Männer, etwa fünf Schritte von einer Tafel entfernt, auf die jemand mehrere Kreise mit einem Kohlestift gemalt hatte.

»Ich weiß nicht. Was müssen sie denn tun?«

»Der erste Wettbewerb, meine Damen und Herren, ist der Weitwurf.«

Sie biß sich enttäuscht auf die Unterlippe.

»Der Mann, der das Ziel erreicht oder ihm am nächsten kommt, gewinnt den Preis«, verkündete der Zeremonienmeister.«

Die Männer hoben ihre Tuniken und zeigten ihre erigierten Phalli. Marcella stockte der Atem.

»Wer von ihnen wird als erster die Tafel treffen?«

Wetten wurden angenommen. Besonders die Frauen inspizierten die Wettbewerber, und wer ganz vorne stand, tippte mit einem ausgestreckten Finger gegen den einen oder anderen Penis, um ihn auf Härte zu überprüfen. Ein Mann am Ende der Aufstellung verlor plötzlich seine Erektion, und unter dem schadenfrohen Gelächter der Zuschauer mußte er sich zurückziehen. Ein anderer Mann schien auch Schwierigkeiten zu haben, die Erektion zu halten, aber dann streckte sich eine Frauenhand und vollführte reibende Bewegungen, bis der Mast wieder aufrecht stand. Der Mann grinste und hauchte der Frau einen Kuß zu.

»Auf wen hast du gesetzt?« fragte Marcella.

»Nummer acht. Er ist größer als die meisten anderen, und sein Schwanz ist kolossal, deshalb bin ich sicher, daß er das Ziel trifft. Die anderen mögen genauso gut drauf sein, aber er hat den Vorteil seiner körperlichen Größe.«

»Der Wettstreit beginnt.«

Der Zeremonienmeister klatschte in die Hände, und die Männer begannen mit den Vorbereitungen. Zwei bedienten sich ihrer Hände, einer hatte einen Sklaven mitgebracht, der ihm half, und drei hatten sich der Hilfe von Frauen versichert, die sich jetzt mit Finger und Lippen an die Arbeit begaben. Der große Mann verzichtete auf jede Stimulans.

»Er hat keine Chance«, flüsterte Marcella.

Mehrere Leute waren ihrer Meinung und äußerten ihre Wut. »Wir wollen unser Geld zurück! Dieser Kerl hat uns reingelegt! Er ist ein Betrüger!«

»Warte«, mahnte Virius. »Das ist seine Art. Ich habe ihn schon einmal gesehen, er ist unschlagbar. Er braucht eine bestimmte Zeit, um sich aufzubauen, aber wenn es so weit ist – du wirst dich wundern!«

Nummer acht schaute zur Seite und beobachtete seinen Konkurrenten, der sich von einer Sklavin helfen ließ. Sie kniete zwischen seinen Beinen auf dem Boden, saugte und rieb.

»Ja, ja, ihr habt es bald geschafft!« feuerte einer aus dem Publikum die beiden an.

Nummer acht schaute ihnen unverwandt zu. Jetzt sah man, wie sein Penis leicht zu zucken begann, während die Frau sich bei dem Mitbewerber noch mächtiger ins Zeug legte.

»Ja!«

Der Mann zog sich von der Frau zurück und richtete den Mast auf die Tafel.

In diesem Moment schoß es mit Kraft aus dem großen Mann mit der Nummer acht heraus. Es war wie ein Brunnen, der im Bogen durch die Luft sprudelte. Während die Menge in Jubel ausbrach, als die Flüssigkeit auf die Tafel klatschte, folgte auch der Mann neben ihm, der allerdings nicht so hoch spuckte. Der Sieger lachte, ließ die Tunika sinken und kassierte seinen Gewinn.

»Das bringt uns ein bißchen Kleingeld«, murmelte Virius. »Na, hatte ich recht?« fragte er selbstbewußt.

Die Verlierer sahen frustriert aus, und Marcella mußte ein Auflachen unterdrücken, als die anderen sich bemühten, würdevoll den Raum zu verlassen – sechs verräterische Zelte in den Tuniken.

Anschließend betraten vier Frauen die Bühne, zwei Pärchen. Das eine Paar waren die beiden Hetären, die Marcella in der Halle bewundert hatte. Sie sollten einen Wettbewerb in lesbischer Liebe gegen das andere Paar austragen, auch zwei schöne Frauen, die eine rothaarig, die andere mit einem zeitlosen schwarzen Pagenschnitt. Die Rothaarige war sehr rund und weiblich, der schwarze Pagenkopf schlank, groß und mit einem kleinen Busen versehen. Während das erste Paar ohne Hilfsmittel auskommen wollte, setzte das zweite Paar ›neue Spielzeuge aus dem Osten‹ ein, wie der Zeremonienmeister verkündete. Das Publikum sollte abstimmen, wer am überzeugendsten die Lust zeigte oder spielte, aber Marcella war von dem ersten Wettbewerb noch zu aufgeregt, um den zweiten zu genießen.

»Gibt es sonst nichts?« fragte sie Virius, der sie erst hörte, als sie ihre Frage das zweite Mal wiederholte, so gebannt schaute er den vier Frauen zu.

»Warte«, raunte er barsch, ohne den Blick von der Bühne zu nehmen.

Nach zehn Minuten erklärte der Zeremonienmeister das erste Paar der Hetären für die Siegerinnen, gemessen am Beifall des Publikums. Benommen rafften sich die Frauen auf und verließen die Bühne.

Der Zeremonienmeister kündigte die nächste Darbietung an. »Ein ungewöhnliches Ereignis zu eurem Entzücken, meine Damen und Herren. »Es findet nun die Auktion eines ungewöhnlichen Kunstwerks statt, das alle Freunde der schönen Künste interessieren wird.«

Zu Marcellas Entsetzen hielt ein Sklave das Bild

hoch, das Petronius von ihr gemalt hatte – es war das letzte Bild, bevor Gaius sie gerettet hatte. Ihre offene Scham klaffte überlebensgroß, und sie schämte sich und schaute betroffen zu Boden.

Virius kicherte und flüsterte in ihr Ohr: »Das Mädchen sieht dir verdammt ähnlich.«

Marcella schlang die Arme um seinen Leib, um ihn vom Anblick des obszönen Gemäldes abzulenken. Er küßte sie lüstern auf den Mund.

»Bietet großzügig für dieses Kunstwerk, meine Damen und Herren, denn der Verkäufer ist soeben der Katastrophe von Pompeji entkommen. Wir haben heute erfahren, daß der allseits verehrte und unvergleichliche Kaiser Titus großzügige Hilfe in die Stadt schickt. Hier habt ihr eine wunderbare Gelegenheit, einem Flüchtling zu helfen, der nur mit den Kleidern, die er am Leib trug, und diesem feinen Bild dem Ort des entsetzlichen Geschehens entrinnen konnte.«

Während die Gebote gerufen wurden, spürte Marcella, wie sie vor Scham scharlachrot wurde. Sie schmiegte sich noch enger an Virius.

Die Gebote stiegen rasch in eine unvorstellbare Höhe, und schließlich erhielt ein dürrer, verschlagen wirkender Mann mit schlechten Zähnen den Zuschlag. Marcella zitterte vor Wut, als sie daran dachte, wie wenig ihr Petronius für das Modelliegen gegeben hatte.

»Beim Jupiter, du bist voller Lüsternheit«, bemerkte Virius. »Das wird heute nacht eine Freude mit dir sein, wenn dich das Geschehen so wild macht.«

Sie lächelte gezwungen.

Der Zeremonienmeister kündigte den nächsten

Wettbewerb an – zehn der begehrtesten Hetären Roms lagen für die Kandidaten bereit. Gewonnen hatte, wer nacheinander in allen Frauen zehn Stöße abgab, ohne sich zu verströmen.

Marcella wollte es unbedingt aus nächster Nähe erleben, aber Virius schüttelte den Kopf. »Nach einer Weile wird es langweilig.«

Marcella schmollte, und schließlich gab Virius klein bei.

Zehn Frauen traten heraus, alle in bunte Kleider gehüllt und dick geschminkt. Sie drehten sich um, standen mit dem Rücken zum Publikum.

»Der Wettbewerb beginnt«, rief der Zeremonienmeister.

Ein kräftiger Kerl trat vor und löste im Gehen sein Lendentuch, so daß sein beeindruckender Penis sichtbar wurde. Er stand fast senkrecht vorm Bauch und glänzte vom Öl. Die Eichel war purpurrot, und Marcella fragte sich, ob er sie mit Gemüsesaft eingerieben hatte. Sie spürte, wie es in ihrem Schoß zu kribbeln begann.

Die Frauen hoben synchron die Kleider, spreizten die Beine und boten den Zuschauern den Anblick ihrer Hintern. Deutlich konnte man das einzelne Geschlecht erkennen, die Schamlippen aller Frauen waren rot gefärbt.

Der Mann rieb kurz über seinen Schaft, grinste ins Publikum und begann. Das Publikum zählte laut mit. »Eins ... zwei ... drei ...«

Bei der zweiten Frau war es für ihn schon vorbei.

Enttäuscht hob er das Lendentuch und ging hinaus.

»Der nächste Kandidat«, rief der Zeremonienmeister. »Die ersten beiden Frauen können gehen, wenn sie möchten. Dann werden sie gegen andere ausgetauscht.«

»Ich habe genug gesehen«, sagte Virius. »Ich habe Caballius Zoticus gesehen, er wird bei diesem Wettbewerb mitmachen und ihn gewinnen, denn er gewinnt jedes Mal. Er kann seine Erektion halten, solange er will. Ich glaube, er ist kein normaler Mensch. Und Priapus selbst muß ihn ausgerüstet haben. Ich will ein paar Wetten abschließen.«

Sie drückten sich an den anderen vorbei, bis sie wieder in dem breiten Gang standen. Marcella schaute sich nach Caballius um, aber sie sah ihn nirgendwo. Draußen warteten die Hetären, die auf ihre Einwechslung warteten.

»Ich treffe dich in einer Stunde, Virius«, sagte Marcella. »Deine Wetten interessieren mich nicht, denn ich habe kein Geld. Außerdem bin ich hungrig. Ich will doch nachher, wenn's darauf ankommt, nicht vor Schwäche zusammenklappen.«

Er grinste.

Der Blick in den Raum und auf Caballius Zoticus war durch ihre gespreizten Beine leicht verzerrt. Sie hatte es geschafft, so lange zu betteln, bis die Hetären sie in ihren Kreis aufgenommen und dann geholfen hatten.

Als sie ihnen ihren Plan erläuterte, hatten sie gelacht und waren begeistert gewesen. Sie hatten sie geschminkt und die Schamlippen mit Traubensaft rot bemalt.

»Der Wettbewerb möge beginnen«, kündigte der Zeremonienmeister an. Seine Stimme hatte nichts mehr vom Enthusiasmus der ersten Stunde.

»Komm schon, Caballius, du Bastard«, zischte Marcella leise.

Caballius packte ihre Hüften und zog sein Becken zurück, um zu einem gewaltigen Stoß anzusetzen. Ihr war bewußt, daß sie nur einen Wimpernschlag Zeit hatte, um ihren Plan zu verwirklichen, sonst würde der Mann, den sie am meisten haßte, sie mit wenigen Stößen ruiniert haben.

Sie sah, wie sich die Muskeln seiner Beine spannten. Sie ließ unauffällig die Hände sinken, als er hineinrammen wollte.

Er brüllte vor Überraschung und dann vor Schreck auf, als sie ihren Griff um den Beutel aus Musselin verstärkte, den sie mit Eisstückchen gefüllt hatte. Sie drückte sie fest um sein rasch erschlaffendes Glied und zählte in Gedanken bis fünf. Sie war sicher, daß sich das Eis wie Glassplitter anfühlte.

Er riß sich von ihr los, und Marcella gab den Beutel an die Frau neben sich weiter. Die Prostituierten reichten es weiter, unbeobachtet hinter ihren langen Röcken und Togen.

Das Publikum röhrte vor Lachen über Caballius' schlaffen Zustand, und er trat voller Zorn nach ihr, aber sie hatte mit dieser Gemeinheit gerechnet und wich geschickt aus. Sie grinste den Zuschauern triumphierend zu und war überzeugt, daß niemand unter ihnen sie durch die dicke Schminke erkennen konnte.

»Laß sie in Ruhe, sie hat dich im fairen Wettbewerb besiegt«, rief ein Mann.

Die Menge brüllte vor Lachen. Inzwischen war der Eisbeutel verschwunden, und die üppig bemalten Huren richteten sich auf und klatschten Beifall.

Die Frau neben Marcella umarmte sie, und eine Frau aus dem Publikum warf ihr einen kleinen Beutel mit Münzen zu.

»Sie ist frigide. Kalt wie der Winter in Thule!« schrie Caballius. »Ich verlange, daß man das untersucht, und dann will ich, daß man mir eine neue Reihe hinstellt!«

»Pfui!«

»Bah!«

»Du bist ein schlechter Verlierer!«

»Du bist auch nicht mehr das, was du mal warst!«

»Geh nach Haus und übe! Für diesen Sport bist du erledigt, Caballius!«

»Das wirst du nicht so schnell vergessen! Geschieht dir Prahler recht!«

Marcella badete im Applaus und lächelte zu den tobenden Zuschauern. Sie drehte Pirouetten, wie sie es von Tänzerinnen gesehen hatte, und dabei hoben sich ihre Röcke. Voller Stolz tanzte sie aus dem Raum.

Sie stieß auf eine Gruppe der Huren, die wild durcheinander redeten, derb lachten und sich dabei den Bauch hielten. Marcella blieb bei ihnen stehen und erzählte ihnen, was sie getan hatte und warum sie sich bei Caballius rächen wollte. Das löste eine neue Welle lauten Gelächters aus.

»Du hast einen Kunden«, sagte die Frau neben Marcella und schaute lachend übe ihre Schulter.

»Ich gratuliere.« Seine Stimme klang kalt.

Sie erkannte die Stimme sofort, und abrupt drehte sie sich um. Sein Gesicht war harsch und wie erstarrt, als ob es in Stein gehauen wäre.

»Ja«, sagte er, und er starrte sie hart und mit funkelnden Augen an. »Ich bin auch dem Vulkan entkommen.«

»Gaius!«

Er zerrte sie grob aus der Gruppe der Huren weg, auf die andere Seite des Flurs, weil er nicht wollte, daß die anderen lauschen konnten.

»Was für eine Verschwendung!« zischte er ihr zu. »Du bist mit Glück dem Fluch der Götter entkommen, und dann wirfst du deine wunderbare Veranlagung einfach weg und wirst eine gewöhnliche Hure, die sogar an diesen vulgären Spielen ihren Spaß findet. Ich hatte gedacht, du hättest mehr Stolz, Marcella!«

## Dreizehntes Kapitel

»Gaius! Ich bin ja so froh, dich zu sehen!«

Sie zitterte noch vor Freude über das unerwartete Wiedersehen, aber gleichzeitig zitterte sie auch vor Entsetzen darüber, daß er sie als Hure gesehen hatte. Auch jetzt war sie noch wie eine Hure gekleidet.

»Ich habe dich für tot gehalten. Sei nicht böse auf mich. Ich mußte weglaufen – wo ich dich zuletzt habe stehen lassen, war nichts mehr.«

»Ich werfe dir nicht vor, daß du gelaufen bist. Ich habe dir das selbst gesagt.« Seine Stimme war immer noch kalt. »Du verdienst meine Verachtung, weil ich sehe, was du aus deinem Leben machst, das die Götter dir ein zweites Mal geschenkt haben.«

»Laß dich von meiner Kleidung nicht blenden – ich bin keine Hure.«

»Das«, sagte er zornig, »sagen sie alle. Sie nennen sich Hetären oder Mätressen, Damen der Nacht oder wie auch immer, sie legen sich Bezeichnungen zu, die Kultur und Bildung suggerieren sollen. Aber keine Hetäre würde in einem solchen Aufzug herumlaufen, Marcella!«

Sein Körper wurde von der Intensität seiner Gefühle geschüttelt, von Verachtung und Verlangen.

»Schau dich doch an! Du läufst in den erniedrigenden Klamotten der billigsten Hure herum, für die sexuelle Gunst nur ein Mittel zum Geldverdienen ist. Ich habe dich für eine der seltenen Frauen gehalten, die ihr unersättliches Verlangen in einer

Art Kunst stillt. Und wo, im Namen der Olympier, hast du diese Toga her, wenn nicht von einer Hure, die im Schatten des Kolosseums kniet, ein paar kleine Münzen in der Hand und den Schwanz eines Fremden im Mund?«

Sie wandte sich ab, erschrocken über seine derbe Sprache, aber er riß sie an der Schulter herum.

»Wie viele Männer haben sich für Geld ihr Vergnügen bei dir geholt, seit wir uns das letzte Mal gesehen haben?«

Er zwang sie hinter eine Säule und hielt ihre Schultern gepackt. »Wenn ich dich noch einmal haben will, muß ich schnell sein, sonst steigt dein Preis so hoch, daß ich mir das nicht mehr erlauben kann!«

Er machte sich unter ihrer Toga zu schaffen, sein Gesicht dunkel vor Zorn. Seine Finger stießen in die Falten ihrer Weiblichkeit. Sie entwand sich ihm und schlug ihm so heftig ins Gesicht, daß er benommen den Kopf schüttelte und ein Knurren ausstieß. Er hielt sie wieder an den Schultern gepackt. »Wenn dir das Bild nicht gefällt, was du präsentierst, warum läufst du dann so herum? Hast du dich mal selbst betrachtet, Marcella? Hast du nicht gesehen, wie tief du gesunken bist?«

Sein Griff war unerbittlich, als er sie durch die Halle zu den hinteren Schlafräumen am Innenhof führte. Sie hoffte, daß er sie dort nehmen würde, denn sie wollte seinen harten Körper spüren, seine aufgestaute Kraft. Sie wollte das Pumpen dieser Kraft spüren, bis ihre Lust gestillt war. Sie wußte, daß er wieder klarer sehen und ihr vergeben würde, wenn erst sein Zorn verraucht und seine Leidenschaft verklungen war.

Er öffnete eine Tür und stieß sie so heftig hinein, daß sie auf ein Bett fiel. Er setzte sich nieder und zog Marcella zu sich. Sie spürte, wie sie schneller atmete, erfüllt von der Erwartung kommender Freuden.

Er legte sie grob über seine Knie und schob das Hurenkleid hoch, so daß der untere Teil ihres Körpers entblößt war. Er schlug mit der flachen Hand auf ihr Gesäß, und es brannte entsetzlich, daß sie aufschrie.

»Du sagst, du bist keine Hure, also mußt du ein ungezogenes Kind sein. Und ungezogene Kinder erhalten Schläge, damit sie wissen, wie sie sich zu benehmen haben«, sagte er heiser.

Seine Hand klatschte wieder auf ihre sanfte Haut. Sie brannte. Sie ruckte wild hin und her, um sich ihm zu entwinden, aber er hielt sie fest. Immer wieder klatschte die Hand auf die nackte Haut. Ihre Scheide berührte seinen Schenkel, und bei jedem Schlag glitt sie über die harten Muskeln. Ihr Po glühte, und sie spürte, wie die würzigen Säfte ihrer Weiblichkeit zu rinnen begannen.

Ihr Atem kam stoßweise. Sie spannte die Pobacken, bevor sie jeweils den nächsten Schlag erwartete, um die Auswirkungen zu verringern, aber durch das Zusammenziehen und Entspannen der Muskeln erhöhte sie noch ihre sexuelle Erregung.

Sie lag über seine Beine drapiert, den Kopf nahe bei seiner Wade. Die Schläge kamen schneller und wurden weniger hart. Die wohlige Wärme breitete sich vom Gesäß im ganzen Körper aus. Seine Handfläche schien den Po jetzt mehr zu streicheln, und sie spürte, wie seine Finger in die Kerbe zwischen den Backen drangen, ehe er die Hand zu einem weiteren Schlag hob. Sie fuhr mit der Zunge über sein Bein, hielt sich fest und wartete darauf, vom Orgasmus überflutet zu werden.

»Gaius, bitte.«

Abrupt hörte er auf und schob sie auf den Boden. Sie richtete sich benommen auf, nachdem sie mühsam ihre Röcke sortiert hatte, und starrte ihn fassungslos an. Ihr Verlangen verwandelte sich sofort in Zorn.

»War es zuviel für dich? Kannst du dich nicht beherrschen?« fuhr sie ihn voller Hohn an.

»Offenbar war es zuviel für dich«, gab er knapp zurück.

Sie saß mit überkreuzten Beinen da, und es war ihr bewußt, daß sie ihren intimen Bereich seinen Blicken entblößte. Sie sah, daß er erregt war.

»Ist dein Stolz zu groß, daß du nicht wahrhaben willst, wie sehr du mich begehrst?« fragte sie.

»Mein Stolz ist zu groß, um mich mit einer Hure zu paaren. Schau dich doch selbst an! Dann frage dich, ob ein anständiger Mann dich begehren und attraktiv finden kann.«

Er zog sie auf die Füße und zerrte sie in den Flur. Ein Sklavenmädchen saß vor einem der anderen Räume.

»Hol mir einen Spiegel!« verlangte er von dem Mädchen. Dabei behielt er Marcella fest im Griff, damit sie sich nicht losreißen konnte.

»Du jagst ihr Angst ein, Gaius. Sie ist kaum älter als zwölf. Gefällt es dir, Kinder zu erschrecken? Willst du ihr auch den Hintern versohlen?«

»Du bist ein Luder«, zischte er.

»Ich weiß, wie ich aussehe, und ich weiß auch,

warum. Du weißt den Grund nicht! Und du weißt auch nicht, wie schrecklich du dreinschauen kannst, wenn du zornig bist. Sie ist doch nur ein Kind.«

»Du hast immer eine gute Ausrede für dein entwürdigendes Verhalten. Aber diesmal bist du zu weit gegangen.« Er packte sie an den Schultern und schüttelte sie heftig. Dann wandte er sich an das Mädchen, das verängstigt auf dem Boden kauerte. »Hole mir einen Spiegel. Du hast nichts zu befürchten. Ich sehe, daß du ein anständiges, hübsches Mädchen bist.« Er lächelte ihr gewinnend und aufmunternd zu. Es wurde deutlich, daß er seinen Zorn nur auf Marcella konzentrierte.

Das Mädchen lächelte scheu und zeigte dabei hübsche Grübchen. Dann verschwand es im Zimmer.

»Du bist ein Bastard, Gaius! Du schmeichelst dem kleinen Ding, um das zu erreichen, was du haben willst. Das ist wohl das Geheimnis deines Erfolgs bei Frauen, was? Du hast nie zugehört, was ich zu sagen habe. Du donnerst einfach drauflos, ohne mal nachzudenken. Führst du so deine Kompanie?«

Sein lautes Gelächter wurde in der mit Marmor ausgelegten Halle als Echo von den Säulen zurückgeworfen. »Meine Kompanie?«

»Ich weiß, daß du beim Heer bist.«

»Ich bin in meinem ganzen Leben kein Zenturio gewesen.«

»Ich rede vom Heer und von deiner Laufbahn dort. Willst du das abstreiten?«

Er kam nicht zu einer Antwort, denn das Mädchen kehrte zurück und hielt einen großen polierten Bronzespiegel hoch. Fragend sah das Kind zu Gaius.

»Sie soll ihr Gesicht sehen können, damit sie erkennt, wie sehr sie ihre Schminke übertrieben hat.«

Marcella trat ihm gegen das Schienbein.

»Schau dich an!« fauchte er. »Und diese Kleider, die du trägst! Wo sind die schönen Kleider, die du hattest, als du die Villa vor Pompeji verlassen hast? Ich kann nicht glauben, daß du deine Tasche hast stehenlassen, obwohl sie schwer genug war. Aber du riskierst eher den Tod, als dich von deiner Tasche zu trennen.«

»Wenn du mich nur erklären ließest!« schrie sie, als sie sich im Spiegel sah.

Ihr Gesicht sah im sanften Schimmer des polierten Metalls wie eine Theatermaske aus. Ihre Züge waren von der Wut verzerrt, die sie erfaßt hatte, und der geöffnete Mund sah aus wie eine offene Wunde.

»Siehst du es jetzt selbst? Unanständig und vulgär! Du bist es, die das kleine Mädchen erschreckt hat, nicht ich!«

»Ich hatte einen Grund dafür«, sagte sie steif. »Aber ich muß zugeben, daß ich nicht gut aussehe. Ich will mich umziehen. Mein Kleid liegt noch bei den Huren.«

»Ha! Glaubst du, daß du es zurückbekommst?«

»Oh, daran habe ich noch gar nicht gedacht«, murmelte sie. Ihr Selbstbewußtsein schwand rasch. Aber dann sagte sie trotzig: »Sicher wird das Kleid noch da sein. Die Huren haben mir geholfen. Sie sind freundliche Frauen.«

»Mach sie sauber und gib ihr eines der Kleider,

die deine Herrin für Gäste zurücklegt, die irgendein Pech hatten. Und ihren Fummel verbrennst du.« Er gab dem Mädchen eine Handvoll Münzen. Sie hielt vor freudiger Überraschung den Atem an.

»Das wird dir helfen, irgendwann einmal deine Freiheit zu kaufen«, sagte Gaius. Dann wandte er sich ab und ging aus dem Haus.

Marcella ließ sich Zeit.

Das Mädchen kleidete sie an und frisierte sie. Gaius konnte warten, und außerdem wollte sie ihre Gefühle unter Kontrolle haben, bevor sie ihm wieder begegnete. Sie war nur wenig geschminkt und trug ein sehr züchtiges Kleid, das an zwei Stellen geflickt war. Sie sah sich im Haus nach Gaius um. Ihr Po brannte immer noch von seinen Schlägen, aber der Schmerz des Unbefriedigtseins war genauso intensiv.

Wie Gaius vorhergesagt hatte, waren die Huren mit dem Kleid und dem dazu passenden Schmuck verschwunden. Schlimmer noch war für sie, daß offenbar auch Gaius verschwunden war.

Sie sah Caballius Zoticus, der bei einer dunkelhäutigen Frau mit hart geschnittenem Gesicht stand, und an seinem Blick erkannte Marcella, daß er sie in diesem Kleid sofort wiedererkannte. Sie versuchte erst gar nicht, ihm auszuweichen. Solchen Typen mußte man sich stellen, wußte sie.

»Hure«, zischte er, und die Frau neben ihm lächelte verächtlich. »Ich dachte, ich hätte dich vor einer Weile schon mal gesehen, aber ich war zu sehr damit beschäftigt, das Bild zu verkaufen, auf dem du so freizügig alles von dir zeigst.«

»Du bist nur ein mieser Stänkerer«, sagte sie. »Hau ab aus meinem Leben.«

»Das würde dir so passen, was? Du bist mir in Pompeji schon einmal entwischt, aber das wird dir nicht noch einmal gelingen. Du wirst in mein Leben treten und genau das tun, was ich von dir verlange.«

Er packte ihren Arm, aber sie entwand sich ihm entschlossen.

»Ich werde dich öffentlich denunzieren, wie ich gesagt habe. Oder du tust, was ich verlange.«

Nach seiner Niederlage suchte Caballius nach einer Stärkung seines angeschlagenen Selbstbewußtseins, und da kam ihm Marcella gerade recht. Sie hatte Angst vor ihm, aber das wollte sie ihm nicht zeigen.

»Ich werde mich deinen dreckigen Drohungen nicht fügen«, sagte sie giftig. »Ich habe nichts zu verlieren. Ich kenne niemanden hier, was soll ich also deine üblichen Geschichten fürchten, die du über mich verbreiten willst?«

Er starrte sie an und zog sie wieder in seinen Griff.

»Caballius, ich langweile mich«, sagte die Frau mit dem harten Gesicht. Sie hatte einen starken gallischen Akzent. »Wir wollten das Geld vom Auktionator kassieren, oder hast du das vergessen? Und wenn du mich nicht im voraus bezahlst, werde ich dir nicht mehr die Frauen besorgen können, die du heute abend haben willst. Ich meine, Frauen von der Art, die bereit sind, zusammen zu arbeiten und auch die nötige Erfahrung haben, sind früh ausgebucht. Und ich habe keine Lust, mich allein um dich zu kümmern.«

Caballius war abgelenkt und lockerte den Griff um Marcellas Arm. »Hör auf, mich zu nerven, du dumme Gans«, fauchte er die Frau an.

Marcella nutzte ihre Chance, riß sich los und floh. In einem der anderen Räume stieß sie auf Virius. Er sah stark aus und wirkte sofort beruhigend auf sie. Er mochte ein bißchen simpel sein und selbstsüchtig, aber er war nicht so abartig veranlagt wie Caballius.

»Marcella!« rief er fröhlich. »Wie ist es dir ergangen? Ich dachte schon, du wärst abgehauen.«

»Ich habe ein paar Leute getroffen, die ich kenne.« Es hörte sich so unschuldig an, daß sie selbst kichern mußte.

»Komm mit ins Haus meines Freundes. Es wird dir gefallen, das verspreche ich dir. Unser Abend hat erst begonnen.«

## Vierzehntes Kapitel

Nach einer sinnenfrohen Nacht, in der Virius sich als athletischer Kraftprotz erwiesen hatte, war sie froh, daß sie am Morgen allein aufwachte. Sie badete, zog sich an und begab sich auf die Suche nach Gaius. Sie würde nicht zulassen, daß er sich erneut aus ihrem Leben schlich. Er war in Rom, und sie würde ihn finden.

Nach vielen Fragen stand sie schließlich vor seinem Stadthaus in einer begehrten Wohngegend Roms. Aber sie sah nichts von dem Mann, mit dem sie im Schatten des Vulkans gelacht und geliebt hatte.

Der Aufseher der Sklaven des Haushalts saß im Vorhof reglos in einem Schilfrohrsessel. Seine dunkle Haut schimmerte in der Sonne. In kleinen Nischen rund um den Vorhof standen Büsten von Gaius' Vorfahren und von bedeutenden griechischen Schriftstellern. Mitten auf dem Hof stand ein Brunnen.

»Mein Herr ist vor Sonnenaufgang nach Nordafrika aufgebrochen«, sagte der Sklave. Er bedachte Marcella mit einem abschätzenden, argwöhnischen Blick.

Sie stellte die schwere Tasche ab, die ihren ganzen Besitz enthielt, und starrte ihn ungläubig an. »Aber gestern abend war er noch hier! Ich meine, hier in Rom. Bei Jupiter, ich habe drei Stunden gebraucht, um sein Haus zu finden!«

Er hob die Schultern. »Es gibt Ärger mit den Stämmen an der Grenze. Das Heer ist zusammengerufen worden.«

Sie fühlte sich niedergeschlagen und sank, ohne aufgefordert worden zu sein, auf einen Holzstuhl.

»Du siehst erschöpft aus. Du kannst dich eine Weile bei mir ausruhen, dann überlegen wir gemeinsam, wie dir zu helfen ist.« Er erhob sich und klatschte in die Hände. Sofort trat eine Dienerin in den Hof.

»Kann ich dir etwas bringen, Imilico?«

Selbst die jüngste Sklavin in Gaius' Haushalt sprach gebildet, dachte Marcella.

Imilico war nicht unfreundlich, aber unter seinem freundlichen Äußeren lag eine Zurückhaltung, die ihr Sorgen bereitete. Während Marcella erzählte, wie sie den Vulkanausbrüchen entkommen war, fühlte sie, daß er seine eigenen Überlegungen anstellte.

»Ich habe Gaius im Chaos von Pompeji kennengelernt«, sagte sie, »und ich habe noch einiges mit ihm zu besprechen.«

Es entstand ein kurzes Schweigen, dann erzählte er Belanglosigkeiten. Marcella wußte, daß er darauf wartete, mehr über das zu erfahren, was sie mit Gaius zu besprechen hatte. Er machte deutlich, daß die meisten praktischen und finanziellen Dinge mit Gaius' zahlreichem Personal geregelt werden könnten. Und er ließ auch durchblicken, daß sie seiner Meinung nach nicht in den traditionellen Haushalt von Gaius paßte. Er überlegte offenbar, wie er sie einzuschätzen hatte und wie er sie behandeln sollte.

»Wovon hast du vor dem Vulkanausbruch gelebt?« fragte er schließlich.

»Ich habe in der Taverne meines Onkels gearbeitet.«

Er lächelte, und mit einem Mal schien er zugänglicher zu werden. »Im Laufe der nächsten Wochen«, sagte er plötzlich, »werde ich auf Geheiß des Gaius Salvius Antoninus Geschenke an seine Freunde liefern.«

Marcella hob überrascht die Brauen.

»Wie alle Männer seines Standes«, erklärte er, »mietet mein Herr Villen und Häuser seiner Freunde, wenn er privat reist, statt Tavernen aufzusuchen. Er revanchiert sich für diese Freundlichkeit mit Geschenken, und diese Aufgabe obliegt mir. Ich sollte eigentlich mit ihm reisen, aber jetzt hat er schon einen zu großen Vorsprung. Ich schätze, daß er schon auf dem Schiff ist.«

»Dann werde ich ihn wohl auch nicht mehr einholen können«, sagte sie traurig und verzweifelt.

»Die Militärposten sind hervorragend organisiert. Bei jedem Posten tauscht er das erschöpfte Pferd gegen ein frisches ein, deshalb kommt er rasch voran. Und wie ich ihn kenne, wird er sofort nach seiner Ankunft mit der Arbeit beginnen.« Er stand auf und bot ihr das frische Obst an, das von dem Sklavenmädchen gebracht worden war. »Wenn du willst«, sagte er dann, »kannst du mich bis zu letzten Villa auf meiner Liste begleiten. Deine Gesellschaft wäre mir recht. Aber danach mußt du dich selbst bis zur Festung Theveste durchschlagen.«

Zwei Tage später begann Marcella ihren Entschluß zu bereuen, Imilicos Angebot wahrgenommen zu haben. Sie hörte die Stimme des Kutschers, der den müden Ochsen dem nächsten Halt entgegentrieb.

Mit jedem Rucken des Wagens fühlte sich Marcella immer verzweifelter.

Imilico betrachtete sie. Er war ein gut gewachsener Mann mit ebenmäßigen weißen Zähnen. Aber sie spürte, daß irgend etwas zwischen ihnen stand. Sie lächelte verlegen.

»Hast du Befürchtungen, daß Gaius Salvius Antoninus den Stützpunkt Theveste schon verlassen haben wird, wenn du dort eintriffst?« fragte Imilico.

Sie seufzte. »Er ist mir schon so oft entwischt, daß ich mich allmählich frage, ob die Götter uns nicht zusammenkommen lassen wollen. Er wird sein eigenes Leben vielleicht schon ohne mich eingerichtet haben.«

Er lächelte seltsam, und das verunsicherte sie noch mehr.

»Nicht unbedingt«, antwortete er. »Als er in der Nacht in seinem Haus eintraf, war er fürchterlicher Stimmung. Das ist sehr ungewöhnlich bei ihm. Ich nahm an, daß er sich über irgend etwas geärgert hatte. Er war kurz angebunden, bellte seine Befehle und schloß sich dann in seinem Zimmer ein.«

Sie nahm sich vor, den Anlaß für Gaius' Verärgerung zu verschweigen, obwohl Imilico sich bemühte, mehr über die Beziehung seines Herrn zu Marcella herauszufinden. Sie wechselte rasch das Thema.

»Mein Onkel hat seine Probleme immer an seinem Sklaven ausgelassen. Gaius hat dich doch nicht geschlagen, oder? War ich vielleicht sogar der Anlaß dafür?«

Er lächelte überlegen. »Mein Herr schlägt nie jemanden ohne Grund.«

Sie dachte mit Wut im Bauch daran, wie er ihr den Hintern versohlt hatte. Dafür hatte es keinen richtigen Grund gegeben.

»Selbst wenn jemand im Haushalt einen Fehler macht«, fuhr Imilico fort, ist er bereit, denjenigen anzuhören und Kompromisse einzugehen, was die Behebung des Schadens angeht. Er verbirgt seine Emotionen gut. Wenn er sich über seine politische Entscheidung ärgert, achtet er darauf, daß niemand in seinem Haus darunter leidet.«

Mir selbst hat er nie zugehört, dachte Marcella.

»Ich bin froh, daß ich auf dieser Reise dich als Begleiterin habe«, sagte Imilico. »Die Geschenke, die ich dabei habe, sind zwar wunderschön, aber sie können nicht sprechen.«

Er wies auf die Kissen aus roter und purpurner Wolle, auf die Ballen von Brokat und Seide, auf die luxuriösen Tischbestecke aus Silber und die verschiedenen Pakete, die vermutlich Zerbrechliches enthielten. Für einen speziellen Freund hatte Gaius einen Tisch erworben, dessen Füße wie Adlerklauen aussahen.

»Ich bin eine langweilige Gesellschafterin. Ich will versuchen, weniger zu greinen«, sagte Marcella. Sie rutschte auf den Stoffballen herum, bis sie eine bequemere Position gefunden hatte.

In der Ferne hörte sie ein leises, rhythmisches Geräusch. In der letzten Stunde war es näher gekommen, jetzt hörte es sich wie ein Platzregen an. Es erinnerte sie auch an die Vorboten des Erdbebens. Ihre Nackenhaare stellten sich auf.

»Was ist das?« fragte sie ängstlich.

»Wahrscheinlich sind es marschierende Truppen.«

Es schien ihn nicht zu stören. Er saß reglos da, die Beine unter sich gekreuzt, der Rücken kerzengerade.

»Afrika ist seit über zwei Jahrhunderten unter römischer Herrschaft«, murmelte Marcella. »Kann man davon ausgehen, daß die Grenzen sicher sind?«

»Alle Grenzen sind Gebiete der Unruhe. Mein Herr hat in letzter Zeit mehrere Audienzen beim Kaiser wegen der Sicherheit der Grenzen gehabt. Titus schätzt seinen Rat. Wie der Kaiser ist auch mein Herr einer der seltenen Menschen, die nicht nur einen ererbten Wohlstand besitzen, sondern auch über persönlichen Charme und große Fähigkeiten verfügen.«

»Ich wußte, daß er ein Mann des Heeres ist, aber ich wußte nicht, daß er so einflußreich ist«, sagte sie, und ihre Stimmung fiel in ein noch größeres Loch. Je mehr sie über Gaius herausfand, desto mehr mußte sie erkennen, daß sie kaum etwas gemeinsam hatten.

»Gute Frau«, sagte Imilico lächelnd, »Gaius Salvius Antoninus ist der Legat einer der drei besten Legionen – der dritten Augusta. Als deren Befehlshaber ist er gleichzeitig Senator. Seine Legion verfügt über zwölftausend Mann, und die Verteidigung der afrikanischen Provinzen hängt von ihnen ab.«

»Er hat mir gegenüber nicht einmal angedeutet, daß er eine so hohe Verantwortung hat.« Sie kam sich wie eine dumme Gans vor, daß sie den Versuch machte, diesem Mann in seine so völlig andere Welt zu folgen. Sie sah Imilico fragend an, weil sie nach weiteren Informationen über Gaius dürstete.

»Er hat an so vielen Feldzügen teilgenommen, daß dein hübscher Arm nicht ausreichen würde, um die Schlachtenorte aufzuschreiben. Er ist der ungewöhnlichen Ansicht, daß der Befehlshaber einer Legion selbst an der Front sein muß, um sich von der Situation zu überzeugen und den niederen Rängen mit gutem Beispiel voranzugehen. Er hat auch Schlachten in Britannien geschlagen, aber dann wurden seine Fähigkeiten in Gegenden benötigt, die größere Herausforderungen darstellen.«

»Davon hat er mir nie erzählt«, sagte sie leise.

»Ich höre, daß du eine Schwäche für ihn hast«, sagte er. »Du bist nicht die erste, und du wirst nicht die letzte sein.«

Er sah, daß sie zusammenzuckte.

»Ich kann dir helfen zu entspannen«, bot er an. »Ich bin in den Künsten der Massage und der Düfte geübt – eine Fähigkeit, die ich von Menschen ererbt habe, die sie am Hof der Kleopatra ausübten und verfeinerten. Mir kommt dieses Wissen auch in meiner jetzigen Position zugute, denn zu meinen Aufgaben gehört es, dafür zu sorgen, daß sich die Gäste des Hauses auf jede erdenkliche Art wohlfühlen.«

»Aber doch nicht die weiblichen, für die gibt es bestimmt eine Masseuse«, sagte Marcella lächelnd. »Außerdem kann man das, was mir fehlt, nicht durch ein paar Tropfen Öl und ein bißchen Reiben beheben.«

»Meine Kunst enthält mehr, als du ahnst, denn du hast bisher nur die öffentlichen Bäder aufgesucht. Du solltest dein eigenes Vergnügen nicht so leichtfertig ablehnen.«

Er sah wie eine Statue aus, die ein Künstler aus Stein gehauen hatte, um seinem Modell zu schmeicheln. Er strahlte eine innere Ruhe aus, die Marcella beeindruckte. Man sagte, daß die Nubier aus Oberägypten eine solche Ausstrahlung besitzen.

»Deine Probleme können tatsächlich durch nichts, was ich tue, behoben werden«, räumte er ein, erhob sich und schwankte, als der Wagen plötzlich ruckte. »Aber deine Sicht der Dinge kann optimistischer werden. Wenn dein Körper gesund und entspannt ist, kann dein Geist freier denken, und du wirst deine Probleme leichter bewältigen.«

Er kniete sich neben sie und legte seine Hände auf ihre Schultern. »Lege dich bäuchlings auf die Kissen.«

»Ich will nicht. Es ist nicht erforderlich«, sagte sie, aber dann fing er an, über ihre Schultern zu reiben und die Muskeln zu ziehen. Sie schrie vor Schmerz auf.

»Das beweist, daß ich recht habe«, sagte er nur. »Du brauchst die Zuwendung des Fachmanns. Du darfst die Bedürfnisse deines Körpers nie ignorieren. Einige alteingesessene Familien frönen immer noch der Askese, aber sie dezimieren sich selbst – sie enden verbittert und ohne Nachkommen.«

Er öffnete eine kleine Tasche und holte drei kleine Gefäße mit verschiedenen Ölen heraus. Die Bewegungen des Wagens auf der unebenen Straße machten sie schläfrig, und träge schaute sie seinen Vorbereitungen zu.

Er breitete ein dickes weißes Tuch über die Kissen aus, die mitten im Wagen lagen und strich alle Falten glatt, als wollte er ein Bankett für den Kaiser vorbereiten.

Seine Hände bewegten sich mit der Anmut eines Tänzers.

»Zieh dein Kleid aus und lege dich auf das Tuch, damit ich die Kissen nicht verschmiere.«

»Das werde ich nicht tun! Deshalb hast du mich also eingeladen! Du willst, daß ich dafür bezahle.«

»Du brauchst keine Angst um deine Tugend zu haben.«

»Ach? Und das soll ich glauben? Was unterscheidet dich denn von den anderen Männern, die ich bisher kennengelernt habe?«

Matt dachte sie, daß sie gar nicht erst versuchen wollte, sich gegen seine Attacken zur Wehr zu setzen – aber noch weniger wollte sie sie über sich ergehen lassen. Trotz der Schönheit seines Körpers würde sie nicht reagieren, wenn er sie nehmen sollte. Auf der anderen Seite erkannte sie, daß seine wissende, sensible Art ihn wahrscheinlich zu einem guten, rücksichtsvollen Liebhaber machte.

»Ich unterscheide mich von einigen, aber nicht von allen«, antwortete er mit einem Lächeln. »Frauenkörper bedeuten mir nicht viel. Ich bevorzuge Männer. Einen Mann ganz besonders. Das heißt, daß sich die Frauen in jedem Haushalt, in dem ich mich aufhalte, sicher sind.«

Sie starrte ihn an.

»Ich habe die Wirkung bestimmter Öle und Düfte auf den menschlichen Körper und Geist beobachtet und studiert«, fuhr er fort. »Ich habe das im Osten gelernt. Und jetzt zieh endlich dein Kleid aus und laß mich dir einige der Wonnen zeigen, die du von einem Mann annehmen kannst, bei dem du deine libidinösen Lüste nicht auszutoben brauchst.«

Langsam zog sie ihre Sachen aus. Sie saß da, die Beine angezogen, die Arme schützend um ihre Knie geschlungen. Sie empfand Scheu und wußte plötzlich, warum er ihr von Anfang an so zurückhaltend vorgekommen war.

»Ich habe ein- oder zweimal eine Masseuse in den Bädern genommen«, murmelte sie, »aber die Mädchen hatten es eilig, und danach fühlte ich mich eher schlechter als vorher.«

»Das wird dir diesmal nicht passieren, das verspreche ich. Lege dich hin, dann fangen wir an. Zuerst ein Kräuteröl.«

Er träufelte einige Tropfen in seine Handfläche, rieb sie in die andere Hand und begann dann, ihre Schultern kreisförmig zu massieren. Die kundigen Berührungen war gleichzeitig leicht und fest. Die kräftige Würze des Öls umhüllte ihre Sinne und machte sie schläfrig.

Er drückte die Daumen gegen ihr Rückgrat, während die Finger locker über die Haut glitten. Als er ihr Gesäß erreichte, streichelte er zunächst nur mit den Fingerkuppen darüber, ehe er fest ins Fleisch griff.

Er bearbeitete ihren ganzen Körper, massierte sogar ihre Füße, nahm sich Zeit für jeden einzelnen Zeh, fuhr mit Daumen und Zeigefinger an den Fersen entlang. Als er ihre Arme nahm und die Finger massierte, konnte sie aus eigener Kraft kaum noch die Glieder bewegen, so lethargisch war sie geworden.

Zwischendurch träufelte er immer wieder Öl auf seine Handflächen. Er drehte sie auf den Rücken, und sie schloß die Augen, als er sich auf ihre Beine setzte und das Öl in ihre Schultern einmassierte. Er hob ihre Brüste an und verrieb das Öl behutsam mit beiden Händen. Er rutschte nach unten und führte auf ihrem Bauch kreisende Bewegungen aus, und dann drückte er gegen die Muskeln ihrer Hüften.

»Ich wußte gar nicht, daß ich auch da so verkrampft war«, murmelte sie überrascht. »Ich spürte nur die verhärteten Muskeln in den Schultern.«

»Dein ganzer Körper ist verspannt, aber die schlimmsten Muskelknoten sitzen in deinen Hüften und Leisten. Auch wenn ich es nicht schon wüßte, steht für mich fest, daß deine Probleme von einem Mann ausgelöst werden. Es ist ein häufiges Problem bei Frauen deines Alters.«

Er rieb die Handflächen über ihre Oberschenkel und massierte sie kräftig, dann nahm er sich ihre Knie und Waden vor.

Sie fühlte sich völlig entspannt. Der einzige Schmerz, der noch blieb, ging von ihrem Schoß aus. Sie spürte einen körperlichen Schmerz vor lauter Verlangen nach Gaius.

»Du brauchst etwas mehr als nur das, glaube ich«, sagte Imilico schließlich. Er streichelte mit der flachen Hand über ihre Stirn und dann entlang des Haaransatzes.

»Und was könnte das sein?«

Sie lag bequem und entspannt da, und sie wußte, daß nichts außer der harten Penetration eines kräftigen Mannes ihre vollkommene Befriedigung würde herbeiführen können.

»Ich werde es dir zeigen.«

Er holte einen Lederstab aus seiner Tasche. Er war fast so lang wie ihr Unterarm, und erstaunt begriff sie, daß er die Form eines Phallus hatte. Das

Leder war so geformt worden, daß es dem erigierten Penis nachgebildet war. Am Ende befand sich eine kleine Schlaufe, um ihn besser handhaben zu können.

»Ich habe solche Dinger schon mal gesehen«, sagte sie und betrachtete den Gegenstand mit Staunen. Ihre Müdigkeit war verflogen, und sie spürte, wie ihre Labien anschwollen und feucht wurden, als ihre Säfte zu fließen begannen, als wüßte ihr Innerstes schon, daß weitere Freuden auf sie warteten.

»Es ist die einzige Möglichkeit, die inneren Muskeln zu massieren, wenn kein Mann zur Verfügung steht. Ich bewundere deinen Körper aus ästhetischen Gründen, aber der Anblick eines Frauenkörpers kann mich nicht erregen. Daher kann ich dir leider nicht dienen. Aber selbst wenn es mir möglich wäre, würde ich Schwierigkeiten bekommen, eine so intime Beziehung mit einer Dame einzugehen.«

»Ich würde es niemandem erzählen«, sagte sie und lächelte zu ihm hoch.

»Es könnte einige Gründe geben, die mich verraten«, sagte er lachend. »Außerdem ist der Liebesakt mit einem Mann gewöhnlich eine ziemlich strapaziöse Angelegenheit für eine Frau, wenn sie wirklich große Lust daraus ziehen will. Aber auf meine Art wirst du entspannt und glücklich sein und dich dabei kaum anstrengen müssen.«

»Das kann ich nicht glauben«, sagte sie, »aber es stimmt schon, daß ich vielleicht zu erschöpft bin, um allzu harte Leibesübungen zu betreiben.«

»Etwa tausend Schritte hinter uns marschieren hunderte der feinsten Krieger des Kaisers. Sie werden uns den Beweis liefern, ob ich dich gut befriedigt habe. Wenn sie in einer Stunde oder zwei an uns vorbei marschieren und du nach ihnen lechzt, weiß ich, daß ich versagt habe.«

Sie lachte und schaute zu, wie er mit seinen feingliedrigen langen Fingern den Phallus einölte. Er achtete darauf, daß genug Öl in die breite Kerbe unterhalb der Eichel floß, und dann rieb er den Lederstab so liebevoll, als wäre er aus Fleisch und Blut.

»Fühl mal.«

Sie streckte ihre Hände aus, und schon bei der ersten Berührung empfand sie ein Kribbeln im Bauch. Der Stab war härter als ein männlicher Phallus und furchterregend starr.

»Er wird nie schlaff«, murmelte sie bewundernd und fuhr mit den Fingern über die Spitze. »Ich will ihn in mir spüren, wenn es auch nicht richtig ist, sich auf diese Weise das Vergnügen zu bescheren.«

Er lächelte und nahm den Lederstab wieder an sich. Mit der Spitze rieb er leicht über ihre geschwollenen Brustwarzen und umkreiste sie mit dem eingeölten Leder.

»Viele Menschen würden es nicht für richtig halten, wenn sie uns beobachten könnten. Denke nur an die Ältesten im Rat der Stadt – was würden ihre Ehefrauen denken, wenn sie wüßten, daß du einem Sklaven deinen Körper auf diese Weise zeigst?«

Er spreizte ihre Beine mit seinen eleganten langen Fingern. Sie bebte vor Verlangen, berührt und gestreichelt zu werden. Er massierte ihre Oberschenkel bis hinauf zum Delta, dann öffnete er die Labien mit den Daumen.

»Stell dir die prüdesten Menschen vor, die du

kennst, und stell dir dann vor, daß sie dich jetzt sehen könnten. Stell dir vor, daß sie verschnürt auf einem Stuhl sitzen und zusehen müssen, ohne einzugreifen zu können. Stell dir vor, wie neidisch sie wären, obwohl sie vorgeben, entsetzt und zornig zu sein.«

Seine Berührung war sanft wie Seide.

»Beuge deine Knie«, sagte er, und sie kam seiner Aufforderung nach. Ihr Körper öffnete sich für ihn. »Das ist unser Geheimnis. Niemand wird je erfahren, was in diesem Wagen geschehen ist. Ich werde dir göttliches Vergnügen bereiten, auch wenn von der Gesellschaft verpönt ist.«

»Du solltest solche Dinge gar nicht wissen, wenn du Männer bevorzugst«, sagte sie hitzig, denn ihr Atem hatte sich schon beschleunigt. »Ich kenne viele Leute, die entsetzt wären, daß du so viel über den weiblichen Körper weißt.«

Er setzte den Phallus an.

Die schiere Größe stimulierte den Fluß ihrer intimen Säfte. Sie war zuversichtlich, daß sie in den letzten Wochen genug Erfahrung gesammelt hatte, um den Stab aufnehmen zu können.

Er schob ihn behutsam hinein. »Vergiß nicht«, sagte er, »dies ist unser Geheimnis, eine verbotene Erfahrung, die wir gemeinsam erleben und von der wir niemals sprechen werden.«

Seine Berührungen und die weich gesprochenen Worte führten unwillkürlich dazu, daß sie sich noch weiter öffnete. Sie war ganz entspannt, und der Lederstab drang langsam in sie ein.

Er kniete zwischen ihren geöffneten Beinen, ließ den Stab in ihr ruhen und massierte wieder ihre Schenkel. Er drückte die Beine flach aufs weiche, bequeme Lager. Die Festigkeit des Phallus in ihr strahlte in ihren ganzen Körper aus, und sie spürte, wie sich ihre inneren Muskeln spannten und entspannten.

Sie streckte die Beine und legte eine Hand gegen den Stab.

»Ich werde das für dich tun«, sagte er leise. »Ich will, daß wir den Moment deines ultimativen Vergnügens teilen. Ich will der Anlaß dafür sein. Lege die Hände auf deine Brüste.«

Er begann, den Dildo sanft in ihr zu bewegen, rollte ihn von Seite zu Seite. Ihre Muskeln umklammerten ihn, als hätten sie Angst, den Freudenbringer zu verlieren. Sie bebte, und heftige Vibrationen gingen von ihrem Schoß aus, als er den Phallus kreisförmig in ihr bewegte.

»Oh, das ist herrlich. Ein wunderbares Gefühl.«

Sie rupfte und zupfte an den Brustwarzen. Er umfing eine Brust mit seiner feingliedrigen Hand, vernachlässigte aber den Phallus nicht. Er knetete ihren Nippel, und Marcella spürte, wie heiße Wellen zu ihrem Schoß rannen.

»Unser Geheimnis, Marcella, vergiß das nicht«, raunte er.

Ihre inneren Muskeln zuckten unkontrolliert. Der Phallus war hart aber biegsam und reagierte auf das Zusammenziehen ihrer Muskeln. Sie begann hart dagegen zu drücken, ihr Atem kam jetzt rasselnd und keuchend, sie warf den Kopf zurück, schob ihren Körper vor, diesem herrlichen Ding und Imilicos Hand entgegen. Funken sinnlicher Lust sprühten vor ihren Augen, ihre Erregung erreichte eine Höhe, die sie noch nie gekannt hatte, hielt sich auf dem Plateau, und dann spürte sie, wie die Wellen abebbten, wie ihre Muskeln ausgewrungen waren und wie alle Anspannung aus ihrem Körper wich.

Sie lag endlich still, unfähig, sich zu bewegen oder auch nur zu denken.

Er zog sanft den Phallus heraus, und noch einmal durchfluteten sie diese geilen Gefühle, als das Leder sich an den Wänden der Vagina rieb. Als sie die Augen öffnete, sah sie, daß er sie anlächelte.

»Siehst du nun, daß es möglich ist, die ultimativsten Freuden zu erleben, ohne sich anzustrengen? Du hast mir nicht glauben wollen, nicht wahr?«

Sie schüttelte den Kopf.

»Das Gesicht eines Menschen zu sehen, der den Höhepunkt seiner sexuellen Erregung erreicht, ist ein Vorzug, der einem nur selten widerfährt. Damit hast du auch mir Freude gebracht. Und weil ich mich nicht darauf zu konzentrieren brauchte, meine eigene Befriedigung zu erlangen, konnte ich mich auf deine Nöte konzentrieren.«

Sie schloß die Augen und ließ sich langsam in den Schlaf sinken, körperlich befriedigt, mit sich und der Welt im Reinen.

Als sie aufwachte, lugte Imilico aus dem Wagen. Sie sah, daß er erregt war. Der Lärm marschierender Schritte auf dem Kopfsteinpflaster war ohrenbetäubend.

»Sie haben uns eingeholt«, murmelte sie schwach.

Er nickte, ohne seinen Blick zu wenden. »Ich habe sie reden gehört. Sie sind auf dem Weg nach Syrien. Mit meinem Herrn haben sie nichts zu tun – den Göttern sei Dank. Ich glaube, ich könnte der

Versuchung nicht widerstehen, wenn wir tagelang von diesen Legionären begleitet würden. Die ersten drei Hundertschaften sind schon vorbei. Willst du sie dir nicht anschauen?«

Sie stemmte sich von ihrem Lager hoch und tupfte sich mit dem weißen Tuch das Öl vom Leib.

»Ich fühle mich wunderbar«, sagte sie. »Du hattest recht. Selbst der Gedanke an tausende der besten Männer der Welt kann mich nicht erregen. Aber in ein paar Stunden denke ich vielleicht anders darüber.«

»Du Glückliche«, erwiderte er und starrte weiter hinaus.

Auch sie kroch zu einem Riß in der Plane und lugte hinaus. Brustpanzer, Helme und Schwerter glänzten in der Sonne. Bronzefarbene Beine und Arme in der Bewegung des Marschierens. Die Gesichter der Soldaten waren hart und erinnerten sie an Virius.

»Dies sind die besten Krieger des Kaisers, und von ihnen hängt unsere Sicherheit und unser Wohlstand in den Provinzen ab«, sagte sie ehrfürchtig.

Ein Hauptmann blickte zu ihnen hoch, aufmerksam geworden durch eine Handbewegung von ihr.

»Bei Juno«, sagte sie mit angehaltenem Atem. »Das ist ein Bild von einem Mann.«

»Er ist mir auch schon aufgefallen«, antwortete Imilico trocken.

»Wirst du dich mit einem von ihnen in der nächsten Taverne zu einem Krug Wein verabreden?«

»Das wäre meine Anstellung im Haushalt von Gaius nicht wert«, sagte er ernst. »Es wäre ein Vertrauensbruch gegenüber meinem Partner und meinem Herrn.«

»Du bist sehr loyal und hast eine hohe Moral.«

»Ich habe auch einen ausgeprägten Selbsterhaltungstrieb. Als Sklave eines reichen Mannes führe ich ein Leben im Wohlstand. Wenn ich genug gespart habe, um meine Freiheit zu erkaufen, habe ich vor, in Gaius' Haushalt zu bleiben, denn er wird mir gegen eine Gewinnbeteiligung ein Geschäft einrichten. Außerdem würde ich meine intimste Beziehung abbrechen müssen, wenn ich den Haushalt verließe.«

Sie nickte. »Ich weiß, daß diese Sitte schon Tradition hat. Mein Onkel war nicht reich genug, um Terentius ausreichend Geld zu geben, daß er eines Tages seine Freiheit kaufen könnte, und er wäre bestimmt nie in der Lage, ihm ein Geschäft einzurichten.«

»So geht es den meisten Sklaven«, sagte Imilico. »Und deshalb will ich wegen eines kurzen, unbefriedigenden Fummelns in der Taverne meine Position nicht gefährden. Ich kann mich beherrschen, bis ich meinen Partner wiedersehe. Bis dahin muß ich den Trieb bekämpfen. Warum, glaubst du, daß ich so gut begriff, wie es um dich stand?«

Sie schob eine Hand unter seine Tunika und griff nach seinem Schaft. Er war lang und schlank.

»Ich finde Mädchen nicht attraktiv«, sagte er hilflos.

»Ich scheine dich aber nicht entmutigt zu haben«, sagte sie nach einer Weile, in der sie mit einer Hand an seinem Schaft auf und ab gefahren war. »Ich möchte dir ein wenig von den Freuden zurückgeben, die du mir bereitet hast.«

Sie steckte den Saum der Tunika unter seinen Gürtel. Sein Penis schwang frei.

»Du bist überall elegant, sogar hier«, sagte sie und fuhr mit beiden Händen von den Knien hoch zu seinem Geschlecht. Seine Haut war dunkelbraun und glänzte in einem schwarzen Schimmer.

Sie verstärkte den Druck ihrer Hand und nahm die andere zur Hilfe. Sein Atem kam schneller, und ihre Bewegungen schienen sich seinen Atemzügen anzupassen.

»Unwiderstehlich«, sagte er, als er den Blick von der Straße nahm und auf die beiden zierlichen Hände schaute.

Er bewegte sich, trieb den Penis in ihre Hände. Es war ein schönes und schließlich überwältigendes Gefühl, und seine Eruption erfolgte gleichzeitig mit dem Vorbeimarschieren einer weiteren Hundertschaft.

Sie überquerten das Mittelmeer und landeten in Karthago, wo Imilico die Geschenke ablieferte. In den folgenden Wochen sah Marcella mehrere große und beeindruckende Städte in Nordafrika. Ein paar Nächte verbrachten sie in Thabraca, bevor sie entlang der Küste nach Hippo Regius und Cuicul reisten, wo sie einkaufen und sich mit den verschiedenen Bräuchen der einzelnen Völker vertraut machen konnte. Mit dem Geld, das man ihr zugeworfen hatte, als sie Caballius gedemütigt hatte, kaufte sie sich eine kleine Bronzestatue der Juno und legte sie als Dank für ihre gute Reise in einen Schrein.

Sie lernte die Namen der viele Parfüme und ihre Anwendungen, und man führte sie in die Kunst der Massage für Männer und Frauen ein.

»Ich kann mich nicht mehr an alle Termini der einzelnen Körperteilen und Muskelpartien erinnern, und ich habe auch nur einen Bruchteil deiner Kenntnisse, aber ich traue mir zu, jedermann ein paar entspannende Stunden zu bereiten«, sagte sie zu Imilico.

Die Hitze war erdrückend auf dem letzten Teilstück ihrer Reise. Sie lagen rücklings auf den Kissen, und um sich die Zeit zu vertreiben, schaute Marcella den Olivenhainen und den Weinbergen nach, die ihren Weg säumten.

Als sie westlich von Sitifis auf einen langen geraden Weg bogen, schaute Imilico hoch und sagte: »Wir kommen zur letzten Station unserer Reise.«

Schlanke Pferde in eingezäunten Koppeln folgten dem Wagen eine Zeitlang.

»Ich bin beeindruckt«, sagte Marcella.

Der Wagen hielt vor einer Villa, und als sie ausstiegen, trat ein untersetzter Mann von ungefähr sechzig Jahren aus dem Haus.

»Ich grüße euch«, sagte er. Er hatte graues krauses Haar, und er sprach mit dem rauhen Akzent, der allen römischen Nordafrikanern eigen war.

»Grüße! Marcella, Hasdrubal ist der Verwalter der Villa«, sagte Imilico. »Ihr werdet gut miteinander auskommen.«

Der alte Mann lächelte ihr aufmunternd zu. Er hatte ein offenes Gesicht, wenn auch gegerbt vom heißen Klima, und schien sie wirklich willkommen zu heißen.

Während sie in eines der leichten Kleider schlüpfte, die sie in Hippo gekauft hatte, fiel ihr ein, daß Imilico sich nur kurz angebunden verhalten hatte. Etwas stimmte nicht mit ihm.

Später gesellte sie sich zu den anderen Bediensteten, die sich zu einem leichten Mahl in einem offenen Hof versammelt hatten. Die Säulen, die den Hof umgaben, wurden von Kletterpflanzen fast verdeckt.

»Wir sind zur Zeit knapp an Personal, und bald wird der Sohn meines Herrn mit seinen Freunden eintreffen. Ich habe den Hausgöttern eine doppelte Opfergabe dargebracht, und dann erhielt ich Imilicos Nachricht, daß er dich mitbringt und daß du Erfahrung im Auftragen von Speisen und Getränken hast«, bemerkte Hasdrubal.

Verdutzt starrte sie ihn an.

»Für die nächsten ein, zwei Monate brauchen wir alle Hilfe, die wir kriegen können.«

Sie verbarg ihre Überraschung und ihre Wut und machte sich an dem Obst auf ihrem Teller zu schaffen.

»Es bringt nichts, Sklaven nur für eine kurze Zeit zu kaufen«, vertraute er ihr an. »Es ist immer mit einem Verlust verbunden, wenn man sie nachher wiederverkauft, denn die Käufer meinen, sie hätten irgendein verstecktes Gebrechen, daß man sich so schnell wieder von ihnen trennt. Du wirst nicht enttäuscht sein von dem Lohn, den ich dir zahle, das kann ich dir versichern.«

»Aber ich bin nicht hier, um ...«

»Sie ist nicht ausschließlich des Geldes wegen hier, Hasdrubal«, unterbrach Imilico sie und sah sie streng an. »Sie möchte nach Theveste. Zur gegebenen Zeit. Es trifft sich gut, daß du gerade eine Vakanz hast.«

»Es sieht so aus, als würde es ein Vergnügen sein, hier zu arbeiten«, sagte Marcella ohne große Überzeugung. Sie kam nicht dahinter, was hier gespielt wurde.

Imilico grinste. »Du willst bestimmt gar nicht mehr weg!«

»Ich wußte, daß du ein eigensüchtiges Motiv hattest, mich mitzunehmen, ich wußte nur nicht welches!« rief Marcella verbittert, als sie und Imilico allein waren. »Warum soll ich bleiben? Und warum hast du mich hintergangen?«

»Indem ich ihnen aus einer Notlage helfe, baue ich ihren guten Willen auf, den ich bestimmt gut gebrauchen kann, wenn ich erst einmal mein eigenes Geschäft habe. Auf der anderen Seite kannst du etwas Geld verdienen, damit du dich mir gegenüber dafür erkenntlich zeigen kannst, daß ich dich sicher und bequem hierher gebracht habe.«

»Du bist unaufrichtig«, warf sie ihm vor. »Ich mag es nicht, derart manipuliert zu werden. Ich verliere wertvolle Zeit bei meiner Suche nach Gaius. Er wird Theveste längst den Rücken gekehrt haben, wenn ich dort eintreffe. Jeder Tag, der dahinzieht, läßt ihn über mich schlecht denken, weil er etwas Falsches denkt.«

»Es gibt zu viele Unruhen im Wüstengebiet, deshalb wird er noch nicht zurückkehren«, sagte Imilico.

»War es deine Absicht, mich aufzuhalten?« fragte sie, als sich ihr plötzlich dieser Verdacht aufdrängte. »Hast du mir überhaupt die Wahrheit gesagt? Ist er in Afrika? Oder hält er sich noch in Rom auf? Ist dies nur eine willkommene Gelegenheit, mich in dieser Einöde abzuladen, damit ich ihn nie wiederfinden kann? Woher soll ich wissen, daß du mir die Wahrheit sagst?«

Diese Furcht hatte sich schon seit einigen Tagen bei ihr eingenistet, und sie war froh, daß sie sie jetzt ausgesprochen hatte. Konnte es sein, daß Gaius sogar der besondere Partner von Imilico war? Hatte er sie deshalb hierhin verschleppt, um sie aus dem Weg zu haben?

»Da du mir so absurde Beschuldigungen an den Kopf wirfst«, erwiderte Imilico ruhig, »sehe ich, daß deine Gefühle so stark sind wie seine. Nein, alle meine Geschäfte mögen zwar nicht immer astrein sein und vor den Göttern bestehen, aber so skrupellos bin ich auch wieder nicht.«

»Und was hat dieser erzwungene Aufenthalt hier zu bedeuten?« fragte sie erregt.

»Die Zivilisten sollen sich aus den Gefahrenzonen heraushalten, bis das Heer die Rebellion der Garamanten niedergeschlagen hat. Deshalb empfiehlt sich zur Zeit keine Weiterreise. Außerdem wird sich mein Herr im Grenzgebiet der Wüste aufhalten, mehrere Tagesreisen von der Festung entfernt. Ich habe die neue Situation nur zu jedermanns Vorteil genutzt.«

Sie dachte darüber nach und räumte dann schließlich ein: »Ja, kann sein. Aber ich will keine Zeit vertrödeln, bis ich Gaius ein paar Dinge erklärt habe.«

Es war ihr inzwischen gleichgültig, ob Imilico ahnte, daß sie etwas sehr Persönliches mit Gaius zu besprechen hatte. Sie wollte seine Reaktionen beobachten, um vielleicht zu erkennen, ob er Leidenschaft für Gaius empfand.

»Selbst wenn es dir gelingen würde, ihn ausfindig zu machen, würde er dir nicht danken, daß du ihn mitten in einer militärischen Krise störst«, sagte er. »Wenn er die Situation nicht im Keim ersticken kann, könnte sich daraus ein Krieg entwickeln, der mehrere Jahre dauert. Die Garamanten kontrollieren die Karawanenroute durch die Wüste, also würde ein Krieg weitreichende Folgen haben.«

Sie sah ihn nachdenklich an. »Ich sehe ja ein, daß ich warten muß, aber es ist fürchterlich zu wissen, daß er sein Leben riskiert.«

»Jeder lobt die ruhige Art, in der er Krisen meistert, und nachher gibt er sich immer sehr bescheiden.«

»Mir hat er erzählt, daß er nicht mutig genug wäre, im Norden zu kämpfen, und daß er sich deshalb für das leichte Leben im Süden entschieden hätte«, sagte sie bedauernd. Es schmerzte, daß Imilico so viel mehr über ihren Geliebten wußte als sie.

»Solche Dinge sagt er immer. Er mag es nicht, wenn die Leute ihn loben oder gar bewundern.«

»Ich nehme an, das erklärt auch diese wilde unterdrückte Intensität seiner Natur«, sagte sie. »Er nimmt sich das Vergnügen des Augenblicks, wenn es sich ihm bietet. Das wird verständlich, wenn man weiß, daß er immer sein Leben und das Leben seiner Männer riskiert.«

Ein seltsamer Ausdruck stand in Imilicos Gesicht.

»Habe ich etwas Verrücktes gesagt?« fragte sie.

Er lächelte.

»In diesem Licht haben ich meinen Herrn noch nie gesehen. Er ist nicht einer, der sich das Vergnügen des Augenblicks nimmt, wie du es genannt hast. Er genießt das gute Leben, aber er ist in der

Lage, an jeder Verführung vorbeizugehen, ohne im Widerstreit mit sich zu liegen.«

Sie starrte ihn an.

»Mir wird deutlich, daß du eine Seite in der Persönlichkeit meines Herrn angesprochen hast, die lange verborgen war«, sagte er weich. Er küßte Marcella auf die Stirn. »Ich breche morgen zur Rückreise auf, deshalb kann ich dir keine körperliche Erleichterung verschaffen, aber ich bin sicher, daß du einen Weg findest, um das lodernde Feuer in dir zu löschen.«

Die Bediensteten der Villa waren gut ausgebildet und arbeiteten fleißig. Es gab etwa dreißig Haussklaven und einige freigekaufte Sklaven und Sklavinnen. In den folgenden Tagen lernte Marcella nur wenige der Kolleginnen und Kollegen kennen, denn kaum jemand sprach Latein.

»Ich erwarte, daß du überall mithilfst, wo Not am Mann ist, wenn auch deine Hauptaufgabe darin besteht, die Speisen aufzutragen und abzuräumen«, klärte Hasdrubal sie auf, während er ihr zeigte, wo das Silberbesteck, das Geschirr und die Gläser und Krüge aufbewahrt wurden.

»Du wirst früh aufstehen müssen und wirst erst spät ins Bett kommen«, fuhr Hasdrubal fort. »Wenn die jungen Männer es wünschen, müssen wir sie die ganze Nacht mit Wein und Essen bedienen. Aber gewöhnlich ruht alles von der Mittagszeit an, weil man sich in der Hitze kaum bewegen kann. In der Taverne wirst du an feste Arbeitszeiten gewöhnt gewesen sein, aber bei uns in der Villa ist man immer im Dienst.«

In der zweiten Woche fand Hasdrubal sie niedergeschlagen auf dem Hof sitzen.

»Du mußt Kraft sammeln. Du wirst sie brauchen, wenn die jungen Leute eintreffen.«

Sie hob den Kopf und wischte sich verstohlen eine Träne aus dem Auge.

»Du hast in den letzten Wochen eine Menge durchmachen müssen«, sagte Hasdrubal verständnisvoll. »Du hast dein Zuhause, deine Familie und deine Freunde verloren.«

Und meinen Geliebten, fügte sie in Gedanken hinzu.

»Seltsam, ich habe mir immer gewünscht, auf eigenen Füßen zu stehen und der Enge der Familie zu entkommen«, sagte Marcella leise. »Aber jetzt, da ich meine Familie verloren habe, sehne ich mich nach ihr. Ich vermisse sie.«

»Das ist doch nur natürlich.«

»Ich habe mich auf die Reise gefreut«, fuhr sie fort. »Aber jetzt kommen mir Zweifel. Ich gehöre nicht hierhin.«

»Ich bin einmal mit meinem Herrn nach Griechenland gereist. Ich weiß, was du meinst. Dort war alles ganz anders.«

Sie lächelte traurig. »Das Essen, das Klima, selbst die Luft ist anders. Bei uns in Pompeji war die Luft süß und dick.«

»Mit der Zeit wirst du lernen, das Land zu lieben, und du wirst auch unsere Sprache lernen. Du darfst nicht zu schnell zuviel von dir erwarten.«

Ihr Unterbewußtsein nagte an ihren Gedanken. Sie wußte, daß sie sich nicht wirklich bemüht hatte, ihre Familie und Freunde wiederzufinden. Lieber war sie einem Mann gefolgt, der nicht einmal daran interessiert war, ihre Version der Geschehnisse zu hören. Sie schüttelte den Kopf und verdrängte den Gedanken wieder. Sie lächelte Hasdrubal an.

»Erzähle mir von den jungen Leuten, die bald eintreffen werden.«

»Wenn mein Herr und die Herrin verreist sind, lebt ihr Sohn Julius gewöhnlich bei seinem Onkel in Italien. Er hat uns jetzt die Nachricht zukommen lassen, daß er und drei seiner Freunde einige Zeit in der Villa verbringen wollen. Sie können alle ziemlich ausgelassen sein. Ich nehme an, daß der Onkel darauf bestanden hat, daß gewisse Spielregeln eingehalten werden müssen, solange sie bei ihm wohnten, und daß sie annehmen, in der Villa ein freizügigeres Leben führen zu können, denn schließlich gibt es hier niemanden, der ihnen Einhalt gebieten kann. Wenn die jungen Leute wirklich die Sau rauslassen wollen, können sie es ungestraft tun, und für uns bricht eine schwierige Zeit an.«

»Vielleicht gelingt es ihnen, mich von meinen Problemen abzulenken«, murmelte Marcella. »Bisher sitze ich nur herum und grüble und trauere der Vergangenheit nach. Aber ich will gar nicht alles negativ sehen.«

»Gut so«, lobte Hasdrubal, fuhr mit beiden Händen durch ihre Haare und ging aus dem Zimmer.

## Fünfzehntes Kapitel

»Komm herein! Hier gibt es keine alberne Prüderie!« rief Julius fröhlich, als er völlig nackt vor Marcella stand. »Gemischtes Baden ist in Rom und in den öffentlichen Bädern nicht erlaubt, aber hier bei uns ist es die Norm. Besonders, wenn man Vater nicht zu Hause ist!«

Seine helle, kräftige Stimme wurde von den Steinwänden des luxuriösen Bads zurückgeworfen. Wände und Decke waren mit wunderschönen blauen und weißen Mosaiken verziert, und sie waren so dick, daß von außen kein Laut hereindrang.

Marcella hielt einen Stapel Tücher in den Armen.

»Ich habe Arbeit zu tun«, murmelte sie und vermied es, seinen Körper zu betrachten, aber lange hielt sie das nicht durch. Er war schlank und muskulös, und die blonden krausen Haare waren nach der jüngsten Mode geschnitten. Sein Schamhaar war sogar noch ein bißchen heller, es rahmte seinen aufrecht stehenden Penis wie ein Blätterwerk ein. Sie mußte genauer hinschauen, als sie aus den Augenwinkeln erkannte, daß sich der Penis noch versteifte und sich weiter in die Höhe reckte. Der Speichel sammelte sich in ihrem Mund, und sie mußte ein paarmal schlucken.

Sie zwang sich, den Blick abzuwenden und sich daran zu erinnern, daß sie zum Arbeiten und Bedienen hier war, und nicht zum Herumexperimentieren mit jungen Männern, die sicher ebenso oder noch mehr auf der Suche nach sexueller Erleichterung waren wie sie.

»Ich habe eine Stunde lang geschwitzt, und dann bin ich eingeölt und massiert worden. Jetzt will ich ein bißchen Spaß haben. Wenn mein Vater hier wäre, müßte ich in kaltes Wasser tauchen, weil er mich erziehen will wie ein Spartaner. Er glaubt, ich würde sonst ein Weichling.« Er grinste und schaute an sich hinab. »Ich kann nichts Weiches entdecken.«

Unwillkürlich folgte sie seinen Blicken. Die Rute nickte wie zur Bestätigung.

»Möchte der Herr eine Massage haben? Ich habe die Kunst vor kurzem erst gelernt.«

»Zieh dein Kleid aus, damit es nicht naß wird, und dann kommst du zu mir. Das ist ein Befehl«, sagte er, aber seine Augen zwinkerten dabei.

»Hasdrubal wird wütend sein«, antwortete sie ohne große Überzeugung in der Stimme.

Sie bemerkte, daß sich die Sklavinnen, die ihn gebadet, massiert und eingeölt hatten, zurückgezogen hatten, und daß sie nun allein waren.

Ja, gestand sie sich, sie sehnte sich nach der Berührung eines Mannes. Sie wollte einen Mann in ich spüren. Sie wollte die körperliche Lust durch einen Mann erfahren. Viel zu lange hatte sie darauf verzichten müssen.

»Hasdrubal arbeitet für meinen Vater«, sagte er. »Da mein Vater nicht anwesend ist, bin ich der Herr des Hauses.«

Sie fragte sich, ob sie ihre Stelle riskierte, wenn sie sich weigerte – oder ob sie die Stelle riskierte, wenn sie seinem Drängen – und ihrem eigenen auch – nachgab.

»Beeile dich«, rief er ungeduldig. »Oder willst du nicht?« fragte er dann lauernd.

Sein Penis stand nicht mehr so aufrecht, und sie empfand plötzlich das Bewußtsein weiblicher Macht: Er hatte sich wegen ihr aufgerichtet, und jetzt begann er abzuschlaffen, weil Julius fürchtete, sie könnte sich ihm verweigern. Sein »Befehl» hatte eher wie ein Betteln geklungen, und jetzt wußte er nicht mehr, was er tun oder sagen sollte.

»Ich kann nicht widerstehen«, sagte sie leise. »Ich muß die Gelegenheiten wahrnehmen, die die Götter mir schicken. Ich kann nicht immer nur von meinen Hoffnungen und Träumen leben.«

Sie ließ die Handtücher entschlossen auf den Boden fallen, mitten auf das Mosaikbild eines mythischen Liebespaares, Dido und Aeneas. Langsam öffnete sie den langen Gürtel ihres Kleids und beobachtete, wie Julius jede ihrer Bewegungen verfolgte. Sie wand sich verführerisch hin und her, und dabei schaute sie auf seine Lenden. Sie fuhr sich mit der Zunge über die Lippen und feuchtete sie an, während sie mit den Händen leicht über ihre Hüften strich. Sie mußte schmunzeln, als sie sah, daß sich der Penis wieder aufrichtete. Sie konnte kaum erwarten, bis er in sie eindrang und seine Kraft bewies. Ihr Körper verlangte nach seiner Kraft.

Sie bückte sich und legte ihre Kleider auf die Handtücher, und dabei war ihr bewußt, daß sie ihm den Schwung ihrer Hüften und die baumelnden Brüste zeigte. Absichtlich tat sie einen Schritt zur Seite, damit er einen Blick auf die weichen Falten zwischen ihren Schenkeln werfen konnte.

»Beeile dich, ich verbrenne hier!« rief er ungehalten.

»Ich auch, mein Herr«, sagte sie lachend.

Der Anblick seines schlanken, drahtigen Körpers weckte die Lust in ihr. Sie spürte, daß sie bei der Vorstellung, wie er bald in sie eindringen würde, feucht wurde. Sie streckte sich, richtete sich auf und wußte, daß ihre Brüste keck aufragten.

Er watete durch das hüfthohe Wasser und legte eine Hand auf seinen Penis, der ungestüm zu zucken begann. Marcella mußte schlucken. Bald würde sie ihn in der Hand halten und kosen und reiben und schmecken.

Er rief: »Ich will dich jetzt, Frau!«

»Dann mußt du mich fangen«, kreischte sie in den Widerhall seiner Worte. Sie wandte sich ab und wedelte verführerisch mit ihrem Hinterteil.

Er sprang aus dem Wasser und rannte auf sie zu, aber sie entwischte ihm und sprang ins Becken. Sie neckte ihn mit lachenden Augen.

Er sprang wieder hinein, und das Wasser klatschte hoch, während sie am anderen Ende stand und vorgab, wieder hinauszuspringen. Sie ließ sich Zeit, als sie mit gespreizten Beinen über dem Rand des Beckens war, und im nächsten Moment war auch schon Julius bei ihr und griff sie. Er zog sie an sich heran und drückte sie an seinen Körper, hielt ihren Po mit einer Hand fest und fuhr mit der anderen über ihre nassen Brüste.

Sie kicherte und griff mit beiden Händen zwischen seine Beine, sie berührte sanft den von krausen Haaren umgebenen Hodensack und fuhr mit den Fingern an seinem Schaft entlang. Er stöhnte auf und ruckte mit dem Unterleib vor und zurück, als wollte er kleine, schnelle Stöße ausführen.

»Ich will dich, jetzt! Im Wasser!« Er wollte sie packen, aber seine nassen Hände glitten an ihr ab, und durch eine unbedachte Bewegung geriet er auf dem glitschigen Steinboden ins Straucheln.

Sie hielt ihn fest, packte ihn an der Schulter und geriet ebenfalls ins Straucheln, als ein Fuß nach hinten rutschte. Sie glitt an seinem Körper hinunter und klammerte sich mit beiden Händen an seinem Gesäß fest. Sie kicherte, als sie mit der Stirn gegen seinen zuckenden Penis stieß.

Ohne darüber nachzudenken, öffnete sie den Mund und hieß ihn willkommen. Sie bewegte den Kopf vor und zurück und umspielte die Spitze mit der Zunge. Er schmeckte frisch und jung. Sie kniete auf dem Beckenboden und spürte, wie das Wasser gegen ihre Brüste schwappte. Sie saugte rhythmisch und knetete seine Backen mit beiden Händen.

Er keuchte, und sie spürte, daß der Penis in ihrem Mund bedenklich zu zucken begann, deshalb zog sie den Kopf rasch zurück und schöpfte Wasser, um den erhitzten Phallus abzukühlen. Sie lachten und kreischten und bespritzten sich gegenseitig mit Wasser. Ihre Haare waren klatschnaß, und ihr Schoß pochte. Sie konnte das Bild seines zuckenden Penis nicht vergessen, und für sie gab es in diesem Moment nichts Wichtigeres, als ihn so bald wie möglich in sich zu spüren.

Sie kletterte aus dem Becken und ließ sich wieder viel Zeit dabei, denn sie bot ihm nicht nur Rücken und Po als Anblick, sondern auch die geöffnete Kerbe zwischen den Schenkeln. Absichtlich beugte sie sich weiter vor, als es nötig war, um aus dem Becken zu steigen.

Er planschte ihr nach und rief, daß sie zu ihm zurückkehren sollte. Sie drehte sich nach ihm um und grinste, dann stieg sie über den Rand und lief zum nächsten Bogengang.

Sie blieb stehen, als sie ihren Fehler bemerkte.

»Ha! Du bist auf dem Weg ins Heißbad, da wirst du es kaum aushalten können«, rief er. »Jetzt kannst du mir nicht mehr entwischen. Ich kriege dich, und dann nehme ich dich, Frau!«

Seine ungestüme Art erregte sie noch mehr. Sie mochte seine jugendliche Begeisterung, und sie war bereit, ihn alles zu lehren – so wie Gaius ihr vor noch gar nicht langer Zeit alles beigebracht hatte, was mit Lust und Sinnenfreude zu tun hatte.

Der andere Ausgang führte in den Erholungsraum, aber den ignorierte Marcella. Da lief sie lieber hinaus in die gleißende Sonne. Die Hitze traf sie, als wäre sie gegen eine Mauer gelaufen. Sie verharrte nur einen Augenblick, dann lief sie weiter – nackt und kreischend. Und hinter sich hörte sie den schimpfenden Julius. Zwei Gärtner hielten mitten in ihrer Arbeit inne und drehten sich neugierig und ungläubig nach den beiden um.

Marcella schaute sich um und sah, daß Julius sie fast eingeholt hatte. Sie rannte schneller.

Sie konnte bald seinen Atem hören und glaubte auch, die Hitze seines Körpers zu spüren. Sie erreichte die Ecke der Villa und sah vor sich die Ställe.

Ein Pferdepfleger zog hastig einen Zuchthengst vom Pfad weg und starrte ihr offenen Mundes entgegen. Er schirmte die Augen mit einer Hand gegen die Sonne ab, um sich zu vergewissern, daß seine Sinne ihm keinen Streich spielten – im Garten seines Herrn lief ein nacktes Mädchen herum, und wenige Schritte dahinter rannte der junge Herr.

Julius berührte ihre Schultern mit den Fingerspitzen, und Marcella kreischte und lachte. Das Pferd wieherte und schnaubte, aber Marcella hatte kein Auge für das Tier, sie rannte den Ställen entgegen. Und dort drinnen, erkannte sie, blieb ihr keine weitere Fluchtmöglichkeit.

Sie drehte sich und schaute ihrem Verfolger ins Gesicht. Ihr nächster Blick galt seinem Penis, der immer noch starr aufgerichtet war und nichts von seiner Härte verloren zu haben schien.

»Lege dich hin!«

»Ha! Warum sollte ich?«

Er sprang sie an, brachte sie aus dem Gleichgewicht, und gemeinsam fielen sie in das tiefe Stroh des nächsten Stalls. Die harten Halme bissen ihr in Hintern und Rücken. Julius' Körper war fast unbehaart, nur ein weicher Flaum sproß auf seiner Brust, die sich seidig anfühlte. Sie stöhnte vor Lust, als sie seinen Körper auf ihrem spürte und über seine samtene Haut strich.

»Öffne deine Schenkel, du Sirene«, keuchte er, sein Gesicht in ihren Haaren verborgen. Er küßte ihren Nacken und schob eine Hand zwischen ihre Beine.

»Sag bitte«, forderte sie ihn auf.

»Bitte.«

»Sag bitte, meine Dame. Bitte, öffne deine Schenkel. Und du mußt es so sagen, daß ich das Gefühl habe, es sei dir ernst, ganz ernst.«

»Bitte, meine Dame. Bitte, bitte, bitte, bitte, öffne deine Schenkel und verschaffe mir Zugang zum Tempel der Freuden.«

Sie mußte lachen, hielt sein Gesicht in beiden Händen und küßte ihn.

»So sehr brauchst du auch nicht zu übertreiben.«

»Ich werde noch viel mehr treiben. Ich treibe es weiter, als ich je getrieben habe. Viel, viel weiter. Weißt du, du bist meine erste Frau. Und ich will dich. Ich begehre dich.«

Er verschloß ihren Mund mit seinen Lippen, und ungeschickt drang seine Zunge ein.

Sie mußte lachen, dann versuchte sie, seine Zunge mit ihrer zurückzudrängen.

Er packte ihre Hände, hielt sie mit einer Hand oberhalb ihres Kopfes fest. »Ah, du sträubst dich! Nein, du wirst dich mir nicht widersetzen können. Wenn ich erst in dich eingedrungen bin, wird mein animalischer Magnetismus in dich übergehen. Öffne deine Schenkel. Wie kann ich in dich hineinkommen, wenn du sie zusammenpreßt?«

»Ich muß dir erst eine Lehrstunde geben«, sagte sie streng. Sie befreite sich aus seinem Griff und wälzte sich unter ihm weg. »Du mußt lernen, daß eine Frau erst bereit sein muß, ehe du in die eindringen kannst. Wenn du sie vorher nicht genügend beeindruckt hast, wirst du dein ganzes Leben lang ein schlechter Liebhaber sein und bei Frauen als Versager gelten.«

Er schaute verdrießlich drein, und seine Erektion begann abzuschlaffen.

Derart hatte sie ihn nun auch nicht entmutigen wollen, also beugte sie sich rasch über ihn und stülpte ihren Mund über ihn. Sofort richtete er sich wieder auf.

»Jupiter! Odysseus!«

Sie mußte lachen und drückte seinen Oberkörper aufs Strohlager.

»Lege ich zurück. Wie ich schon sagte, muß ich

dir erst eine Lehrstunde erteilen. Oder vielleicht auch zwei oder drei. Und bei allen geht es um die körperliche Liebe.«

Sie grätschte über ihn und öffnete mit der Penisspitze ihre Schamlippen. Die Hitze fühlte sich wunderbar an, und sie hätte nichts lieber gespürt, als den harten Stab tief in sich, aber sie wußte, daß er sie nicht würde befriedigen können, wenn sie ihn jetzt schon einließ.

»Du hast die Signale nicht mißdeutet«, versicherte sie ihm. »Ich will es ebenso sehr wie du. Vielleicht noch mehr, weil ich schon weiß, welche Freuden vor uns liegen. Ich kenne mich aus mit dem Körper des Mannes, und ich will unbedingt deinen Phallus in mir spüren.«

»Dann laß mich endlich rein.«

»Das wird auch geschehen. Ich will dir nur sagen, daß es nicht alle Frauen schätzen würden, gejagt und herumkommandiert zu werden. Ein unschuldiges Mädchen würde verängstigt sein und sich ihr Leben lang vor dir und allen Männern fürchten, wenn du sie so jagst, wie du mich gejagt hast. Und das willst du doch nicht, oder?«

»Ich will, daß die Frauen zu meinen Füßen liegen und sich mir nicht nur willig anbieten, sondern auch vor Lust und Wonne zerfließen.«

Sie rieb seinen Penis zwischen ihren Labien und führte dann seine Hände zu ihren Brüsten und zeigte ihm, wie er sie zu streicheln und zu drücken hatte.

»Jupiter!« rief er wieder aus.

Sie rutschte auf seinem Körper hoch und hockte über seinem Gesicht. Er stieß ein wildes Juchzen aus, und seine Finger berührten beinahe andächtig die Falten und erforschten die tiefe Öffnung dazwischen.

»Ich habe noch nie das Innere einer Frau gesehen«, sagte er leise. Zögernd schob er einen Finger hinein, und sie stöhnte und raunte ihm aufmunternd zu. Er tupfte behutsam die Fingerkuppe gegen die Klitoris, und sie zuckte zusammen und stöhnte lauter. Er begriff und widmete sich nun verstärkt diesem wundersamen Knopf, zwirbelte ihn mit Daumen und Zeigefinger.

»Auch wenn du nicht viele Erfahrungen mit Frauen hast, weißt du doch, was du zu tun hast und womit du ihnen Freude bringst«, stöhnte sie. Sie ließ sich nach vorn fallen und stützte sich mit den Händen ab.

»Die Dienstmädchen haben heimlich schon mal Erbarmen mit mir, aber sie lassen mich nicht in sich eindringen, weil sie Angst haben, schwanger zu werden. Oder sie haben Angst, daß mein Vater etwas erfahren könnte. Nur wenn ich mit einem männlichen Sklaven zusammen bin und wir uns streicheln, drückt mein Vater beide Augen zu. Er ist eben altmodisch. Nur weil dies in seiner Jugend Sitte war, läßt er mich nichts anderes tun. Aber du läßt mich, ja, Marcella?« fragte er, tiefe Furchen auf der jungen Stirn.

»Natürlich lasse ich dich. Ich will die Erleichterung haben, die du mir bringen kannst. Und gleichzeitig wirst du lernen, wie du dir der Dankbarkeit jeder Frau sicher sein kannst. Sie wird dann wieder kommen und mehr von dir haben wollen.«

»Oh, ja, bitte, zeige mir das.«

Er beschäftigte sich immer noch mit ihrer Klitoris und führte einen Finger tief in ihre Scheide.

»Du brauchst dich nicht auf deine Finger zu beschränken«, sagte sie und ließ sich auf sein Gesicht hinunter.

Seine vollen Lippen fühlten sich wunderbar sanft und feucht an. Er begriff sofort und fuhr mit der Zunge über den Kitzler, was sie zu einem wilden Hecheln brachte.

»Du bist ein Naturtalent«, stöhnte sie und ließ ihr Becken leicht rotieren. Sie spürte seinen Finger, der sie tiefer erforschte, und die Kontraktionen ihrer Scheidenwände lösten einen leichten Orgasmus ein.

»Das war ganz süß«, sagte sie leise, als sie sich neben ihn legte, den Kopf auf seiner Brust.

»Jetzt will ich aber, was du mir versprochen hast«, sagte er, und sie legte sich auf den Rücken und spreizte bereitwillig die Schenkel. Sein Penis zuckte gegen ihre Hinterbacken und dann gegen den Venusberg, bis sie ihn sanft in die Hand nahm und langsam einführte. Sie beobachtete sein Gesicht dabei und sah, daß er den Atem anhielt. Sie zog seinen Kopf zu sich herunter und küßte seinen Mund. Zweimal bewegte er seine Hüften, dann ergoß er sich schüttelnd und zuckend in ihr.

Er rollte von ihr und lag mit geschlossenen Augen neben ihr, ein gesättigtes, zufriedenes Grinsen im Gesicht.

Sie streichelte liebevoll über seine Haare, sein Gesicht und den Brustkorb. Sie wußte jetzt, daß Imilico recht gehabt hatte: Es war eine wunderbare Erfahrung, die ultimative Lust im Gesicht des Partners zu sehen.

Sie selbst fühlte sich unausgefüllt und unbefriedigt, denn der schwache Orgasmus hatte sie lediglich daran erinnert, was sie schon seit Wochen so schmerzlich vermißte. Ihr Körper sehnte sich nach einer tiefen Erlösung. Sie schloß die Augen und fiel in einen leichten Schlaf.

»Mich überkommt die Langeweile. Ja, wir alle leiden unter der Langeweile«, sagte eine Stimme.

Julius setzte sich abrupt auf und starrte auf die jungen Männer an der Tür, von denen im gleißenden Sonnenlicht nur die Umrisse zu sehen waren.

»Ich grüße euch, Freunde.«

»Quintus hat ejakuliert, als er ihren Hintern über deinem Gesicht gesehen hat«, sagte der eine Junge und wies auf den anderen.

»Du auch, Publius, also sei ruhig. Das war ein irrer Anblick, Mann. Das Beste, was ich bisher gesehen habe.«

Der dritte junge Mann sagte: »Ich wollte, sie täte das auch für mich. Würdest du das tun, Marcella?«

Sie wandte ihr Gesicht ab, verlegen und verunsichert. Sie wußte nicht, wie sie sich verhalten sollte. Ihre körperlichen Nöte nagten immer noch in ihr, sie verlangten nach der Erfüllung, die Julius ihr nicht gegeben hatte.

»Das wäre die einzige Lösung, Felicius«, dröhnte Publius, »denn ich wette, daß Julius es nicht noch einmal schafft.«

»Gib mir eine Viertelstunde, denn werde ich es euch zeigen«, sagte Julius, aber sehr überzeugend klang er nicht.

»Du hast schon mehr als eine Viertelstunde gehabt, um dich zu erholen. Du hast geschnarcht, du Faulpelz. Wir langweilten uns bei dir, deshalb sind wir gegangen, und als wir zurückkamen, lagst du immer noch wie erschlagen da. Weißt du noch, was du uns gesagt hast? ›Kommt mit mir und verbringt ein paar aufregende Wochen in der Villa, während meine Eltern in Syrien sind.‹ Und was haben wir bisher als Abwechslung gehabt? Wir haben dich schlafen gesehen.«

»Ja, das ist dürftig, was du uns bietest, du bist wirklich ein lausiger Gastgeber«, sagte Felicius, aber er lächelte dabei.

Er war ein stiller junger Mann, und Marcella konnte sich an seinen strahlend blauen Augen nicht sattsehen.

»Ich brauche länger als ... beim Hades, sie hat mich fertiggemacht!« stöhnte Julius. Als er aufstehen wollte, trat Publius ans Lager.

»Ich wette zwei Dinar, daß dir keine Ejakulation mehr gelingt, ehe ich bis fünfhundert gezählt habe.«

Verwirrt schaute Marcella zu, wie sich Publius neben Julius aufs Lager legte. Seine Hand berührte den schlaffen Penis des Freundes, und im nächsten Augenblick trafen sich ihre Lippen zu einem langen Kuß.

»Ich bin weg, das ist mir zu lahm, denn diese Schau habe ich oft genug gesehen«, bemerkte Quintus. »Wie wäre es mit einem Würfelspiel, Felicius?«

Felicius konnte seinen Blick nicht von Marcella wenden.

»Ich werde eine Weile hier bleiben. Ich will ihnen zusehen. Es beruhigt die Nerven, finde ich.«

»Lege das um deinen Körper«, schlug Felicius vor und reichte ihr eine dicke Pferdedecke. »Später holen wir deine Kleider aus dem Bad.«

»Woher weißt du, daß wir dort waren?« fragte sie.

»In der Villa gibt es kein anderes Thema mehr. Die Gärtner und Pferdepfleger haben allen von eurer Jagd durch den Garten und zu den Ställen erzählt. Deshalb sind wir doch gekommen, um euch zuzusehen.« Er kicherte. »Ich möchte dich gern besser kennenlernen«, fügte er dann hinzu. »Woher kommst du? Du hast einen ungewöhnlichen Akzent – das klingt nicht römisch, aber auch nicht tripolitanisch.«

Felicius umfaßte zärtlich ihre Brüste, als hätte er Angst, etwas zu zerbrechen. Er roch gut, stellte sie fest, als er sie küßte.

Das Paar im Stroh war in sich versunken, während Marcella und Felicius Geschichten aus ihrer Kindheit tauschten. Aber durch ihre gegenseitigen Berührungen waren sie bald bei einem anderen Thema.

»Ich sehne mich nach einer kräftigen Mannesrute, die mir einen langen Orgasmus besorgt«, flüsterte sie ihm zu und schaute ihm dabei in die blauen Augen.

»Ich weiß«, flüsterte er zurück. »Die Episode mit Julius diente nur als Appetitanreger, nicht wahr? Jetzt brauchst du es noch nötiger als vorher. Ich mag zwar noch jung sein, aber ich kann das Feuer löschen, das zwischen deinen Schenkeln lodert. Im Gegensatz zu Julius habe ich schon bei einer Frau gelegen. Ich weiß, was Frauen wollen.«

»Du erinnerst mich an jemanden«, raunte sie.

In den Ställen war es dunkel und still.

Die Pferdedecke kratzte ihre sanfte Haut.

»Ich glaube, er hat seine Wette verloren«, sagte Felicius. »Die sind doch schon seit einer Stunde zugange.«

Marcella legte sich auf die Seite und sah zum Strohlager.

»Ich schaue ihnen gern zu«, gestand Felicius zwischen Küssen in ihren Nacken. »Man sieht ihnen an, daß sie es genießen. Aber ich habe keine Lust, mich ihnen anzuschließen. Julius ist ein glücklicher Mann – er kann sein Leben lang sein Vergnügen mit beiden Geschlechtern haben. Wir dagegen sind auf das jeweils andere Geschlecht beschränkt.«

Er legte sich behutsam auf sie, bereitete sie kundig vor und drang leicht in die bereitwillige Frau ein.

»Man merkt, daß du das nicht zum ersten Mal machst«, sagte sie. »Mit wem hast du geübt?«

»Mein Vater und mein Onkel teilen sich ein Sklavenmädchen. Sie ist etwa vierundzwanzig Jahre alt, und sie ist voller Sinnenfreude. Die Männer haben nichts dagegen, wenn ich mich gelegentlich mit ihr beschäftige. Und das Mädchen ist froh, daß sich jemand um sie kümmert, wenn Vater und Onkel verreist sind. Ich nehme an, daß meine Mutter und meine Tante davon wissen, aber sie drücken wohl beide Augen zu.«

»Wie klug von ihnen. Ich glaube, diese Weisheit gibt es nur in wohlhabenden Familien.«

Er bewegte sich locker in ihr, und sie erwiderte seinen Rhythmus.

»Ich halte mich zurück, bis du deinen Orgasmus erlebt hast. Wie oft willst du den Höhepunkt erleben, bevor ich es beende?«

Sie kicherte.

»Du hörst dich an wie ein Verkäufer, der eine Bestellung entgegennimmt. Wenn der erste Höhepunkt mich ganz durchschüttelt, bin ich mit einem zufrieden.« Sie spannte ihre inneren Muskeln an, und er stöhnte und verstärkte seine Stoßbewegungen.

»Für eine Frau wie dich ist ein Höhepunkt längst nicht genug«, sagte er entschieden. »Wir lassen es mal mit zweien beginnen, und dann sehen wir, wie wir uns fühlen. Ich finde dich ungeheuer attraktiv, deshalb kann ich mich möglicherweise nicht so lange zurückhalten, wie ich gerne möchte. Manchmal bleibe ich die halbe Nacht dran, und Candida taumelt von einem Orgasmus in den anderen.«

Sie sah vor sich das Bild der beiden Körper, der eine weiß, der andere schwarz, wie sie in völliger Entzückung einander Lust bereiteten. Unwillkürlich verkrampften sich ihre inneren Muskeln, was Felicius wieder zu heftigeren Bewegungen veranlaßte. Marcella stöhnte glücklich.

Sie zog seinen Kopf zu sich herunter und küßte ihn auf den Mund, während sie erschauerte, als sich ihre Nippel an seinem schön behaarten Brustkorb rieben.

Das Paar auf dem Stroh änderte die Stellung. Sie lagen jetzt nebeneinander, aber in verkehrter Richtung, und widmeten sich dem Flötenspiel.

Marcella war hingerissen von der ästhetischen Schönheit der Szene. Sie konnte Julius' Gesicht sehen, er hatte die Augen geschlossen.

»Oh, Juno, es ist schön, die Lust im Gesicht eines anderen zu sehen ...«

Als sich die orgasmischen Wellen in ihrem Körper ausbreiteten, war sie überrascht. Alles in ihr zog sich zusammen, sie wurde wie von einer unsichtbaren Faust geschüttelt, und Felicius setzte unentwegt seine tiefen Stöße fort, die Marcella jetzt beantwortete, indem sie sich unter ihm aufbäumte.

»Nicht aufhören!« keuchte sie. »Es ist wunderbar mit dir, Felicius!«

Sie hörte das Paar im Stroh stöhnen und ächzen, die Bewegungen der Köpfe und Hände wurden schneller, hektischer, und dann eruptierten sie mit unterdrücktem Aufschrei.

Es war, als hätte dieses Bild auch sie zum nächsten Höhepunkt gebracht, denn sie hörte sich in diesen Aufschrei der beiden jungen Männer einstimmen, als sich die Hitze entlud. Sie spürte ein wohliges Kribbeln, das sich von den Haarwurzeln auf dem Kopf bis zu den Zehennägeln ausbreitete. Sie bäumte sich unter ihm auf, hob den Unterkörper an und zwang Felicius für eine kleine Weile zum Stillhalten, während sie den Genuß dieses Höhepunktes noch ein bißchen in die Länge zog.

Sie sackte zusammen und blieb heftig atmend liegen. Nach einer Weile öffnete sie die Augen und lächelte.

»Jetzt kommt der beste Teil«, hörte sie Felicius' fröhliche Stimme an ihrem Ohr. »Konzentriere dich. Drück hart dagegen. Ich kann mich nicht länger beherrschen. Den nächsten Orgasmus werden wir gemeinsam erleben.«

Sie sah ihn forschend an. »Du erinnerst mich an jemanden«, sagte sie, und bei sich wußte sie, daß es Gaius war, der von Wesen und Statur verblüffende Parallelen aufwies. Der Gedanke an ihren Geliebten leitete ihren nächsten Höhepunkt ein, und voller Stolz setzte Felicius zum Endspurt an, der sie wie ein reißender Strom erfaßte. Bald darauf lag sie dösend da, überwältigt von Glück und gesättigter Lust.

»Gaius Salvius Antoninus wird Probleme damit haben, die Stämme zum Frieden zu bewegen«, bemerkte Publius.

Verwirrt, als sie den vertrauten Namen des Geliebten hörte, ließ Marcella beinahe die Servierplatte mit den kleinen gerösteten Vögeln fallen, den sie ins Speisezimmer trug.

Sie genoß die bewundernden Blicke und das gelegentliche Berühren der jungen Gäste, während sie den Sklaven half, Essen und Wein zu servieren.

Quintus warf eine Weintraube in die Luft, und sie fing sie auf und schob sie rasch in seinen Mund. Lachend tätschelte er ihren Hintern.

»Er hat schon schwierigere Aufgaben bewältigt als diese«, antwortete Felicius auf Publius' Bemerkung. »Die dritte Legion ist von Kaiser Augustus ausgezeichnet worden, und sie ist auch heute noch die beste Streitkraft des Reiches. Sie wird mit dem Problem fertig.«

»Aber die Stämme sind wirklich zum Äußersten entschlossen«, warf Quintus ein. Er wusch seine Hände in dem parfümierten Wasser in dem Gefäß neben seinem Teller und trocknete sie an seiner Serviette ab. »Ich nehme an, daß sie erkannt haben, daß Rom nicht länger mit sich spaßen läßt. Der Bau der Festung in Theveste vor vier Jahren muß sie überzeugt haben, daß Rom die Grenzen schützen will.«

»Du wirst sein Land an der Küste erben, wenn er getötet wird, nicht wahr, Felicius?« fragte Publius. »Ich höre, daß er so etwas wie einen Palast darauf gebaut hat, viel größer und großzügiger als diese Villa hier.«

»Ich glaube, daß er es mir zukommen lassen will. Aber ehrlich, lieber ist mir, daß mein Vetter Gaius lebt. Ich habe genug Geld mit dem, was ich habe.«

Marcella starrte ihn offenen Mundes an.

Gaius und Felicius waren Vettern! Kein Wunder, daß sie diese Ähnlichkeiten bei ihnen festgestellt hatte!

Das Essen war eine einzige Qual für sie. Die Unterhaltung kehrte immer wieder zu Gaius zurück, aber sie hatte zuviel zu tun, um Fragen zu stellen.

»Mein kleines Zuhause in Tripolitania«, von dem er ihr erzählt hatte, hörte sich in der Schilderung der jungen Männer wie ein Kaiserpalast an, der Inbegriff des luxuriösen Wohnens und Lebens.

Hatte Gaius ihr auch bei anderen Dingen nicht die Wahrheit gesagt? Zum Beispiel, was seine Beziehung zu Imilico anging?

Gegen Ende des Essens stampfte sie zurück in die Küche und warf ein Tuch in die Ecke, müde und ungeduldig und voller Verzweiflung.

»Erschöpft? Du hast einen anstrengenden Tag gehabt«, sagte Hasdrubal und lächelte freundlich. »Ich habe gehört, daß du geholfen hast, den jungen Julius zu bändigen.«

»Indem wir uns eine Jagd durch die Gärten geliefert haben?« fragte sie und zog eine Grimasse.

»Ich habe nur gesehen, wie Felicius dich mit einer Pferdedecke ins Haus gebracht hat. Den athletischen Teil des Geschehens habe ich verpaßt. Aber du hast den Bediensteten Gesprächsstoff für mehrere Monate gegeben. Angesichts Julius' Verhalten wirst du es kaum glauben können, aber seine Eltern sind sehr bürgerlich gesonnen und haben eine hohe Moral. Deshalb haben wir solche Szenen hier noch nicht gesehen. Und ich bezweifle, daß wir sie noch einmal erleben werden«, fügte er glucksend hinzu.

»Du hast mir gesagt, ich soll ihn unter allen Umständen bei Laune halten«, erinnerte Marcella ihn.

»Und ich möchte, daß du deine gute Arbeit fortsetzt. Nimm das Gequatsche nicht als Kritik. Du kannst dir nicht vorstellen, wie schwierig Julius sein kann. Alle vom Personal werden dir dankbar sein, daß du dich um ihn kümmerst. Er hat mehr Energie, als gut für ihn ist. Du solltest ihn mal reiten sehen! Sein Vater verzweifelt an ihm. Er reitet jeden Monat ein Pferd zuschanden, und es ist ein Wunder, daß er sich dabei noch nicht das Genick gebrochen hat.«

»Ja, er scheint ein wenig wild zu sein«, sagte sie lächelnd und erinnerte sich daran, wie begeistert er ihren Körper erforscht hatte.

»Um ehrlich zu sein, uns grauste, als wir hörten, daß er und seine Freunde in die Villa kommen würden. Aber da er jetzt die Frauen entdeckt hat, wird sich vielleicht alles bessern. Das größte Problem ist sein Vater – ein Ästhet der alten Schule. Er ist ein guter Mensch und ein gerechter Herr, aber er hat wenig Verständnis für die überschäumende Energie seines Filius.« Hasdrubal seufzte. »Felicius' Vater ist genauso.«

»Später wollen sie Spiele veranstalten«, sagte Marcella. »Ich habe sie reden gehört. Sie schwärmen von den harten Burschen unter den mythischen Helden – Theseus, Herkules und Perseus ...« Sie lehnte sich erschöpft gegen die Wand. »Heute nachmittag hat es Spaß gemacht, aber jetzt bin ich müde.«

»Geh zu Bett. Ich bringe ihnen die letzten Getränke. Du hast genug gearbeitet und sie uns vom Hals gehalten. Es bringt uns nichts, wenn du am dritten Tag vor Erschöpfung umfällst.«

Sie hörte, wie sie in der Nacht nach ihr riefen. Sie lag in ihr parfümiertes Kissen gekuschelt und streckte ihre müden Glieder. Als sie keinen Laut mehr in der Villa hörte, etwa in der fünften Stunde der Nacht, stand sie auf und spazierte in den Garten.

Der Mond beschien die umrankten Säulen mit einem unwirklichen blauen Licht. Sie sog die kühle Luft ein. Irgendwo dort im Osten, an der Grenze zur Wüste, unter genau diesem Mond, umgeben von feindlichen Stämmen, schritt gerade um diese Zeit vielleicht auch Gaius Salvius Antoninus. Sein Zelt würde hinter hohen, gesicherten Palisaden stehen, aber die Sorge um seine Männer würde ihn nicht schlafen lassen.

Er hatte sie in die sinnlichen Freuden eingeführt, und kein anderer Mann hatte sie je zu solchen Höhen des Glücks gebracht, das sie bei ihm erfahren hatte.

Ob er auch den einen oder anderen Gedanken an sie verschwendete? Oder war die Erinnerung an sie eher bitter, wollte er die Erinnerung aus seinem Gedächtnis löschen?

Oh, was hätte sie dafür gegeben, in dieser Nacht in seinen Armen zu liegen!

## Sechzehntes Kapitel

»Du siehst viel besser aus heute morgen.«

Hasdrubal tauchte ein Tuch in ein Gefäß mit Wasser und dann in eine Schale mit Sand, dann rieb er das Tuch kräftig über eine große Silberschüssel.

»Ich habe gut geschlafen«, log sie, nahm ein Stück Brot und schenkte sich Ziegenmilch in einen Becher ein. »Das ist eine wunderschöne Schüssel.«

»Meine Frau ist wenige Monate, nachdem diese Schüssel meinem Herrn geschenkt wurde, gestorben. Wann immer ich die Schüssel sehe, muß ich an meine Frau denken – es war ihr das schönste Stück aus dem ganzen Haushalt.«

»Das tut mir leid«, murmelte Marcella. »Du mußt sie sehr vermissen.«

»Wir waren fast vierzig Jahre lang verheiratet. Sie wurde in Gallien geboren – wo diese Schüssel hergestellt wurde.« Er hielt sie hoch, um seine Arbeit zu betrachten.

Marcella fuhr mit einem Finger über das glänzende Metall. »Was für ein prächtiges Geschenk.«

»Gaius Salvius Antoninus hat es durch Imilico bringen lassen. Es ist pures Silber.«

Wieder Gaius. Sie versuchte, die Erinnerung an ihn zu verdrängen und schaute zu, wie Hasdrubal vorsichtig die Figur eines fülligen Kindes schrubbte.

»Der junge Herkules, der mit den Schlangen in seiner Wiege ringt«, bemerkte sie.

»Die anderen Figuren rund um die Schüssel zeigen die zwölf Aufgaben des Herkules.«

Sie betrachteten sie gemeinsam.

»Hier erlegt er den Löwen von Nemea, und hier kämpft er gegen die neunköpfige Hydra von Lerna.«

»Da fängt er den Hirsch von Arcadia ein, und hier, das ist der Eber von Erymanthus.« Sie fuhr mit einem Finger über eine andere Szene. »Da mistet er den Stall des Augeas aus.«

Sie stand auf und ging in der Küche auf und ab. Sie nahm ein weiteres Stück Brot und biß hinein. Ihre Gedanken sammelten sich allmählich und formten sich zu einem Plan.

»Diese jungen Männer haben zuviel Energie«, murmelte sie. »Sie wollen wie die großen Helden sein. Nun gut, ich werde ihnen Aufgaben stellen.«

Hasdrubal wischte noch einmal rund um die Schüssel, dann war er mit dem Ergebnis seiner Arbeit zufrieden.

Er widmete sich nun einem großen Pokal, ebenso verarbeitet wie die Schüssel, aber mit Blumenmotiven verziert.

»Dem Sieger dieser Herausforderungen winkt ein Preis«, fuhr Marcella fort. »Ich werde ihn in der Kunst der körperlichen Liebe unterrichten. Schließlich können nur wir Frauen wissen, was sie von Männern erwarten, und wenn wir es ihnen nicht zeigen, werden sie es nie erfahren.«

»Du vermißt deinen Geliebten«, sagte er, während er den Pokal betrachtete. »Er muß zur Dritten Legion gehören, wenn du nach Theveste gehen willst.«

»Du ziehst voreilige Schlüsse!« sagte sie rasch, aber Hasdrubal lächelte nur.

»Eine Frau wie du wird innerlich verbrennen, wenn du nicht bald bei ihm sein kannst. Du kannst dich eine Weile mit vier jungen Männern ablenken, aber wenn der Durst gestillt ist, werden deine Gedanken zu ihm wandern.«

»Der Sieger wird zwei Stunden lang an einem Ort seiner Wahl meine ungeteilte Aufmerksamkeit erfahren«, sagte sie den jungen Männern am nächsten Tag.

»Wir sollen dich durch Arbeit beeindrucken?« fragte Publius ungläubig. »Meinem Vater gehört die halbe Toskana und ein großer Teil Roms.«

»Das ist nicht fair, daß du Marcella damit beeindrucken willst«, rief Julius verärgert. »Wir alle wissen, daß deine Familie die reichste von uns allen ist.«

»Und was ist mit meinen verwandtschaftlichen Beziehungen? Meine Schwester ist verheiratet mit . . .«

»Es ist mir egal, wieviel Geld und Besitz eure Familien haben oder wer mit wem verheiratet ist«, sagte Marcella. »Ich glaube, ihr versteht mich nicht.« Sie wußte, daß Hasdrubal im Hintergrund stand und in sich hineinlachte. »Ich will, daß ihr euch alle einer Reihe von Herausforderungen stellt, wie es Herkules damals getan hat.«

Die jungen Männer sahen sich verlegen an und drucksten unglücklich herum.

»Wir sind Patrizier, wir haben es nicht nötig, körperliche Arbeit zu verrichten«, sagte Quintus.

»Das heißt also, daß der Sohn eines Patriziers sich zu fein ist, um es einem Herkules nachzutun?«

»Ach, das ist doch etwas aus der Mythologie.

Heutzutage gibt es keine monströsen Kreaturen, gegen die man kämpfen kann«, warf Felicius ein.

»Jede Frau träumt von einem Helden, der tapfer an die ihm gestellten Aufgaben herangeht, auch wenn sie unmöglich zu erfüllen sind. Ihr selbst kennt Sterbliche, die solche Helden sind – dein Vetter Gaius, zum Beispiel, Felicius. Und wenn ich mich nicht irre, wirkt er auf viele Frauen sehr attraktiv.«

Sie bemerkte, daß Hasdrubal sie neugierig ansah. Sie mied seinen Blick, denn es war ihr bewußt, daß keine Notwendigkeit bestanden hatte, die Sprache auf Gaius zu bringen.

»Falls es keine Entscheidung bei der Lösung der Aufgaben gibt, stelle ich eine weitere Aufgabe, bis es einen eindeutigen Sieger gibt.« Sie tat so, als hörte sie nicht das aufseufzende Stöhnen ihres Publikums, und stellte ein Wachsschild vor sie hin.

»Dies ist die Liste eurer Aufgaben.«

Sie schoben sich zum Tisch vor und lasen die in den Wachs geritzten Buchstaben.

»Erster Tag – Ställe ausmisten«, las Publius. »Genau wie Herkules.«

»Zweiter Tag – Feld hinter der Villa umgraben, damit es wieder bepflanzt werden kann«, las Marcella vor, dann fügte sie hinzu: »Das ist eine wirkliche Herausforderung, die vielleicht länger als einen Tag dauern kann.«

»Die Aufgabe des heutigen Tages wird leicht sein, Freunde«, murmelte Julius, als sie die Küche verließen. »Die Pferdepfleger haben ihre Arbeit immer bis zum Mittag erledigt, also werden wir heute nichts zu tun haben und können uns im Bad ausgiebig amüsieren.«

»Wie schade, daß die Pferdepfleger heute nicht dazu gekommen sind, die Ställe auszumisten«, bemerkte Marcella mit unschuldsvollem Blick zu Hasdrubal.

Dessen Augen zwinkerten. »Ja, aber es ließ sich nicht vermeiden, daß ich sie wegschicken mußte, um den Hund des Herrn zu suchen. Ich bezweifle, daß sie ihn bis zum Einbruch der Dämmerung gefunden haben werden.«

»Gewiß nicht«, erwiderte Marcella lachend, »schließlich haben wir ihn in eine Scheune gesperrt.«

Die vier jungen Männer hatten den ganzen Tag in den Ställen zu tun, und Marcella ließ sich ab und zu bei ihnen sehen, um sich davon zu überzeugen, daß sie ihre schweißtreibende Arbeit verrichteten. Sie sprach ihnen aufmunternd zu und bückte sich gelegentlich nach einem Strohhalm, wobei sie ihnen einen Einblick in den Ausschnitt ihres Kleids gewährte.

Die jungen Männer hatten sich längst ihrer Tunika entledigt und schwitzten in der Sonne. Ihre Muskeln waren im Vergleich zu den Männern, die Marcella bisher kannte, deutlich unterentwickelt, aber sie hatten junge, biegsame Körper und waren gut gebaut. Quintus verfügte noch über die stärksten Muskeln, und auf seiner Brust sprossen die meisten Haare.

Sie fühlte sich gut und begehrenswert.

»Es ist wirklich angenehm hier, Hasdrubal«, sagte sie, als sie das Eßzimmer aufräumte. »Du kannst dir nicht vorstellen, wie gut es mir tut, unter

Menschen zu sein, die sich den höheren Zielen des Lebens verschrieben haben.«

»Wir bemühen uns.«

»Hier bei euch führen sogar die Sklaven ein angenehmes Leben. Und wenn die jungen Männer betrunken sind, sind sie nicht so ungebührlich laut und ausfallend wie die Männer in der Taverne meines Onkels.«

»Die Reichen tolerieren keine Zügellosigkeit. Ich wurde in diese Familie hineingeboren, wie vorher schon mein Vater, deshalb weiß ich nichts von dem Leben, das du beschreibst. Es würde mir nicht gefallen.«

»Ich liebe Afrika. Ich lerne jeden Tag ein paar neue Wörter eures Dialekts, und jeder, mit dem ich spreche, ist zuvorkommend und freundlich.«

»Wir haben immer Platz für Menschen, die sich einordnen und hart arbeiten können.«

Sie sah ihn nachdenklich an. »Ich würde gern hier bleiben, Hasdrubal. Ich fühle mich sicher hier, und ich muß die Vergangenheit einfach vergessen.«

»Dann mußt du bleiben.«

Die jungen Männer erfüllten sechs verschiedene Aufgaben, und Marcella erwartete ungeduldig das Ende ihrer Arbeiten, wenn sie den Sieger zwischen ihren Schenkeln belohnen würde. In der Stille der Nacht legte sie Hand an sich an und dachte an Virius, um Gaius aus ihren Gedanken zu verbannen.

Eines Nachmittags, während die jungen Leute an ihrer siebten Aufgabe arbeiteten, schlenderte Marcella hinüber zum Badehaus. Die Kessel waren gut geheizt, und im Heißbad geriet sie ins Schwitzen. Kurz entschlossen entledigte sie sich ihrer Kleider, nahm ein heißes Bad und hoffte, daß es ihr helfen würde, die schmerzende Leere in ihrem Innern zu lindern. Als sie es kaum noch im heißen Wasser aushalten konnte, sprang sie rasch ins Tauchbecken.

Erschöpft von den extremen Temperaturen, denen sie ihren Körper ausgesetzt hatte, schlenderte sie durch die einzelnen Räume des Badehauses. Die Mosaike hätte man in Pompeji für altmodisch gehalten, aber Marcella gefielen sie. Im Gymnasium entdeckte sie einige Büsten in kleinen Nischen. Sie erkannte Julius Cäsar und den Schriftsteller Cicero. Beide waren Symbolfiguren der alten Republik, in der frivoles Leben und Luxus für unrömisch gehalten wurden. Sie erinnerte sich, daß Hasdrubal ihr erzählt hatte, sein Herr trauere diesen Zeiten nach. Der erste Kaiser, Augustus, stand mit einer kleineren Büste etwas weiter weg, und neben ihm erkannte sie den jetzigen Kaiser, Titus.

Ihr Herz machte einen Sprung, als sie in einer anderen Nische die Büste eines Mannes erkannte, der ihr ganzes Leben aus dem Gleichgewicht gebracht hatte: Gaius Salvius Antoninus.

In diesem Moment wußte sie, daß sie einer Selbsttäuschung erlegen war, als sie Hasdrubal gesagt hatte, sie würde hier bleiben wollen, weil sie so glücklich sei.

Sie wurde schwach in den Knien, und die Erinnerung flutete zurück in ihren Schoß. Sie schwankte und ließ sich auf dem Steinboden nieder, weil sie glaubte, sonst ungewollt umzufallen. Unbewußt berührte sie ihre Brüste, wie er sie berührt hatte, und mit der anderen Hand rieb sie über die Klitoris und erinnerte sich an seine wirkungsvollen, süßen Berührungen. Sie wollte Gaius, nicht einen dieser jungen Männer, die gestern noch Kinder gewesen waren.

Sie öffnete die Augen und schaute auf das weiße, ruhige Gesicht der Büste. Sie erhob sich und legte beide Arme um den Hals und küßte die kalten Lippen.

Sie breitete das Badetuch auf dem harten Steinboden aus und legte sich hin. Sie schloß die Augen und dachte an Gaius, stellte sich vor, wie er sie umschlungen und geküßt hatte. Sie griff sich mit einer Hand an die Brüste, drückte nacheinander die Warzen und spürte, wie es in ihrem Schoß zu fließen begann.

Sie sah sein Gesicht dicht vor sich, spürte seine Arme um ihren Leib, spürte seine feste Männlichkeit, diesen harten Stab, der sich so sanft anfühlte wie Seide. Sie spannte die Beine, rieb die Innenseiten der Schenkel gegeneinander und bildete sich ein, seine Zunge zu spüren.

Jetzt öffnete sie die Schenkel weit, als wollte sie ihm mehr Platz verschaffen. Sie hielt die Augen geschlossen, weil sie fürchtete, der Moment könnte sich als bloßer Traum erweisen. Sie wollte die Einbildung festhalten, solange es ging. Sie streckte ihre Hand aus, griff seinen Phallus, betastete seine Länge, kraulte die Haare. Die Hoden waren gespannt vor Lust.

Blind griff sie weiter nach oben, tastete seinen Brustkorb ab, berührte sein Gesicht. Sie spürte, wie sein Penis die Schamlippen teilte, und im nächsten Moment war er in ihrem Innern versunken, und vor Dankbarkeit stieß sie einen langen Seufzer aus. Sie bewegten sich gleichmäßig, ihre Körper befanden sich in vollkommener Harmonie. Sie fühlte sich in seiner Umarmung sicher und gut aufgehoben. Sie atmeten heftiger, als sich ihre Bewegungen beschleunigten, und sie stieß kleine spitze Schreie aus, als sie spürte, wie seine Stöße sie sicher zum Höhepunkt führten. Sie umklammerte seine Hinterbacken, zogen ihn tiefer in sich herein, bis sie seine wild wachsenden Schamhaare gegen ihren nackten Labien spürte.

Als es ihr kam, explodierte in ihrem Leib ein gleißendes Licht, das sich in Millionen kleine Partikel teilte. Hitze wallte in ihr auf, als wäre ein Ofen geöffnet worden. Ihr Körper war naß von ihrem Treiben, sie hatte sich im Namen der Lust und der Freundschaft völlig verausgabt.

Sie öffnete die Augen und lächelte, während er die letzten Zuckungen in ihr abwartete.

»Hasdrubal, du solltest dich schämen! In deinem Alter! Aber du hast die Energie eines Mannes, der vierzig Jahre jünger ist!«

Er grinste, rollte sich herum, so daß sie auf ihm lag, und küßte sie auf den Mund.

»Ich war eine lange Zeit verheiratet, da lernt ein Mann seine Grenzen und seine Fähigkeiten kennen. Als ich dich das erste Mal sah, wußte ich, daß ich dir gern Lust bescheren würde, und ich bin glücklich, daß es mir gelungen ist, auch wenn ich weiß, daß ich nicht derjenige sein kann, den du wirklich liebst.«

Er küßte sie wieder.

Die vier jungen Männer waren erschöpft von ihren Arbeiten im Herkules-Stil. Nachdem sie gebadet und sich angezogen hatten, hingen sie im Eßzimmer abgeschlafft auf ihren Stühlen.

»Ich nehme an«, sagte Marcella, »daß ihr heute abend früh zu Bett gehen wollt. Morgen müßt ihr den Weg zur Hauptstraße ebnen, es gibt zu viele Schlaglöcher darauf.«

»Das ist völlig absurd – kein Patrizier würde solche Arbeit verrichten«, maulte Julius.

»Willst du eine Legion befehligen und vielleicht im Triumphzug durch Rom getragen werden, weil du eine große Schlacht erfolgreich geschlagen hast?«

»Natürlich, aber ein Befehlshaber braucht nicht körperlich zu arbeiten.«

»Das Heer baut Straßen, und der Befehlshaber sollte wissen, was er von seinen Männern erwarten kann«, hielt Marcella dagegen.

»Du hörst dich an wie mein Vater.«

»Und wie mein Vetter Gaius«, rief Felicius.

Sie schüttelte die Bilder ab, die der Name in ihr auslöste.

Die jungen Männer stöhnten, und Publius warf ein Stück Brot nach ihr. »Wir haben fast alle Aufgaben erledigt«, sagte er. »Ich sehe nicht ein, warum du nicht ein bißchen für uns tanzen kannst. Aber es muß irgendwas Provokatives sein.«

Sie dachte einen Moment nach. »Nun gut«, sagte sie dann. »Aber nur schauen – kein Anfassen. Ihr verdient eine kleine Belohnung am heutigen Abend.«

Sie ging hinaus, damit sie ihre Mahlzeit ungestört einnehmen konnten, und sie zog sich ihr elegantes safranfarbenes Kleid an, dazu den passenden Schmuck. Um die Schultern legte sie eine durchsichtige Stola, die sie in Hippo Regius gekauft hatte. Sie schlüpfte in ihre golddurchwirkten Schuhe und band duftende Blumen aus dem Garten in ihr Haar.

Als sie in die Küche trat, schaute Hasdrubal von seiner Arbeit auf. »Du siehst unglaublich hinreißend aus«, sagte er mit heiserer Stimme, und seine Augen blickten ernst und andächtig.

»Ich will für sie tanzen«, sagte sie und lächelte. »Du wirst froh sein – und ich bin es auch –, daß sie so erschöpft sind, daß sie nicht mehr die Kraft haben werden, irgendwas anzustellen. Ich bin sicher, daß sie früh im Bett sein werden. Kann jemand die Flöte spielen oder die Laute?«

Hasdrubal übersetzte einer Sklavin ihren Wunsch, und kurz darauf traten zwei Sklaven in die Küche.

»Sie spielen Flöte und Cymbalo.«

Sie stolzierte hoch erhobenen Hauptes in das Zimmer, die Brust herausgestreckt, den Rücken durchgedrückt, den Po betont – wie sie es von den Hetären in Rom gesehen hatte. Sie nahm die Stola in eine Hand und wedelte hoch über dem Kopf damit, wie sie es auf Bildern in ihrer Heimatstadt von der Venus gesehen hatte.

Der Rhythmus der beiden Musiker begann langsam, als müßten sie sich erst mit Marcellas Stimmung in Einklang bringen. Dann aber kamen sie in Schwung. Marcella stampfte auf dem Mosaikboden, wirbelte herum, daß ihre Röcke flogen. Die jungen Männer applaudierten, und aus der Küche kamen einige Bedienstete und schauten auch zu.

Sie warf Julius die Stola zu. Er fing sie auf und sog tief den Geruch ein, dann nahm er einen Schluck aus seinem Pokal. Marcella streifte mit eleganten Bewegungen einen Schuh ab und lupfte ihn unter einen Stuhl.

Der Flötenspieler wechselte das Tempo und spielte eine eingängige langsame Melodie, die sie nicht kannte, aber trotzdem hörte man die Einsamkeit der Wüste, die lauernden Gefahren der Umgebung, in der ein Mensch nachts an der Kälte und tags an der Hitze sterben konnte.

Sie streifte den zweiten Schuh ab und löste dann den Gürtel ihres Kleids. Die jungen Männer fingen an, ihr bestimmte Anweisungen zuzurufen.

»Mehr! Mehr!«

»Zieh dein Kleid aus – sei kein Feigling!« rief Publius.

Sie wirbelte noch zweimal durchs Eßzimmer und verbeugte sich dann tief. »Gute Nacht, die Herren«, murmelte sie leise. »Ich wünsche allen eine gute Nacht.«

Die Musiker spielten weiter ihre traurige Melodie, die sie noch hörte, als sie den Gang hinunter zu ihrem Schlafzimmer ging. Die hohen Töne der Flöte durchdrangen die Stille, aber dann schloß sie die Tür hinter sich, legte sich hin und dachte in der Dunkelheit an Gaius, ihren Geliebten.

»Ich habe seit Wochen wie ein Sklave gearbeitet. Wie dein Sklave, Marcella. Ich habe alle Aufgaben erledigt«, rief Quintus außer Atem, als er die letzten

Stufen zur Villa nahm. Die anderen jungen Männer stolperten noch über das Feld hinter ihm her.

»Dann erkläre ich dich zum Sieger.« Lachend legte sie ihm einen Kranz auf den Kopf. »Wir hatten kein Lorbeer, deshalb mußte ich auf Blätter aus der Küche zurückgreifen.«

»Ich war mehr motiviert als die anderen«, sagte er, als er sich keuchend gegen eine Säule in der Eingangshalle lehnte.

Zu ihrer Überraschung stellte Marcella fest, daß er schon viel erwachsener redete als zu Beginn des Besuchs.

»Ihr seid zu langsam! Kniet nieder vor der Dame und entschuldigt euch, daß ihr nicht an den Maßstab für wahre Helden heranreicht«, rief er den anderen zu, die ihrerseits johlten und buhten.

»Du hast uns noch nicht den Ort genannt, an dem die Siegerehrung stattfindet«, rief Publius.

»Das habe ich auch nicht vor. Das ist eine Sache zwischen Marcella und mir. Ich will nicht, daß ihr eure perversen Anwandlungen bei mir ausleben könnt, indem ihr uns heimlich beobachtet!«

Eine Stunde später hielt er sie mit beiden Armen umschlungen, als hätte er Angst, sie könnte ihm davonlaufen.

»Julius' Mutter benutzt diese Kutsche gewöhnlich, wenn sie einkaufen fährt«, sagte Quintus, der die beiden Pferde mit einer Hand kontrollierte.

Es war eine angenehm kühler Abend, und die Felder lagen verlassen da. Quintus fand einen geeigneten Platz, grasbewachsen, und ein paar Bäume boten Sichtschutz. In der Ferne waberte die Hitze und verzerrte das Bild der Berge.

Aus einer Kiste holte er Wein, Brot und Trauben

hervor. Er schenkte ihr Wein in einen Becher und prostete ihr zu. Er brach das Brot und reichte ihr danach noch ein paar Trauben.

Nach einer Weile sagte sie: »Nun hör auf, dir andauernd was in den Mund zu stopfen.« Sie nahm seine Hand in ihre. »Du brauchst nicht nervös zu sein.«

Stunden später lag er auf dem Rücken, entspannt und glücklich, zufrieden mit dem, was er bisher erreicht hatte.

»In einer Woche müssen wir nach Hause gehen«, sagte er. »Wirst du in Afrika bleiben, damit wir dich jeden Sommer besuchen können?«

Sie rollte sich auf den Bauch und schaute zur untergehenden Sonne. »Da gibt es noch etwas, was ich tun muß«, sagte sie langsam. »Ich möchte gern bleiben, aber ein Teil von mir wird an einen anderen Ort gerufen.«

»Ich hoffe, ich werde dich wiedersehen, Marcella. Bald schon. Wenn ich erst ein gestandener Mann bin, möchte ich dich richtig gut kennenlernen.«

»Darauf freue ich mich«, sagte sie lächelnd. Sie beugte sich über ihn und küßte ihn.

## Siebzehntes Kapitel

»Es ist jetzt relativ sicher, nach Theveste zu reisen«, sagte Hasdrubal, als Marcella und Quintus in die Villa zurückkehrten. »Die Aufstände sind niedergeschlagen worden, und es ist lange genug ruhig geblieben, so daß man annehmen darf, daß der Frieden von Dauer sein wird. Es ist an der Zeit, daß du Gaius Salvius Antoninus wiedersiehst.«

Er lächelte ihr traurig zu. Marcella war plötzlich ganz aufgeregt, aber in die Vorfreude mischte sich auch die Trauer des Abschieds aus der Villa, in der sie heimisch geworden war.

»Ein Kontingent der Dritten Legion wird in Kürze hier vorbeikommen. Ich habe veranlaßt, daß du mit ihnen nach Süden reist.«

»Woher weißt du davon?« fragte sie verwirrt.

»Ein Kurier mit einem Eilauftrag hat auf dem Weg in den Süden hier Station gemacht.«

»Gibt es denn wieder neue Aufstände?« fragte sie unruhig.

»Nein, denn dann würden wir die Kuriere schnell wie Merkur gegen Rom reiten sehen.«

»Du weißt eine Menge über solche Dinge«, sagte sie verwundert.

»Italien ist weit weg von den Grenzen des Reichs, und in Pompeji hast du in ewiger Sicherheit gelebt. Hier ist es zwar auch nur selten gefährlich, aber es ist uns bewußt, daß die Gefahren nicht weit vor unseren Toren lauern. Deshalb halten wir immer die Augen und Ohren offen.«

»Ich hatte keine Vorstellung davon, wie die Welt außerhalb Pompejis aussah«, sagte sie traurig. »Ich hatte mich auf ein Abenteuer gefreut. Ich hatte so viele Träume ...«

»Vielleicht werden einige von ihnen noch erfüllt.« Er lächelte, aber seine Augen blieben ernst. »Ich bringe dich bis zur Durchgangsstraße. Man wird dich erwarten, weil ich dich angekündigt habe. Sie sind natürlich zu Fuß unterwegs, aber sie führen ein paar Wagen mit sich, und ich bin sicher, daß du dich auf einen der Wagen quetschen kannst.«

Die Reise in der trockenen Hitze war beschwerlich, und die Legionäre machten deutlich, daß ihre Anwesenheit nicht erwünscht war. Schon bald vermißte sie Hasdrubals Fürsorge und das geregelte, sorgenfreie Leben in der Villa. Das hatte sie eingetauscht gegen unerträgliche Hitze, unfreundliche, grobe Männer und unendlich viel Dreck.

»Ihr seid alle so schlecht gelaunt, Brutus«, sagte sie zu einem der Hauptleute, als er den Wagen inspizierte, auf dem sie saß. Er war ein gut aussehender Mann, etwa dreißig Jahre alt, mittelgroß, mit braunen Haaren und durchdringenden blauen Augen.

»Vor sechs Monaten wurden wir zu einem kleinen Außenposten in einer sicheren Gegend eingesetzt«, sagte er, während er die Zügel überprüfte. »Wir hatten nichts anderes zu tun, als den Eidechsen zuzuschauen und die Sanddünen zu zählen.«

Nicht gerade aufregend, dachte Marcella, aber das kann nicht der Grund für die schlechte Laune der Soldaten sein.

»Nachdem die Aktion vorüber war«, fuhr der

Hauptmann fort, »erhielten wir den Auftrag, den edlen Kämpfern der dritten Legion Vorräte zu bringen. Alle anderen Einheiten blieben unbehelligt, nur wir mußten Obst und Gemüse sammeln und kommen uns vor wie Marktweiber! Das werden wir nicht überleben! Kannst du dir den Spott vorstellen, den wir uns von unseren Kameraden anhören müssen?«

»Aber wieso denn? Eure Kameraden werden froh sein, daß ihr ihnen Nachschub bringt.«

»Unsere Hoffnung ist, früher als erwartet bei der dritten Legion einzutreffen, damit wir ihnen den Luxus bringen, den sie am meisten vermissen. Aber um alles noch schlimmer zu machen, mußten wir auch noch tiefer in den Süden marschieren, um dort einem Außenposten Vorräte zu bringen. Der Auftrag bei diesen Temperaturen ist mörderisch. Ja, jetzt weißt du, warum wir wütend sind.«

Die Legionäre marschierten nachts und schlugen tagsüber ihre Lager auf. Marcella durfte im Wagen schlafen. Nach etwa vier Tagen veränderte sich die Landschaft, sie wurde weniger fruchtbar. Es gab nur noch wenige Olivenbäume und keine Weinberge mehr. In der Stille des Tages, wenn die Männer sich von den Strapazen des nächtlichen Marsches ausruhen sollten, wurden sie zunehmend nervöser. Sie hatten das Gebiet erreicht, in dem sie mit Überfällen rechnen mußten.

Zur Morgendämmerung des fünften Tages hatte sich das Bild der Landschaft wieder verändert, sie waren von Grün umgeben, und die Berge waren dicht vor ihnen. Die Soldaten freuten sich schon auf ihr Lager, aber Brutus änderte die Strategie.

»Wir halten nicht an. Wir marschieren weiter,

legen aber mehrere Rasten ein. So haben wir eine gute Chance, vor Mitternacht einzutreffen«, verkündete er.

Seine Rechnung ging auf.

Marcella war völlig erschöpft, als sie die Festung erreichten.

Die Tore, die sich für sie öffneten, sahen im schwachen Mondlicht dunkel und gefährlich aus, gefräßig wie riesige Mäuler. Im Hof der Festung waren Fackeln zu sehen, die ihren gespenstischen Schein warfen.

Ein grauhaariger Hauptmann trat aus dem Tor und begrüßte die Einheit.

»Ich grüße dich, Nicomedes! Ich hoffe, wir haben deinen Schönheitsschlaf nicht gestört.«

»Du hast nie gelernt, Rücksicht zu nehmen, Brutus.«

»Wir haben gehört, daß ihr alle an Unterernährung zugrunde geht und ihr deshalb dringend so wichtige Nahrungsmittel braucht wie Wein, Trüffel und Granatäpfel, damit ihr wieder zu Kräften kommt.«

»So ist es«, sagte Nicomedes trocken. Er sprach mit einem starken griechischen Akzent, den Marcella kaum verstehen konnte. »Wir haben einige Frauen hier, die sich über die Sanitäranlagen im einzelnen und die Architektur im allgemeinen beschweren. Die Legion hat ein Aquädukt gebaut, um Wasser hierher zu schaffen, aber plötzlich gibt es nicht genug Wasser. Und die Bäder hätten wir mit Blumenmotiven ausstatten müssen. Die Festung selbst ist in Stein gebaut, aber das Holzhaus des Legats erfüllt die Erwartungen nicht.«

»Wer beklagt sich denn?« fragte Brutus kopfschüttelnd. »Ich meine, jedermann weiß, daß solche Dinge Zeit brauchen.«

»Einige der Zivilsten, die eingetroffen sind, um den Friedensgesprächen beizuwohnen. Sie rühren nicht einmal unseren selbstgebrauten Schnaps an, aus Angst, wir könnten sie milde stimmen wollen. Also, weißt du, eine anständige Schlacht wäre mir lieber.«

Die beiden Männer lachten. »Das kannst du mir bei einem Schluck Falerner erzählen«, sagte Brutus.«

Marcella hatte sich noch nie irgendwo so fehl am Platz gefühlt wie jetzt, als die Soldaten mit oft geübter Disziplin und Schnelligkeit in ihren Quartieren verschwanden. Ein paar Männer der Garnison warfen verstohlene Blicke zu ihr und gaben Kommentare in einer Sprache ab, die sie nicht verstand. Sie schüttelte sich vor Unbehagen.

»Welche Sprache reden sie?« fragte sie Nicodemes.

»Das sind Gallier«, erwiderte er. »Wir haben Männer aus dem gesamten Römischen Reich hier, aber keine Sorge, wir sind alle Bürger und sprechen Latein.«

»Und was sagen diese Männer?« wollte Marcella wissen.

»Sie sind überrascht, dich zu sehen. Es gibt nur wenige Frauen hier, und sie sind alle die Ehefrauen von Zivilbediensteten oder der höheren Ränge«, antwortete Nicodemes, während er ihre Tasche vom Wagen hob. »Jupiter Maximus!« rief er. »Was schleppt ihr Frauen alles mit euch herum?«

»Ich habe einen langen Weg hinter mir«, sagte sie vage. »Und in den Städten habe ich eingekauft.«

»Wir werden dich im Haus des Kommandanten unterbringen müssen, denn nirgendwo sonst haben wir Platz für dich.«

»Ich habe einige Dinge mit Gaius Salvius Antoninus zu erledigen.«

Nicomedes hob eine Augenbraue und sah sie forschend an. »Das muß bis morgen warten, denn er ist zu erschöpft von der Arbeit. Wie üblich, hat er sich wieder verausgabt. Und jetzt muß er sich auch noch um die hohen Herren aus Rom kümmern, die eingetroffen sind. Und die Aufzeichnungen auf den neuesten Stand bringen. Nein, ich würde ihn höchstens für einen Überraschungsangriff der Rebellen wecken.«

Nervös, verlegen und unbehaglich schlich sie ins Haus. Sie lehnte es ab, etwas zu essen, und verkroch sich in ein kleines Kabuff, das man ihr zum Schlafen zugewiesen hatte. In der Nacht wälzte sie sich mehrere Stunden lang herum, während sie darüber grübelte, was sie Gaius sagen sollte.

Zum ersten Mal wurde ihr bewußt, daß alle ihre Erklärungen dumm und fadenscheinig klingen würden. Das Wissen, daß diese riesige Festung und die berühmte dritte Legion von ihrem Geliebten befehligt wurde, überwältigte sie. Ihr Anliegen schien ihr plötzlich angesichts der Welt, in der er zu Hause war, völlig unbedeutend zu sein. Sie bangte ihrer Begegnung am nächsten Morgen entgegen.

Sie wußte, daß er nicht vor Wiedersehensfreude in ihre Arme fallen würde, obwohl sie sich diese Szene in jedem ihrer Träume so ausgemalt hatte.

»Ich habe dir nichts zu sagen.«

Seine Stimme klang kalt. Nicodemes hatte sie am späten Morgen in sein Arbeitszimmer geführt, nachdem sie über zwei Stunden hatte warten müssen, als wäre sie eine seiner Abhängigen in Rom. Gaius hatte sie mit einem kalten, ungläubigen und dann entsetzten Blick angesehen und sie dann aufgefordert zu gehen.

»Ich kann mir nicht vorstellen, was du hier suchst oder warum du es für richtig gehalten hast, mir zu folgen. Das ist nicht korrekt, es ist nicht erwünscht, und so etwas hat es noch nicht gegeben. Deine Anwesenheit hier ist nicht nur eine Peinlichkeit für dich und für mich, sondern auch für alle Männer unter meinem Kommando.«

Seine eisigen Worte hallten im nackten Raum wider. Als sie sah, wie seine Gesichtsmuskeln zuckten, verlor sie ihre Beherrschung. Es ärgerte sie, daß sie mit Gaius nicht allein sein konnte, und am liebsten wäre sie auf beide losgegangen, um sie zu verletzen.

»Du hättest mir eine Menge zu sagen!« rief sie, ihr Körper starr vor Wut. »Aber wenn du das nicht willst, solltest du wenigstens die Höflichkeit haben, mich erklären zu lassen, wieso ich bei unserem letzten Zusammentreffen so gekleidet war.«

»Du hast den ganzen Weg zurückgelegt, um mit mir über Kleideretikette zu reden? Meine liebe kleine Frau! Wie du dir vorstellen kannst, habe ich absolut kein Interesse an solchen Fragen. Seit wir uns zuletzt gesehen haben, war ich auf dem Schlachtfeld aktiv.«

»Das weiß ich!« fauchte sie ungeduldig. »Du brauchst mir nicht zu sagen, was hier los ist.«

»Das sehe ich anders, denn wenn du es wüßtest, wärst du nicht hier. Männer sind getötet oder schrecklich verwundet und verkrüppelt worden, und seither haben wir schwierige Verhandlungen geführt, um ein dauerhaftes Ende der Stammeskriege gegen Rom durchzusetzen. Und da glaubst du, daß deine Kleiderfrage in meinem Bewußtsein ganz oben steht?«

Ein unterdrücktes Schnaufen der anderen Person hörte sich verdächtig nach einem Lachen an, und ihre Verärgerung wuchs noch. Sie starrte sie beide wütend an und suchte nach den richtigen Worten, um ihren Zorn auszudrücken.

»Ich wäre dir verbunden, wenn du jetzt gehen würdest. Ich muß mich um verschiedene Geschäfte kümmern«, sagte Gaius und sah die grüne Wand seines Arbeitszimmers an. »Imilico, würdest du die diese ... Dame bitte hinausbringen?«

Der schöne Sklave neigte leicht den Kopf.

»Und du hast mich belogen!« rief sie Imilico verbittert zu. »Du hast mir gesagt, daß du nach Italien zurückkehrst!«

Er lächelte und erhob sich von seinem Stuhl. Er legte die Papyrusrolle auf den Tisch, die er in der Hand gehalten hatte.

»Ich hole Nicodemes, Herr«, murmelte er.

Marcella errötete. »Wie kannst du es wagen, mich gewaltsam herauswerfen zu lassen?«

Gaius schritt durchs Zimmer, und sie dachte, daß er in seiner kurzen Tunika und dem Umhang majestätisch aussah. Sein Gesicht war hart, und die Falten in seinem Gesicht waren von den letzten Wochen der Anstrengung tiefer geworden. Aber sie fand, daß er wunderbar aussah, und ihr Körper schrie nach ihm. Sie durfte ihn nicht verlieren. Sie mußte ihn zwingen, seinen Frieden mit ihr zu machen. Aber zuerst mußte sie ihre Beherrschung wiederfinden. Da er mit eiskalter Logik vorgegangen war, dachte sie, sollte sie ihn mit den eigenen Waffen schlagen.

»Ich glaube, du hast ein Interesse an dem, was ich dir zu sagen habe«, behauptete sie verwegen und mit einem Selbstvertrauen, das ihr selbst Angst einjagte. Sie legte eine Pause ein, um die Worte sinken zu lassen.

»Befehligst du deine Männer ohne Gedanken an ihr Wohlergehen? Weigerst du dich, die Meinungen anderer Menschen anzuhören? Strafst du deine Sklaven, ohne sich ihre Seite der Geschichte anzuhören?«

Er machte eine Geste der Ungeduld, wandte sich ihr aber halb zu, und Marcella glaubte, ein Flackern der Unsicherheit bei ihm bemerkt zu haben.

»Du verleugnest deine Gefühle, wenn du mich wegschickst. Ich will dich jetzt, Gaius. Und du willst mich, ganz egal, wen es sonst noch in deinem Leben gibt.«

Er wirbelte herum, wobei seine schweren Schuhe den Boden kratzten. »Kann sein, daß du mich willst, aber ich finde dich nicht mehr attraktiv. Oh«, sagte er aufstöhnend und mit einer Bitterkeit, die ihr ins Herz schnitt, »ich gebe zu, daß ich dich einmal begehrte. Ich leugne nicht die Freuden jener Nacht und das Entzücken am anderen Morgen. Ich labte mich an deinem Körper und erinnere mich an deine Leidenschaft.«

»Und warum bist du weggelaufen, und warum schickst du mich auch jetzt wieder weg?«

»Unsere Emotionen und unser körperliches Verlangen wurden durch die Gefahren und die ungewöhnlichen Ereignisse noch verstärkt. Das Schicksal hat uns für eine Weile zusammengeschweißt, aber wies es so oft geschieht, sieht das Schicksal nicht vor, daß wir uns wiedersehen.«

»Es war nicht das Schicksal, es war Fortuna!« rief sie verzweifelt. »Siehst du denn nicht, daß es ein Werk Fortunas ist, daß wir uns wiedersehen?«

»Da irrst du dich. Daß du mir gefolgt bist, kann die Vergangenheit nicht wieder aufleben lassen. Es ist nicht richtig, daß du hier bist, denn daraus wird nichts als Ärger entstehen.«

»Wie kann meine Anwesenheit zu Ärger führen – wenn du es nicht willst?« Sie dachte an Imilico – stand Gaius unter seinem Bann? Würde es Imilico, der Sklave, sein, von dem Gaius den Ärger befürchtete?

»Wie wird das bei meinen Männern aussehen?« fragte er. »Nur die Tribune dürfen gesetzmäßig heiraten, und für die Legionäre gibt es in der Siedlung nicht genug Huren. Und ich habe eine unbegleitete, unverheiratete Frau in meinem Haus! Du forderst das Schicksal heraus mit deinen dauernden Verstößen gegen das, was schicklich ist! Und für das, was sein soll.«

Sie sah die Bitterkeit in seinen Augen, hörte die Verzweiflung in seiner Stimme.

»Ich weiß, daß du das nicht so meinen kannst, Gaius. Weißt du denn nicht, daß es für uns beide noch so viel mehr gibt? Wir haben nicht einmal begonnen!«

»Unsere Beziehung endete in der Minute, in der ich in Rom gesehen habe, wie und wer du in Wirklichkeit bist. Ich sehe heute noch dein bemaltes Gesicht und deine beschmutzte und befleckte Toga. In der Taverne glaubte ich, eine Nymphe gefunden zu haben, ein reiner Geist mit einem Trieb zur Unabhängigkeit. Warum hätte ich sonst nach dir suchen sollen, als ich es in Pompeji für zu gefährlich hielt?«

Sie starrte ihn an, bewegt von seinen ernsthaften Ausführungen.

»Du bist gekommen, um dein Gemälde abzuholen«, sagte sie. »Es war reiner Zufall, daß ich da war.«

»Ich hatte kein Interesse für Kunst! Ich bin zuerst zur Taverne gegangen. Deine Freundin Lydia war dort, sie suchte dich auch. Sie meinte, du könntest bei Petronius sein.«

»Aber wenn du damals schon so gefühlt hast ...«

»Später, in Rom, wußte ich dann genau, daß ich mich in dir getäuscht hatte.« Seine Augen glitzerten vor unterdrückter Emotion. »Wo, zum Hades, ist Imilico hingegangen?«

»Warum wirfst du mich nicht eigenhändig hinaus?« fragte sie herausfordernd.

»Ich befehlige diese Legion und werde an einer so entwürdigenden Szene nicht teilnehmen. Ich will nichts mehr mit dir zu tun haben. Ich bin entsetzt, daß ich es war, der dich auf diesen Unglücksweg gebracht hat. Ich würde alles darum geben, das Geschehen rückgängig zu machen. Du magst deinen Preis nennen, um dir die Basis für ein anständiges Geschäft zu geben. Imilico oder mein persönlicher Sekretär werden sich darum kümmern.«

Sie trat zurück und schlug ihn ins Gesicht. Sie

traf ihn hart am Kinn. Er zuckte zusammen, und sein Körper reagierte unwillkürlich mit der Gegenwehr, die ihm antrainiert worden war. Seine Muskeln spannten sich, und für einen Moment sah es so aus, als wollte er sie in Grund und Boden schlagen. Sie wußte, daß er in ihr eine Gegnerin sah, und dieser Gedanke durchdrang sie wie der Todesstoß eines Schwerts.

Innerhalb eines Augenblicks hatte er sich wieder unter Kontrolle. Langsam entspannten sich die Hände, die er zu Fäusten geballt gehabt hatte.

»Ein Spezialzug mit vier Hauptleuten wird sich in drei Nächten Richtung Norden in Bewegung setzen. Du kannst mit ihnen reisen. Die Angelegenheit ist streng geheim, deshalb solltest du diese Information für dich behalten.«

Sie wandte sich ab und ging zur Tür, und hinter sich knallte sie sie ins Schloß, daß die Wucht die Steinmauern des Korridors erschütterte.

»Ich habe Nicodemes nicht gefunden«, sagte Imilico, der sich aus einem Schilfrohrsessel im Korridor erhob und gähnte. »Deshalb bringe ich dich selbst auf dein Zimmer. Ich nehme an, daß du dein neues Quartier gemütlich findest. Ich hatte keine Ahnung, daß du gestern abend eingetroffen warst.«

»Ich dachte, du solltest mich hinauswerfen«, sagte sie, während sich ihre Wut in Überraschung wandelte.

»Ich freue mich, dich zu sehen«, erwiderte er lächelnd. »Es war nie daran gedacht, dich hinauszuwerfen. Wenn er das gewollt hätte, wären seine Gehilfen gekommen, nicht Nicodemes oder ich. Ich wollte dir ein wenig Zeit mit ihm allein lassen, und ich glaube, das war ihm ganz recht. Aber er kann sehr starrköpfig sein, wenn es um sein eigenes Wohl geht.«

Sie starrte ihn an und verwarf ihre früheren Befürchtungen, daß er ihr Rivale um Gaius' Gunst sein könnte. Imilico war der ergebene Sklave, der sie für gut befand und dem Glück seines Herrn nicht im Wege stehen wollte.

»Ich habe ihn noch nie in einem Zustand dieser Erregung gesehen«, sagte Imilico.

»Das war kein Zustand. Er hatte sich voll unter Kontrolle.«

»Wie du weißt, ist er gewöhnlich sehr locker drauf. Er zeigt diese kühle Beherrschung nur in gewissen Krisensituationen. Deshalb ist er so ein großartiger Kommandant. Ich glaube, du hast recht getan, ihn hier zu besuchen.«

»Du hast mich belogen«, sagte sie vorwurfsvoll, als sie ihm vom Hauptquartier in ein Nebengebäude folgte.

»Nein, habe ich nicht. Nachdem ich die Villa verlassen hatte, erhielt ich eine Nachricht, daß ich nach Süden reisen sollte. Das Nachrichtensystem des Heeres funktioniert schneller als ein vom Ochsen gezogener Wagen.«

Er zeigte ihr die Zimmer im Haus, die sie bewohnen konnte. »Ich lasse dir Essen bringen, damit du zu Kräften kommst«, sagte er. »Mir scheint, daß du vor einer entscheidenden Schlacht stehst.«

## Achtzehntes Kapitel

Nach der anstrengenden Reise ruhte sich Marcella den Rest des Tages aus. Am späten Abend hörte sie die Gäste ins Bett gehen. Gaius verabschiedete sich von einigen, wünschte ihnen eine gute Nacht und schien so gut gelaunt zu sein, daß sie vor Wut die Hände zu Fäusten ballte. Als der Mond hoch am Himmel stand und alles ruhig war, warf sie sich hastig ihr Kleid über und schlich sich hinüber zu dem Zimmer, in dem Gaius schlief – Imilico hatte es ihr verraten.

Sie verharrte an der Tür und hörte seine ebenmäßigen Atemzüge. Sie schlüpfte hinein, und nachdem sich ihre Augen an die Dunkelheit gewöhnt hatten, konnte sie ihn schlafend auf dem Bett sehen, die Arme über dem Kopf. Sie hatte noch nie so ein reich verziertes Kopfteil eines Bettes gesehen – es zeigte geschnitzte Schlachtenszenen.

»Du glaubst also, daß das falsch ist, ja?« fragte sie leise. Ihre Hände zitterten vor Wut. Wieso konnte er so rasch in einen tiefen Schlaf versinken, wenn sie von der Sehnsucht nach ihm verzehrt wurde? »Dir ist wichtiger, auf das Gerede der Leute zu hören, als dich zu unserer Lust zu bekennen.«

Sie löste den Gürtel ihres Kleids, trat an sein Lager und band seinen rechten Arm um eine Öffnung im Kopfteil. Er bewegte sich im Schlaf, deshalb ging sie beim linken Arm schneller und zielstrebiger vor. Sie war davon überzeugt, daß er sich nicht so schnell befreien konnte, deshalb ließ sie sich Zeit, schaute sich im Zimmer um, fand eine dünne Wachskerze, zündete sie an der Kerze draußen im Korridor an, um dann im Zimmer mehrere Lampen anzuzünden.

Er blieb reglos liegen, als sie die Decke wegzog und mit hungrigen Blicken die Schönheit seines Körpers aufsog. Sie sehnte sich so sehr nach ihm. Sie starrte auf seinen muskulösen Körper, auf den Brustkorb, der sich mit jedem Atemzug leicht hob und senkte, auch den flachen Bauch. Aber es reichte ihr nicht, nur zu starren und zu bewundern, sie wollte ihn auch berühren, streicheln und schmecken.

Sie schwang sich grätschend über ihn und fühlte den weichen Penis an ihren feuchten Labien. Das Fühlen seiner Haut besänftigte ihre Wut, und sie wurde von einer wunderbaren Erregung ob des Wissens erfüllt, daß er wider seinen Willen bald anschwellen und sie ausfüllen würde. Ihre inneren Muskeln zogen sich schon in freudiger Erwartung zusammen, und sie bewegte sich leicht auf und ab, während sie sich über ihn beugte und seine Lippen sanft küßte.

»Ich werde dich dazu bringen, mir einzugestehen, daß du mich willst«, raunte sie leise und zog ihr Kleid über den Kopf. »Du wirst mir Vergnügen verschaffen, weil du dich nicht dagegen wehren kannst. Heute abend kannst du nicht einfach verschwinden und deinen Frust bei einer anderen Frau abarbeiten.«

Sein Atem blieb regelmäßig, aber sie spürte, wie sich sein Penis versteifte und zwischen ihren Schenkeln härter wurde. Sie spürte, daß er sein Becken langsam anhob, und dann hörte sie auch, daß sich sein Atem beschleunigt hatte.

»Ah, du bist also wach geworden!«

»Ich war schon wach, als du ins Zimmer getreten bist. Ich wollte mich davon überzeugen, wie skrupellos du wirklich bist, Marcella.«

»Und dabei hast du nur bewiesen, wie skrupellos du bist. Du nimmst jedes Vergnügen, das eine Frau dir bietet, nicht wahr? Solange du dir einreden kannst, daß du nicht dafür verantwortlich bist.«

»Das würde ich nicht tun, wenn ihr dieses Vergnügen Probleme bereiten könnte«, stellte er klar. »Aber ich will dir noch etwas sagen: Ich habe meine Frustration nicht bei irgendeiner anderen Frau abgearbeitet, wie du es genannt hast. Nicht in Rom und nicht danach.«

»Das glaube ich dir nicht. Ich werde dich dazu bringen, mir zu sagen, wieviel wir uns bedeuten.«

»Unsere Beziehung ist gegen alle Moralvorschriften des Römischen Reiches. Ich möchte die körperliche Verbindung, die wir genossen haben, nicht fortsetzen.«

Seine kalte Art brachte sie zur Weißglut.

»Lügner!« fauchte sie. »Du verläßt dich auf deine durchtriebenen Ausreden, aber du benimmst dich wie all diese Trunkenbolde, die ich in der Taverne meines Onkels kennengelernt habe. Sie prahlen damit, wie sie Frauen hereingelegt haben. Erst schön tun, sie rumkriegen, seinen Spaß haben und abhauen. Das ist ein Spiel von euch Männern, nicht wahr?« Sie schlug ihn auf den Brustkorb. Ja, sie wollte ihm weh tun, wie er ihr weh tat.

Er zuckte. »Du hast sehr starke Emotionen«, sagte er. »Du mußt lernen, sie zu beherrschen.«

»Wie kannst du es wagen, dich so kühl und unnahbar zu geben?« fragte sie leise.

Wieder und wieder schlug sie mit den kleinen

Fäusten auf ihn ein, als wollte sie ihre Enttäuschung aus sich herausschlagen. Dabei hätte sie ihn viel lieber geküßt, sie wollte ihn in sich spüren, wollte von ihm geliebt werden.

Schließlich fiel sie vor Erschöpfung um und kuschelte sich an seine Brust.

»Es gibt wirklich keine Zukunft für uns«, sagte er traurig.

»Dein Körper stimmt dir nicht zu«, sagte sie. Sie fuhr mit der Zungenspitze über sein Kinn, küßte seinen Hals, schmeckte den Körper, den sie liebte.

Die Hitze seines Körpers befeuchtete ihre Haut. Sie spürte, daß sein Penis steif und hart war. »Er reagiert auf die Kraft meiner Gefühle für dich. Außerdem«, flüsterte sie, setzte sich auf und grätschte über ihn, »hast du keine Wahl. Diesmal bist du nicht der einzige, der über die ultimative Beherrschung verfügt. Ich werde dir zeigen, wie sehr du unsere Beziehung fortsetzen willst.«

Sie glitt an seinem muskulösen Körper hinab, erregt von dem würzigen Duft, den er verströmte, und nahm den harten Schaft seiner Männlichkeit in den Mund.

Er stöhnte und versuchte, im Bett nach außen zu rutschen, aber die Handfesseln schränkten seine Bewegungsmöglichkeiten ein, und außerdem hockte sie auf ihm und rutschte mit ihm.

Sie saß auf seinen Schienbeinen und saugte und schwelgte in der Macht, die sie über ihn hatte.

»Du weißt sehr genau, daß du jeden Augenblick genießt«, sagte sie. »Deine Proteste sind nur die Folge deiner Loyalität dem Moralcode gegenüber.«

»Und weil ich dich vor der Verdammung der anderen Leute bewahren will«, sagte er keuchend.

»Das verstehe ich. Ich möchte auch nicht, daß du unter unserer Leidenschaft zu leiden hast. Aber warum muß einer erfahren, was wir füreinander empfinden?«

»Das Leben hat die Eigenheit, zurückzuschlagen. Es ist unberechenbar wie die Wüstenstämme.«

»Was würden deine Gäste und Kameraden sagen, wenn sie dich jetzt sehen könnten?« murmelte sie, wobei sie die Penisspitze mit den Zähnen neckte. Gleich darauf nahm sie die Eichel zwischen die vollen Lippen, badete sie in Speichel und umkreiste sie liebevoll mit der Zunge.

»Und was würden deine Freunde sagen?« hielt er dagegen.

Sie sah, daß die Fesseln in seine Haut schnitten, weil er sich zu befreien versuchte.

»Meine Freunde sind alle tot«, sagte sie traurig. »Ich brauche mich nicht mehr um Konventionen zu scheren. Ich habe keinen Status in der Gesellschaft zu verlieren. Von nun an kann ich tun, was ich für richtig halte.«

»Binde mich los.«

»Ganz gewiß nicht.«

»Ich will dich berühren, Marcella.« Seine Stimme klang jetzt weicher. »Es ist grausam, deine wundervollen Brüste so nah zu sehen, ohne sie berühren zu können. Ich möchte sie in den Mund nehmen.«

Sie hob den Kopf und strich mit den Händen über seine Schenkel. »Du steckst voller Tricks«, sagte sie und rutschte an seinem Körper hoch, bis ihre Münder sich nahe waren. »Du bist entschlossen, dich durchzusetzen, ob deine Argumente stechen oder nicht. Aber mich kannst du nicht hinters Licht führen.«

Ohne jede Warnung spreizte er plötzlich die Beine, hob sie blitzschnell an und umklammerte ihren Körper. Aus dieser Zange konnte sie sich nicht befreien.

»Laß mich los, Gaius«, rief sie empört.

»Keine Chance, Marcella. Du hast es so gewollt, jetzt wirst du sehen, was du davon hast. Jetzt ist der Moment, in dem du Macht über mich hattest, schon vorüber, nicht wahr? Du wolltest mich dominieren. Das haben schon viele Frauen versucht, aber keiner ist es gelungen. Binde mich los, dann werde ich dich noch einmal davonkommen lassen.«

Sie kämpfte gegen ihn an, aber er lachte nur über ihre fruchtlosen Versuche.

»Laß mich los! Dir geht es nur darum, die Oberhand zu behalten. Du willst mich ebenso sehr, wie ich dich will. Das kannst du nicht abstreiten.«

»Dies ist weder der Ort noch die Zeit. Aber für uns beide wird es nie wieder den richtigen Ort und die richtige Zeit geben, Marcella, das habe ich dir gesagt.«

»Aber ich spüre, daß du mich willst!«

»Du mußt mich losbinden, sonst bekommt niemand von uns, was er will.«

Sie spürte seine harte Männlichkeit, die gegen ihren Bauch drückte. Sie wollte sie in sich spüren. Sie wollte seine Arme um ihn schlingen und seine Hände auf ihren Brüsten fühlen. Sie wollte seinen hechelnden Atem hören, sein Keuchen, die gestöhnten Laute, die er ausstieß, kurz bevor es ihm kam.

»Ich will dich wirklich«, flüsterte sie, als sie zu seinem Handgelenk griff und die Fessel löste. Ihre Brüste strichen über sein Gesicht, und er fing eine

Brustwarze in seinem Mund auf. Sie stieß einen kleinen spitzen Lustlaut aus.

»Binde jetzt auch die andere Hand los.«

Sie versuchte, den Gürtel zu entknoten, und er drückte die freie Hand auf ihre Brust und streichelte sie mit unendlicher Zärtlichkeit. Seine Beine hielten sie immer noch umklammert.

Sie konnte den Knoten nicht öffnen, und ungeduldig riß er am Gürtel.

Sie hörte das Holz brechen, und im nächsten Moment hatte er die Hand frei. Er packte ihre Handgelenke und wälzte sie auf den Rücken, und mit derselben Bewegung warf er sich über sie. Ungeduldig spreizte er ihre Beine, und sie spürte, daß er heiß und bereit war.

»Nein!« Sie biß in seine Schulter und wehrte sich heftig gegen ihn. »Du wußtest die ganze Zeit, daß du dich befreien konntest! Du hinterhältiger Bastard! Du hast dich halb totgelacht über mich, weil ich glaubte, die Kontrolle über dich zu haben!«

Sie spürte, wie sein harter Penis gegen ihren Schamberg stieß. Ihre Scheide war geöffnet und feucht für ihn. Sie sehnte sich nach ihm, wollte von ihm ausgefüllt und geliebt werden, wollte es so sehr, daß sie vor Frustration am liebsten geheult hätte.

»Du meinst ›nein‹, wenn du nicht die Kontrolle ausübst«, sagte er rauh. »Aber du meinst ›ja‹, wenn wir dieses Spiel nach deinen Regeln spielen. Du willst dies ebenso sehr wie ich, aber auch du willst es unter bestimmten Bedingungen. Dies sind keine guten Voraussetzungen, Marcella. Für uns wird die Situation nie richtig sein. Wir haben uns gefunden, als wir uns im Taumel der Lust befanden, und das ist die schlimmste Basis für eine dauerhafte Leidenschaft.«

Er drückte seinen Penis gegen sie, rieb gegen ihre Klitoris, bis sie glaubte, zu explodieren. Sie spannte die Muskeln ihrer Schenkel, und dann spürte sie, wie sich sein Mund auf ihren preßte. Er ließ ihr kaum Luft zum Atmen, und weil er sie mit seinem Gewicht beinahe erdrückte, konnte sie sich nicht bewegen.

Er ließ ihr keinen Raum, er nahm sie, ob sie wollte oder nicht.

Sie stieß ein gepreßtes Stöhnen aus. Sie spürte, wie sich ihre Brustwarzen gegen seiner haarigen Brust verhärteten. Er stieß die Spitze des Penis in sie, und ihre Labien legten sich lechzend um ihn. Es war nicht ein Akt mit Würde, und es war auch ganz anders, als sie es sich vorgestellt und in ihren Träumen ausgemalt hatte, aber ihr Körper gewann über ihren Verstand, und sie überließ sich ihren Gefühlen und wollte sich ihm hingeben.

In diesem Moment zog er sich aus ihr zurück, stützte sich mit den Händen ab und stemmte sich hoch.

Er stand auf, setzte sich auf einen Stuhl und beobachtete ihr Gesicht.

»Ich habe mir geschworen, daß ich dich nie wieder nehmen will«, sagte er dumpf. »Das bin ich dir schuldig. Aber wie du siehst, hast du recht, daß mein Körper dich immer noch attraktiv findet, selbst wenn ich das nicht möchte. Wir sind beide erregt, warum legen wir nicht Hand an uns selbst?«

Sie sah, daß seine Hand diesem Gedanken schon gefolgt war, während seine Blicke ihren Körper hungrig betrachteten.

»Du bist grausam, warum können wir nicht genießen, was wir beide wollen?«

»Weil es falsch ist«, antwortete er stöhnend. »Stell dir vor, es ist meine Hand an deinem Schoß, meine Finger, die in dir kraulen und dich erregen ...«

»Kompromisse sind nur dann gestattet, wenn beide Seiten einverstanden sind«, sagte sie, und sie spürte, daß sich ihre Augen mit Tränen füllten. Ihr Körper drängte sie, seinem Fordern nachzugeben, aber sie wollte nicht die Erfüllung dieses Augenblicks haben, sie wollte eine Zukunft mit ihm. Sie wußte, daß sie stärker sein mußte, als sie je gewesen war. Wenn sie jetzt versagte, würde sie es ein Leben lang bereuen.

»Nein, Gaius. Du fühlst dich dafür verantwortlich, daß du mich in die Welt der körperlichen Freuden eingeführt hast, aber deine Schuldgefühle sind fehl am Platz. Und ich selbst fühle auch eine Verantwortung dir gegenüber – wegen der starken Leidenschaft, die wir füreinander empfinden. Aber unsere Sehnsüchte sind nichts wert, wenn sie sich nicht auf einer Ebene des gegenseitigen Verstehens und Wollens begegnen.«

Sie preßte die Schenkel fest zusammen und stand auf.

Sie zog ihr Kleid an und sah voller Befriedigung, daß seine Erektion abzuschlaffen begann.

»Siehst du?« sagte sie ruhig. »Deine Hand reicht nicht. Du brauchst mich. Aber wir müssen es beide wollen. Dieses Einverständnis hatten wir am Anfang – warum kann es nicht wieder so sein? Vielleicht hast du recht – es gibt wohl keine Zukunft für uns beide.«

Sie sah, daß ein Ausdruck von Schmerz in seine Augen trat.

»Aber es könnte eine Gegenwart geben. Und an die könnten wir uns in der Zukunft erinnern.«

Sie verließ das Zimmer, erfüllt von einer Mischung aus Enttäuschung und Triumphgefühl.

# Neunzehntes Kapitel

Sie ging zurück in ihr Zimmer und lauschte auf das Knacken und Knarren der Holzwände und des Fußbodens. Auf dem Hof wuchs nichts, es gab auch keinen Brunnen. Ein paar Büsten vergangener Kaiser standen auf kleinen Marmorpodesten, im blassen Mondlicht wirkten sie eher gruselig, dachte Marcella. Die spärliche Einrichtung ihres Zimmers und die völlige Abwesenheit jedes menschlichen Lauts ließen sie erschauern.

Als sie gerade die Tür zu ihrem Zimmer aufstoßen wollte, ließ ein lauter Pfeifton sie im Schritt verharren. Sie erschrak und spürte ihr Herz heftig schlagen, während sie im dunklen Korridor stehenblieb. Sie konnte nichts sehen, und es gab auch keinen Laut mehr, nur das stete Tropfen in eine Wasserschüssel. Sie begriff, daß sie eine kostspielige Wasseruhr gehört hatte, die durch den Pfiff eine neue Stunde bekanntgegeben hatte.

In ihrem Zimmer zündete sie einige Lampen an, dann setzte sie sich hin, um ihre Gedanken sammeln zu können. Das karge Mobiliar erinnerte sie an ihr Schlafzimmer in der Taverne. Der Kopf des Betts war lediglich ein Balken, aber Decke und Zudecke waren bestes Material, und die Matratze war dick.

Sie kämmte sich ihre Haare eine Weile und wünschte, sie hätte einen Spiegel. Die regelmäßigen Bewegungen des Arms, als sie den Kamm durch die Haare zog, hatten eine beruhigende Wirkung auf sie.

Auf einem kleinen Tisch standen eine Wasserkanne und eine Schüssel. Sie zog sich aus, gab ein paar Tropfen der verschiedenen Öle ins Wasser, die Imilico ihr mitgegeben hatte, und wusch sich. Nach den Strapazen der Reise verspürte sie jetzt einen gewaltigen Hunger, aber sie traute sich nicht, einen Sklaven zu rufen, der ihr etwas zu essen hätte bringen können.

Im Haus war kein Laut zu hören, und auch aus den Baracken klang kein Geräusch mehr herüber. Marcella löschte die Lampen und legte sich ins Bett. Sie döste schließlich ein, aber dann pfiff die Wasseruhr erneut, und mit einem Schlag war sie hellwach.

Die Nacht schien sich endlos lange hinauszuschieben. Sie wälzte sich von einer Seite auf die andere. Und dann, so etwa zur sechsten oder siebten Stunde der Nacht, hörte sie, wie die Tür zu ihrem Zimmer geöffnet wurde. Gleich darauf hörte sie seinen Atem, als er an ihr Bett trat.

Sie hatte nicht schlafen können vor Sorge, daß er nicht kommen würde, aber jetzt, da er neben ihrem Bett stand, wußte sie, daß er einfach hatte kommen müssen. Der Mondschein, der durch das winzige Fenster hereinfiel, tauchte seinen Oberkörper und seinen Kopf in fahles Licht.

Sie schlug die Decke zurück, und wortlos zog er die Tunika aus und schlüpfte neben sie ins Bett, und als ob er die ganze Zeit an nichts anderes gedacht hätte, griff er gleich zu ihrem Schoß.

Er küßte sie, und seine Zunge drang in ihren Mund, hart und ungestüm. Sie öffnete sich für ihn, und in einer flüssigen Bewegung drang er ein und stieß dabei einen tiefen Seufzer aus – der erste menschliche Laut, den sie in dieser stillen, dunklen Nacht in Nordafrika gehört hatte.

Er fühlte sich so gut an in ihr. Sein Körper war ihr vertraut, das Gewicht auf ihr, die Konturen seiner Schultern, seines Kopfes. Sie bewegten sich, als hätten sie sich nie getrennt, vertraut, aufeinander abgestimmt. Er rollte sich auf die Seite und hielt sie fest, drückte ihren Po gegen sich. Er fuhr mit einem Finger die Kerbe zwischen den Backen entlang, ohne die rhythmische Bewegung zu unterbrechen. Sie schlang ein Bein über seine Hüfte, um ihn tiefer eindringen zu lassen.

Sein Atem wurde schneller, und die Spitzen ihrer Warzen rieben sich an seinem wogenden Brustkorb. Diesmal küßte er sie zärtlicher, spielte mit ihren Lippen und mit ihrer Zunge.

Sein Körper mahlte wild und drängend gegen ihren, und sie erkannte seine verwirrten Emotionen – Wut, Leidenschaft, Argwohn und das wahrscheinlich stärkste Gefühl, denn sonst wäre er nicht gekommen – Verlangen. Sein Schamberg stieß gegen ihren, immer und immer wieder, als seine Stöße härter und fordernder wurden. Es war, als wollte er ihr Vergnügen mit Gewalt herbeizwingen.

Sie legte die Arme um seinen Hals, um ihn näher an sich heranzuholen, aber er befreite sich aus ihrem Griff, legte sich wieder auf sie und pinnte sie mit seinem Gewicht aufs Bett.

Sie hob die Hüften an und stieß ihm entgegen, erwiderte jeden seiner Stöße und gab kleine unfreiwillige Schreie von sich, wann immer er bei ihr auf Grund stieß. Er gebärdete sich leidenschaftlicher denn je.

Marcella hielt ihm stand, bäumte sich unter ihm auf, ruckte ihm den Schoß entgegen. Sie umklammerte seinen Schaft, umspülte ihn mit ihren Säften.

Sie zog seinen Kopf zu sich herunter und küßte ihn liebevoll. Sie erzwang, daß er den Mund öffnete, und stieß ihre Zunge hinein, erforschte seine feuchte Höhle, trank seinen Speichel und spürte, wie er erschauerte. Oh, ja, er geriet außer Kontrolle, seine Stöße kamen heftig, nicht mehr rhythmisch, und dann konnte er sich nicht länger zurückhalten und endete diesen olympischen Marathon mit nicht enden wollenden Zuckungen.

Allmählich erholte er sich, kam wieder zu sich und sah sie verwundert an. Sie blieben lange aufeinander liegen, umarmten sich und genossen das kleine Glück danach. Ihre Körper entspannten sich gemeinsam.

Nach einer Weile glitt er aus ihr hinaus, und er rollte von ihr und blieb neben ihr liegen. Marcella kuschelte sich an ihn und legte ein Bein über seinen Oberschenkel, während sie ihre Brüste gegen ihn drückte.

Ihr Körper war immer noch bereit, immer noch voller Verlangen nach Erfüllung. Sie hatte keine Erlösung gefunden, weil sie zu sehr damit beschäftigt gewesen war, ihm zum Höhepunkt zu verhelfen.

Er sollte das Vergnügen empfinden, das sie ihm bereiten konnte. Und es genügte ihr auch, jetzt nur neben ihm zu liegen und zu wissen, daß er das bekommen hatte, weswegen er gekommen war. Sie wußte, daß seine Gedanken Salto schlugen, daß seine Gefühle durcheinander geraten waren. Er wollte wissen, woran er mit ihr war. Ob er sich auf sie verlassen konnte. Und warum er sich nach dieser Frau sehnte, die ihn in Schwierigkeiten brachte, weil sie eine unkonventionelle Frau war.

Als er schlief, rieb sie ihren heißen, feuchten Schoß an seinem kräftigen Oberschenkel auf und ab, bis eine kleine Erleichterung ihre angespannten Nerven löste, und danach konnte auch sie einschlafen.

Als sie aufwachte, war er gegangen. Durch das kleine Fenster drang die Sonne herein, und draußen herrschte offenbar reger Betrieb. Bei den Baracken hörte sie knappe Befehle, als ob dort die Parade abgenommen würde. Und aus der anderen Richtung, wo die Ställe waren, hörte sie Hufgetrappel und Wiehern.

Sie kuschelte sich in die Kissen und atmete tief seinen Geruch ein, der ihnen noch anhaftete. Das Bett roch auch nach dem Sex, den sie in der Nacht genossen hatten, und sie hing ihren glücklichen Gedanken nach, aus denen ein Sklave sie riß, der ihr Wasser, Brot und Obst brachte.

Später an diesem Morgen sagte Imilico zu ihr: »Die meisten Gäste stehen hoch in der Gunst des Kaisers. Ich sage dir das, weil du vielleicht überrascht sein wirst, wenn du hörst, worüber sich die Herrschaften unterhalten.«

»In der Anwesenheit so hochgestellter Personen habe ich nichts zu sagen«, meinte sie steif. »Ich fühle mich bei solchen Leuten auch nicht wohl.«

»Sie werden dich sofort akzeptieren. Ich habe ihnen die Wahrheit über dich erzählt – daß du eine Freundin von Felicius bist, Vetter meines Herrn. Du hast gute Manieren, und daß du über keine Reichtümer verfügst, wird ihnen egal sein – das sind nicht Dinge, für die sie sich interessieren. Heute sind sie zu einer Rundreise aufgebrochen, aber heute abend beim Essen wirst du die meisten von ihnen kennenlernen, auch die Kriegstribune, die ständig hier stationiert sind.«

Sie unterhielten sich dann wieder über Öle und Parfüms. Sie war fasziniert von der Art, wie gewisse Öle verschiedene gefühlsmäßige Regungen auslösen oder verstärken konnten, und sie war begierig, alles darüber zu erfahren. Öle, die beruhigten, Öle, die anregten. Es gab einen ganz speziellen Grund, warum sie sich für dieses Thema interessierte, und in ihrem Kopf begannen sich die ersten Gedanken zu formen. Und sie sah, daß Imilico ihre Gedanken erriet. Er durchschaute sie.

Während sie ein leichtes Mittagsmahl einnahmen, kam das Gespräch auf Gaius.

»Er verwirrt mich«, sagte Marcella. »Er hat mir keine glaubhafte Erklärung für sein Verhalten in Rom gegeben, und seit Wochen hat er einen Groll gegen mich genährt, er hat mich all diese Wochen zutiefst verachtet.«

Imilico lächelte, sagte aber nichts.

»Wir hatten einen kleinen Machtkampf in seinem Arbeitszimmer, aber ich glaube, ich war der eindeutige Sieger«, sagte sie. »Er hat eingesehen, daß ich recht habe, glaube ich, wenn er auch allen Grund hatte, böse auf mich zu sein. Und doch hat sein Instinkt ihm gesagt, daß er mir trotz allem vertrauen kann.«

»Kein Zweifel, daß ihr zwei euch gesucht und gefunden habt«, sagte Imilico, jetzt ganz ernst. »Und das ist ein großes Geschenk. Jetzt können wir nur darauf warten, daß die Götter uns zeigen, wie sie sich eure Zukunft vorstellen.«

Bei Sonnenuntergang vertrieben sich Marcella, die militärischen Berater und die zivilen Gäste die Zeit mit belanglosem Geplauder. Sie warteten im karg eingerichteten Speisezimmer auf Gaius. Die anderen kannten sich alle untereinander, aber wie Imilico vorausgesagt hatte, störte sich niemand an ihrer Gegenwart, man war freundlich zu ihr und bezog sie in die Gespräche ein.
Bald gefiel es ihr gut in der Gesellschaft so vieler verschiedener Menschen, und dann hatte sie sich schon so gut eingelebt, daß sie zwei kleine Witze erzählte, über die herzlich gelacht wurde.

Gaius sah ausgeruht aus, als er eintraf. Ihre Blicke trafen sich kurz, er nickte ihr zu, aber seine Augen lächelten nicht.

Er entschuldigte sich, daß er nicht pünktlich hatte sein können, aber die Arbeit mit der Wachstafel, die vielen Berichte, die Rom verlangte … »Manchmal glaube ich, daß Rom nur sicherstellen will, daß wir etwas zu tun haben.«

Er ließ sich auf einer Liege nieder, und ein Diener brachte ihm eine Schüssel mit gebratenen Damaszenerpflaumen.

»Marcella hat uns erzählt, wie es euch gelungen ist, Pompeji zu entkommen«, sagte einer der Tribune. »Wir wußten nicht, daß du bei der Katastrophe dabei warst.«

»Wir haben alle gedacht, du wärst zu dieser Zeit in Rom gewesen«, sagte ein stiller Mann mit Namen Lucius.

»Du führst so ein interessantes Leben, Gaius. Heute Vulkanausbrüche und morgen Stammeserhebungen. Und du hast uns alle hinters Licht geführt – ich finde, dafür hast du eine Strafe verdient. Eine sehr schwere Strafe.«

Das sagte eine Frau mit funkelnden, kostbaren Juwelen und strahlenden Augen. Ihr Gesichtsausdruck verriet, daß sie es nicht so locker nahm, wie es sich anhörte, was Marcella verwunderte, und plötzlich wünschte sie sich den Mut, dieser Frau das kunstvoll frisierte Haar zu zerzausen und ihr genüßlich das Gesicht zu zerkratzen.

Die Art und Weise, wie die Frau Lucius' Arm berührte, ließ Marcella vermuten, daß sie mit ihm verheiratet war. Vielleicht wollte sie den Ehemann auch nur eifersüchtig machen. Dazu paßte Lucius' Gesicht. Er hob die Augen zur Decke und seufzte resignierend.

»Es waren dramatische Tage, Fulvia«, antwortete Gaius und schaute Marcella eine lange Zeit an, ehe er den Blick wieder auf die lächelnde Frau richtete. »Ein solches Geschehen vergißt man sein Leben lang nicht.«

»Fortuna hat dir beigestanden! Du hast Glück gehabt, aber ich finde, du hast trotzdem eine Strafe verdient, weil du deine Abenteuer für dich behalten hast.«

»Ich bin sicher, daß Fortuna in meiner Nähe war – und eine ganze Reihe anderer Götter auch noch.«

Der Abend verlief in fröhlicher Atmosphäre, denn die Gesellschaft genoß die entspannte Lage nach den angestrengten Wochen der Beunruhigung. Alle Teilnehmer waren bereit, sich zu amüsieren und die luxuriösen Delikatessen zu genießen, die extra von der Hundertschaft geliefert worden waren. Man sprach dem Wein ausgiebig zu, und alles hätte wunderbar sein können, wenn da nicht die Spitzen Fulvias gewesen wären.

Marcella zog sich früher zurück als die anderen, und auf dem Weg zu ihrem Zimmer traf sie Imilico.

»Sind alle Gäste die Freunde des Kaisers?« fragte sie. »Einige haben ganz unverblümt ihre Witze über ihn gerissen, auch in Gaius' Beisein. Und eine Frau hat Gaius ziemliche Avancen gemacht, hatte ich den Eindruck.«

»Ah, du meinst Fulvia.« Sein Gesicht schien sich zu verschließen, als er den Namen erwähnte, dann sagte er: »Sie ist ein Skandal, aber er weiß, was mit ihr los ist. Und ihr Mann weiß es auch.«

»Er ist zu tolerant, nicht wahr?«

»Das ist zwar nicht das Wort, das ich gewählt hätte, aber so kann man es nennen«, sagte Imilico lächelnd. Dann waren sie vor ihrer Tür angekommen, und er wünschte ihr eine gute Nacht.

Gaius kam in dieser Nacht nicht zu ihr, und erst nach der achten Stunde dieser Nacht fiel sie endlich in den ersehnten Schlaf, nachdem ihre Tränen das Kissen genäßt hatten. Sie malte sich aus, wie er heimlich in Fulvias Zimmer schlich und sie mit einer Wildheit bestieg, die sie sich von ihm wünschte, während Lucius sich mit ein paar Kumpanen dem Würfelspiel hingab. Sie malte sich die Lustschreie der Frau aus und befürchtete, daß Gaius ihre vulgäre, geile Art attraktiv finden könnte. Sie haßte die Frau und haßte ihn, weil er in dieser Nacht nicht zu ihr kam und sie allein schlafen ließ, allein mit ihrem unendlichen Verlangen.

Am nächsten Morgen ging sie früh in den Speiseraum, obwohl sie wußte, daß sie keinen Bissen hinunter bekommen würde. Ihr war übel, und die Gewalt ihrer eigenen Gefühle ängstigte sie. Ihr Verlangen war auf ihn ausgerichtet, ausschließlich auf ihn, und niemand und nichts sonst konnte es stillen.

Er war allein im Speiseraum und stand von der Liege auf, als sie eintrat. Stumm ging er ihr entgegen, blieb dicht vor ihr stehen, legte seine Hände auf ihre Schultern und sah ihr in die Augen. Er schob sie behutsam auf einen niedrigen Schemel zu, ohne den Blickkontakt zu beenden. Er hob ihr Kleid an und schob es ungeduldig hoch.

Er streichelte über die Innenseiten ihrer Schenkel, drückte sie ein wenig auseinander, fuhr mit dem Finger leicht über ihr Geschlecht und schob ihn dann vorsichtig hinein.

Das Unerwartete an der Situation ließ sie erschauern, sie spürte, wie sich ihre inneren Muskeln spannten und entspannten, wie sie auf der Stelle bereit für ihn wurde. Sie schaute in seine Augen und sah dort einen Ausdruck von altem Schmerz und überraschender Lust.

»Gaius, die anderen Gäste könnten jeden Augenblick kommen«, mahnte sie ihn leise. »Warum hast du mich in der Nacht nicht besucht?«

Sie hätte genauso gut mit der Wand sprechen können. Seine einzige Antwort bestand darin, das Lendentuch zur Seite zu schieben, ihren Po zu halten und seinen Penis tief in sie hineinzustoßen.

Sie hielt sich an seinen Schultern fest und ruckte mit dem Schoß vor und zurück. Ihr ganzer Körper stand in diesen wenigen Augenblicken in hellen Flammen, die Hitze strahlte von ihrem Innern aus und wurde noch angefacht von seinen kräftigen, noch nicht immer rhythmischen Stößen.

Sie spürte seinen Atem in der Halsbeuge, und seine Lippen und die Zungenspitze labten sich an dem süßen Geschmack ihrer Haut. Sie erschauerte und genoß die Kraft seiner Männlichkeit.

Er legte eine Hand auf ihre Brüste und drückte eine Warze durch den Kleiderstoff, und sie begann eine unglaubliche Reise zu den sexuellen Höhen ihres Empfindens, sie kletterte von einem Gipfel zum nächsten, und jeder schien ein bißchen höher und intensiver zu sein als der vorige. Er zog sich jetzt fast ganz aus ihr zurück, ehe er tief hineinstieß. Bei jedem Stoß fürchtete sie, es könnte der letzte sein, denn sie wollte, daß es nie enden würde.

Draußen auf dem Korridor polterte und schepperte es, und darauf folgte das hohe Lachen einer Frau.

Marcella spannte ihre inneren Muskeln an. Es wäre eine Schande, wenn man sie in dieser Situation überraschte. Gaius beschleunigte seine Stöße und zog sie näher zu sich heran. Er preßte seinen Mund gegen ihren Hals.

»Marcella, Liebling.«

Die sanften Worte lösten einen Funkenregen in ihr aus, Freude und Lust füllten sie aus, und während er seine Kraft in ihr verströmte, wurde ihr Körper von der Gewalt seines Ausbruchs geschüttelt.

Draußen vor der Tür hörten sie eine Stimme: »Lucius, nun komm doch schon!«

Eine Männerstimme rief zurück: »Geh ruhig schon hinein, Fulvia, ich komme später!«

Mit einem spitzbübischen Lächeln zog sich Gaius

aus ihr zurück und half Marcella auf die Beine. Er ordnete sein Lendentuch und strich ihr Kleid glatt, dann nahm er eine Schüssel mit Obst und saß gerade wieder an seinem Tisch, als die Tür geöffnete wurde. Gaius reichte Marcella die Schüssel mit Obst.

»Ah, Gaius! Grüße! Dies verspricht, wieder ein sehr schöner Tag zu werden. Dein Sklave Imilico hat auch wieder einen Wagenausflug für uns organisiert«, rief Fulvia.

Marcella gefiel nicht die Art, in der sie ›Sklave‹ aussprach, aber sie konnte nicht genau sagen warum.

Gaius lächelte. »Es wird tatsächlich wieder ein schöner Tag«, stimmte er zu. Er blinzelte Marcella unbemerkt zu. »Jedenfalls hat er schön begonnen.« Sie entdeckte ein amüsiertes Lächeln um die Mundwinkel, wohl ausgelöst von der Erinnerung, was sie vor einer kurzen Weile noch verbunden hatte. Dieses Lächeln, dachte Marcella, hatte sie fasziniert, als sie es das erste Mal in der Taverne ihres Onkels gesehen hatte.

»Ich bin sicher, wir werden ihn gründlich genießen können«, raunte Fulvia, die Stimme voller Anzüglichkeiten.

Das versteckte Lächeln war immer noch da, als er der Frau ein Tablett mit Brot reichte.

»Ich werde das auch versuchen«, sagte er, ohne Marcella anzuschauen. »In dieser Woche hatte ich noch keinen freien Tag, und weil ich am späten Abend noch eine Nachricht erhielt, habe ich die ganze Nacht arbeiten müssen.«

Marcella atmete erleichtert auf. Jetzt wußte sie, warum er sie in der Nacht nicht besucht hatte.

»Aber heute werde ich mich vergnügen wie jeder andere auch. Die Legionäre erhalten Ausgang, deshalb nehme ich mir auch ein paar Stunden dienstfrei.«

Marcella spürte, wie ihr Herz schneller schlug. War das ein Versprechen?

Ihre Gedanken wurden unterbrochen, als die Tür aufgestoßen wurde.

»Wo ist meine Frau? Ah, da bist du, Fulvia!«

Ein Mann trat in das Zimmer, und Marcella war es, als hätte sich plötzlich das Tor zur Unterwelt geöffnet und Zerberus mit seinen drei Köpfen wäre ausgespuckt worden, um ihr in die Waden zu beißen.

Nicht Lucius war Fulvias Ehemann, sondern der schreckliche Caballius Zoticus.

»Es ist unser Schicksal, daß wir uns immer wieder begegnen.«

Es klang wie eine Drohung. Er sprach leise, und die anderen Gäste waren mit den Plänen für den neuen Tag beschäftigt und achteten nicht auf das Zwiegespräch. Die derbe Männlichkeit, die sie an jenem Abend auf dem Fest in Pompeji angezogen hatte, schreckte sie seither ab. Sie bekam eine Gänsehaut. Sie wußte, daß Caballius

wieder Unheil über sie bringen würde.

»Von nun an wirst du alles tun, was ich verlange«, sagte er. »Das war schon in Pompeji verabredet. Wenn nicht, werde ich dich öffentlich als Hure bloßstellen. Hier bist du im Gegensatz zu Rom sehr bekannt und wirst von allen akzeptiert. Und deshalb hast du eine Menge zu verlieren.«

Sie schaute sich um und dachte an die Scham, die sie empfinden würde, wenn Caballius seine Drohung wahr machte.

Er wies mit dem Kopf zu Gaius. »Du hättest mir sagen sollen, daß er dein Liebhaber ist.«

»Das ist er nicht.« Ihre Stimme klang unnatürlich hoch, als sie spontan antwortete.

»Natürlich ist er dein Liebhaber. Petro hat es mir schon gesagt, als wir gemeinsam aus Pompeji abhauten. Ich bin nicht zufällig hier, weißt du. Ich wußte, daß du irgendwann hier auftauchen würdest, um deinen Geliebten wiederzusehen.«

Er grinste sie an, ehe er fortfuhr.

»Ich bin froh, daß Petronius mir den Tip gegeben hat, sonst wäre ich wahrscheinlich nie auf die Idee gekommen, ihr zwei könntet heimlich was miteinander haben. Ich meine, ich habe euch schon eine Weile beobachtet, aber ihr gebt durch nichts zu erkennen, daß ihr zusammengehört. Ihr schaut euch nicht an, ihr seid Luft füreinander. Deshalb ahnt auch keiner der anderen Gäste etwas. Selbst Fulvia hat keine Ahnung, und sie hat sonst ein Gespür für solche Dinge. Aber sie wird ihre helle Freude an dir haben. Meine Frau frönt nämlich Lastern, die selbst mir ein bißchen zu bizarr sind.«

»Du bist ein mieser Bastard, für den ich nichts als Verachtung empfinde«, flüsterte sie voller Entsetzen.

»Wenn du und einige andere Leute glauben, ich hätte eigenartige Vorlieben«, fuhr er ungerührt fort, »solltest du mal Fulvia erleben. Sie schafft es, sogar mich zu schockieren.«

Sie schluckte und schüttelte langsam den Kopf.

»Sie bezieht ihre Lust daraus, Menschen zu

erniedrigen und Dinge von ihnen zu verlangen, die wirklich nicht jedermanns Geschmack sind. Es wäre mir ein großes Vergnügen, sie auf dich loszulassen – he, das zu beobachten, wäre das Größte!«

»Du bist ein gemeiner, bösartiger Bastard«, fauchte sie. Sie zitterte am ganzen Körper, während sie versuchte, ihre Emotionen in den Griff zu bekommen. Vor allem durfte sie es nicht zulassen, daß die anderen Gäste etwas von ihrem erregten Zustand bemerkten. »Du bist einfach nur schlecht. Der reinste Abschaum. Ich werde dich eher im Hades sehen, als mich von dir verderben zu lassen!«

»Dann wirst du bald feststellen, daß der Hades ein Ort auf dieser Erde ist«, sagte er und lächelte.

## Zwanzigstes Kapitel

Eine halbe Stunde später funkelten Fulvias Augen vor lüsterner Aufregung. Sie standen auf der Veranda des Hauses des Legaten und schauten zu, wie die Bediensteten Holzkisten mit Essen und Trinken zu den Wagen brachten. Alles war für den Ausflug vorbereitet.

Die Luft war noch kühl, aber Fulvia trug ein leichtes Kleid, das ihre üppigen Kurven zeigte. Der Seidenschal wurde immer wieder von ihren Schultern geweht und lenkte die Aufmerksamkeit auf ihre vollen Brüste.

»Sie haben uns nur einen Militärwagen gestellt und einen altersschwachen Karren, der von einem Esel gezogen wird. Das Tier sieht so langsam aus, daß wir bis Sonnenuntergang wahrscheinlich nur zweitausend Schritte zurückgelegt haben«, sagte sie. Obwohl sie locker sprach, konnte sie ihren Unmut nicht verbergen.

»Gaius ist der Kommandant, deshalb muß er mit einem eigenen Wagen fahren, er kann sich unmöglich mit uns allen zusammenquetschen lassen«, meinte eine der Ehefrauen. »Ich war gestern nicht dabei, was für mich eine schreckliche Enttäuschung war, denn ich hatte mich schon lange auf ein solches Abenteuer gefreut!«

Imilico hatte Marcella von dieser Frau gesagt, daß sie unvorstellbar reich und verwandtschaftlich mit der kaiserlichen Familie verbunden sei. Ihr zur Seite stand eine junge, blonde Sklavin, die den kleinen Sonnenschirm trug und einen gewaltigen Fächer aus Pfauenfedern. Er mußte ein Vermögen gekostet haben, dachte Marcella. Die gute Laune, die von der Ehefrau ausströmte, stand im herben Kontrast zu Marcellas düsterer Stimmung – aber auch im Gegensatz zu den boshaften Anspielungen, die man in jedem Satz heraushören konnte, der über Fulvias Lippen kam.

»Ich selbst freue mich auch auf diese primitiven Ausflüge«, sagte Fulvia ohne Überzeugung. »Sie erhöhen noch den Spaß, aus Rom weg zu sein.«

Sie stieg umständlich auf den Karren, und Marcella fing zufällig einen gehässigen Blick von Caballius aus, mit er seiner Frau hinterher schaute.

Gaius schritt vom Hauptquartier über den Platz, im tiefen Gespräch mit Nicodemes. Der Kommandant sah würdig aus in seinem militärischen Umhang, locker über eine Schulter drapiert. Er schaute gelassen über den Hof.

»Es war vereinbart, daß du mit im Karren fahren solltest«, rief Fulvia mit fester Stimme. »Ich habe dir einen Platz gesichert. Wir warten auf dich.«

Gaius nickte ihr zu, und Nicodemes gab einem Legionär einen knappen Befehl, den Marcella aber nicht hören konnte.

Marcella wich einen Schritt zurück, als sie entsetzt feststellte, daß es im Wagen nur noch einen Platz gab, und der befand sich neben Caballius Zoticus. Sie warf einen verzweifelten Blick auf Gaius, fing aber nur einen giftigen Blick von Fulvia auf.

Stirnrunzelnd blieb sie stehen, unentschlossen, was sie tun sollte. Aber wenige Augenblicke später fuhr ein kleiner eleganter offener Wagen vor, von zwei kraftstrotzenden Ponys gezogen, und hielt vor ihr an. Es war ein leichter Wagen, der schnell unterwegs sein würde, und der Lenker war keiner von den Kavalleristen, sondern Brutus, der gut aussehende Hauptmann des Versorgungstrupps, mit dem sie nach Theveste gereist war.

Er sprang mit kraftvollem Schwung vom Wagen, wobei sein Umhang flatterte, und half Marcella auf ihren Sitz. Seine blauen Augen zwinkerten fröhlich, ein völlig anderer Ausdruck als die säuerliche Miene, die sie auf der Reise hierhin bei ihm gesehen hatte. Er war charmant, ungezwungen und höchst attraktiv, und Marcella haßte jeden muskulösen Zentimeter von ihm, als er ihr in den Wagen half.

Ob Gaius sie jetzt so behandelte wie Julia, der er männlichen Trost geschickt hatte, weil er gerade mit ihr, Marcella, beschäftigt gewesen war? Hatte Gaius vor, sich auf dieser Reise mit einer anderen Frau zu vergnügen?

Während Brutus das Geschirr des Gespanns überprüfte, stieg Caballius Zoticus vom überfüllten Wagen hinunter. »Ich kann ein paar wilde Ponys zähmen«, sagte er. »Das würde mir großen Spaß machen.«

Er stand dicht beim Wagen und zischte Marcella zu: »Bald habe ich dich ganz für mich. Oben in den Sanddünen. Ich kann es kaum erwarten, bis ich dich für deine Ungezogenheiten und Unverschämtheiten abstrafen kann, vor allem, da ich weiß, daß du die geringste Berührung mit mir für widerlich hältst. Du bist so spontan, so voraussehbar. Huren täuschen ihre Gefühle vor, wenn man ihnen genug zahlt, aber sie können mich ebenso wenig täuschen wie du. Und ich weiß auch, daß du verdammt heiß bist. Ja, ich werde meinen Spaß mit dir haben. Ich werde dir eine Lektion erteilen, die du nicht so schnell vergessen wirst. Die erste von vielen, meine Liebe.«

Hatte Gaius geplant, sie in der Wüste mit Caballius allein zu lassen? War es gar nicht Brutus, den er für sie arrangiert hatte? Sie saß unbeweglich da, starr vor Schreck. Ihre Augen nahmen das Umfeld wahr, aber sie sahen nichts.

Nicodemes schritt davon, und Gaius lächelte zu Fulvia hoch, die kokett mit ihren Locken spielte. Die Frau mit dem Fächer aus Pfauenfedern schickte ihre Sklavin zu einem Botengang ins Haus zurück.

Marcella versuchte, ihre Gedanken zu ordnen, aber da dieses gemeine Monstrum so nahe bei ihr stand, kam sie sich körperlich und geistig gelähmt vor.

»Keine Lüge, die du diesen Leuten erzählst, wird ihnen imponieren. Es wird ihnen einfach egal sein, denn ich bin ein Niemand.«

»Das stimmt«, sagte er grinsend. »Aber Gaius Salvius Antoninus ist jemand von entscheidender Bedeutung. Es wird ihm beträchtlich schaden, wenn bekannt wird, daß die Frau, die er sich ins Bett nimmt und seinen Gleichgestellten vorführt, eine ganz gewöhnliche Hure ist. Dies ist eine sehr verschworene Gemeinschaft, in der Familienbande eine große Rolle spielt. Du hast niemanden, der für deinen Charakter bürgen kann. Das allein macht dich schon verdächtig. Nur Kriminelle haben keine Vergangenheit.«

Die junge Sklavin kehrte zum Wagen zurück und ließ den Sonnenschirm fallen, als sie in den hohen Wagen klettern wollte und in der einen Hand einen Schal hielt.

Eine leichte Bewegung lenkte Marcellas Aufmerksamkeit zu Fulvia. Die Frau erwartete offenbar eine Bestrafung der Sklavin, und gespannt und lechzend rutschte Fulvia auf ihrem Sitz hin und her. Marcella ahnte, welche Partien bei diesem Rutschen gereizt wurden. Pfui, die Frau mußte krank sein.

Die römische Dame bemerkte den Unfall ihrer jungen Sklavin und lachte. Sie streckte eine Hand aus, um das Mädchen in den Wagen zu ziehen. Dann legte sie den Schal über den Kopf der Sklavin, um ihn vor der Sonne zu schützen. Fulvias Gesicht war verzerrt von der Enttäuschung, daß ihr das Auspeitschen eines nackten Mädchenrückens entgangen war.

Der schwere Wagen, von stämmigen Ochsen gezogen und gefüllt mit fröhlichen Patriziern, begann eine Reihe komplizierter Manöver, um sich zum Tor hin auszurichten. Marcella bekam davon nichts mit. Sie sah alles nur durch verschwommene Augen. Sie fühlte sich von aller Welt verlassen.

»Was läßt dich glauben, daß ich so anders sein werde als dein Liebhaber?« fragte Caballius leise und packte sie grob am Arm.

Als sie schwieg und weiter starr geradeaus starrte, fuhr er fort: »Er nimmt sich auch jeden Spaß von einer Frau, der ihm gerade einfällt. Er braucht sie doch nur anzulächeln, und schon glauben die geilen Weiber, daß sie was Besonderes sind. Aber wenn eine Frau mehr will als nur eine Nacht mit ihm, schickt er sie skrupellos davon. Was dir gerade am eigenen Leib widerfährt. Das Wort ›Verpflichtung‹ kommt in seinem privaten Sprachschatz nicht vor.«

Er wartete einen Augenblick, ehe er fortfuhr.

»Schau dir doch meine Frau an, auch sie ist nicht immun gegen seine Reize. Sie betrachtet ihn wohl als Herausforderung für ihre dominanten Spielchen. Sie ist gespannt, ob sie ihn unterwerfen kann. Sie wird ihren Spaß heute mit ihm haben, und danach, sage ich dir, wird alles viel leichter sein.«

Er sah sie an, und sie erkannte den abstoßenden Blick des Triumphs in seinen Augen. Sie überlegte, ob sie eine Ohnmacht vortäuschen könnte, um den Ausflug nicht mitmachen zu müssen. Oder fiel ihr sonst eine überzeugende Ausrede ein?

Caballius nahm die Zügel auf und wollte gerade auf den Wagen steigen und sich neben ihr niederlassen.

Gaius rief: »Caballius, du lenkst den Wagen deiner Frau! Die Ponys sind nicht so ausdauernd, deshalb können sie nicht mithalten. Ich will Marcella ein Stück der näheren Umgebung zeigen, damit sie mehr von Afrika kennenlernt. Du kennst diese Gegend schon – also nimm den anderen Wagen, damit du neue Gegenden siehst.«

Caballius sah für einen Moment so aus, als wollte er sich auf Gaius stürzen oder sich schlicht weigern, die Zügel aus der Hand zu legen. Aber dann ließ er sie fallen, drehte sich um und ging.

Marcella lief in der aufsteigenden Hitze ein kalter Schauer über den Rücken. Sie wußte, daß der Zorn in Caballius durch diese erneute Niederlage noch größer geworden war, und sein Dürsten nach Vergeltung ebenfalls.

»Du hast genau zwei Worte mit mir gesprochen, seit du aus meinem Bett aufgestanden bist«, sagte sie klagend, als Gaius den Wagen durch das beeindruckende Osttor lenkte.

Ohne zu antworten, schaute er sie von der Seite an, dann blickte er wieder nach vorn, denn er gestattete den Ponys, ihre überschüssige Kraft abzuarbeiten. Seine Gegenwart war Balsam für ihre angenagten Nerven, und allmählich gelang es ihr, sich zu entspannen. Sie war glücklich, einfach neben ihm zu sitzen. Caballius und Fulvia waren weit weg, sie waren auf der Hauptstraße in die entgegengesetzte Richtung gefahren.

Die Gegend wurde karg und sandig. Die Luft war angenehm warm, und man hörte nichts außer dem Summen des Windes, der den Sand auf dem Boden kreiseln ließ. Nirgendwo gab es Anzeichen für eine Siedlung.

Nach etwa zwei Stunden lenkte Gaius die Ponys vom Weg ab, band ihnen Futterbeutel um und band die Zügel fest.

»Hier beginnt die Wüste, und wenn man drin ist, glaubt man, daß sie nirgendwo aufhört«, sagte er. »Hier erhältst du eine Vorstellung, wie das Grenzland aussieht. Kein Römer hat je die Ausmaße des Sandes feststellen können, er ist unerforscht und genauso gefährlich wie ein Vulkan. Die Hitze um die Tagesmitte ist unvorstellbar, man muß sie erlebt haben, um sie glauben zu können. Diese Temperatur jetzt ist im Vergleich dazu eher kühl.«

»Ich habe die Kleider der Hure geborgt, weil ich es Caballius heimzahlen wollte, denn er hatte sich mir gegenüber schäbig verhalten. Und es ist mir gelungen.« Sie wollte, daß die Sache nicht mehr zwischen ihnen stand, das war ihr wichtiger als dieser Vortrag über die Wüste und ihre Gesetze. »Aber das ist schon lange her, und seither sind viel wichtigere Dinge geschehen.«

Er zog sie in den weichen, warmen Sand.

Eines der Ponys drehte sich zu ihnen um und wieherte.

»Du brauchst es mir nicht zu erzählen, Marcella. Du brauchst dich auch nicht zu rechtfertigen.«

Er schaute auf den Boden, scheinbar tief in Gedanken versunken, und legte eine Hand auf ihr Knie. »Ich möchte die Wahrheit über uns wissen«, sagte er.

Er legte eine Hand auf ihre Brust und schob den Stoff vorsichtig nach unten, so daß er sehen konnte, wie die beiden Zwillingshügel sich stolz reckten. Ihr fiel spontan ein, daß er das auch bei ihrem allerersten Treffen getan hatte. Bei Jupiter, das schien tausend Jahre her zu sein.

Sie lag im Sand, spürte, wie sich der weiche Boden ihrem Körper anpaßte, während er versonnen ihre Brüste streichelte.

»Als ich die Taverne betrat, war ich in fürchterliche Stimmung, denn ich hatte mich verirrt«, sagte er. »Und da sah ich dich, ein dampfendes kleines Bündel unterdrückter Leidenschaft, das verzweifelt einen Weg suchte, die Enge des Zuhauses hinter sich zu lassen.«

Sie errötete.

»Mein Vater war ein Mann, der sich nach der Zeit der Republik zurücksehnte. Sehr reserviert, scheu und unfähig zu lieben«, sagte er und schaute über sie hinweg in die Weite der Wüste. »Als mir bewußt wurde, wie sehr er meiner Mutter mit seinem Charakter schadete und wie grausam er sein konnte, da schwor ich mir, daß ich nie eine Frau gegen ihren Willen im Mittelmaß zurücklassen würde.«

»Ich habe oft darüber nachgedacht, wie und warum du plötzlich in Pompeji gelandet bist«, sagte sie, verlegen ob seiner gefühlsbetonten Erklärung.

»Der Kaiser hatte darauf bestanden, daß ich mich mit ein paar Befehlshabern aus Britannien treffe, damit wir unsere Erfahrungen im Grenzland austauschen können«, sagte er. »Pompeji lag günstig für uns alle, aber ich stand unter Zeitnot, weil ich wußte, daß wir in Afrika schwierige Auseinandersetzungen haben würden. Deshalb wollte ich so schnell wie möglich wieder zurück.«

»Gehört Julias Ehemann zu den Befehlshabern aus Britannien?« fragte sie.

»Woher weißt du von Julia?« Er lachte und küßte sie auf die Stirn. »Sie ist eine liebenswürdige Frau, verheiratet mit einem kaiserlichen Verwalter. Ihr Mann ist seit einem Unfall impotent, aber sie verstehen sich gut, deshalb lassen sie sich nicht scheiden. Er toleriert die eine oder andere diskrete Affäre. Manchmal betreiben wir mehr als Konversation, aber es ist eine lose Beziehung ohne jede Verpflichtung – von ihrer Seite und von meiner. Sie würde es hassen, auf einen Geliebten beschränkt zu sein.«

Er bückte sich und küßte ihre Nippel. Sofort kribbelte es heftig in ihrem Schoß, und sie rutschte näher zu ihm heran, damit ihre Schenkel in seinen Griffbereich gerieten. Sie wollte, daß er sie an den pochenden Stellen berührte, wollte seinen Atem spüren, seine Lippen.

Sie legte eine Hand auf sein Bein und streichelte über seine weiche Haut. Sie beschrieb kleine Kreise mit der ganzen Handfläche, rieb ein bißchen höher, drang unter das Lendentuch vor und stieß mit den Fingerspitzen gegen die Hoden.

Er nahm eine Brustwarze in den Mund und umspielte sie mit der Zunge, kratzte sie leicht mit den Zähnen und leckte dann mit der ganzen Zunge darüber.

Sie drückte die Handfläche sanft gegen seine Hoden, wiegte sie auf und ab, ehe sie höher glitt und den kräftigen Schaft mit der Hand umspannte. Sie streichelte ihn von unten nach oben, verweilte eine Weile auf der Eichel, rieb sie gegen ihre Innenhand, dann packte sie den Schaft wieder und rieb kräftig. Voller Freude hörte sie, wie sein Atem sich beschleunigte.

Sie wollte ihn in sich spüren, wollte die endgültige Versöhnung durch eine liebevolle, zärtliche Vereinigung ihrer Körper festschreiben. Seine Hand glitt zu ihrem Schoß, drang sanft ein und spürte ihre Bereitschaft. Ein Finger rieb leicht über den zuckenden Kitzler, dann drang er tiefer ein. Er wiederholte den Vorgang ein paarmal, und ihre stöhnenden Laute wurden schriller und wilder und lustvoller.

Er glitt an ihrem Körper hinunter, schob das Kleid ungeduldig beiseite und beugte den Kopf zu ihrem Schoß.

Als er ihre Labien zwischen die Lippen nahm und die Klitoris sofort mit den Lippen attackierte, blieb ihr fast die Luft weg. Sie kam sich vor, als wäre sie im Sand gestrandet, sie lag hilflos da und konnte von seinem Kosen und Zupfen und Lecken nicht genug bekommen. Ganz tief in sich spürte sie seine Zunge.

Abrupt spreizte er ihre Beine, und dann stieß er zwei Finger in sie hinein, während die Zunge ihr unwiderstehliches Spiel auf ihrer Klitoris trieb.

Sie lag still, wollte jeden Augenblick voll genießen. Sie hielt seine Haare mit beiden Händen fest, als fürchtete sie, er könnte den Kopf von ihr weg bewegen.

»Konzentriere dich, Liebling«, murmelte er. »Ich will dich schmecken, wenn du unter meiner Zunge zu deinem Höhepunkt kommst.«

Die Wärme in seiner Stimme erfüllte sie mit einem Schwall von Glück. Sie spannte sich an, drückte sich ihm entgegen und öffnete sich noch weiter.

Er rieb den kleinen festen Knopf des Kitzlers mit dem Daumen.

Sie drückte sich ihm noch stärker entgegen und ruckte die Hüften hoch.

Er sah ihr in die Augen. »Da willst du mich haben, nicht wahr? Du brauchst mich in dir, ja?«

Sie nickte, biß sich auf die Lippen und streichelte über seine Schultern. Er beugte sich über sie, küßte ihren Bauch und fuhr mit der Zunge vom Nabel hinunter zu den empfindsamen Stellen, wo sich Beine und Körper begegnen. Dann küßte er die Innenseiten ihrer Schenkel. Er hielt ihre Beine weit gespreizt.

Ihre Hände verkrampften sich in seinen vollen, dichten Haaren.

Er folgte dem Zug ihrer Hände, und wieder fuhr er mit der Zunge über die nassen, geschwollenen Lippen ihres Geschlechts. Sie bäumte sich unter ihm auf und stieß einen Schrei voller Lust und Genuß aus.

»Dies wird einige Zeit dauern«, raunte er. »Glücklicherweise haben wir genau das – Zeit. Wir brauchen eigentlich ein Kissen ... nun, wir werden improvisieren.«

Er schöpfte Sand und schob ihn unter ihren Hintern, so daß sie höher zu liegen kam. Sie schaute ihn fragend an, fühlte sich aber völlig sicher und entspannt in seiner Gegenwart, in der Einsamkeit der Wüste, auch wenn sie wußte, daß sie ihm und seinen Liebkosungen hilflos ausgeliefert war.

Er streichelte wieder über die Innenseiten ihrer Schenkel, rieb mit den Daumen über die fleischigen Lippen.

»Ich muß dich schmecken und dein Elixier trinken. Ich kann nicht genug von dir bekommen«, murmelte er, und wieder beugte er den Kopf und attackierte den kleinen festen Knopf ihrer Lust. Seine Hände waren sandig, und sie spürte die rauhen Körner auf der Haut, ein aufregender Kontrast zur Sanftheit seiner Lippen.

Er saugte den Kitzler sanft ein, saugte härter, und kurz bevor die Lust in Schmerz übergehen konnte, hörte er auf und leckte mit der rauhen Zunge über den geröteten Knopf. Gleich darauf saugte er wieder, bis sie zu stöhnen begann.

Seine Zunge drang dann in sie ein, stieß zu, leckte, forschte, zwirbelte.

Ihr Orgasmus schüttelte sie durch, als hätte ein Fieber sie ergriffen, aber sie spürte gleich, daß sie noch nicht genug hatte. Sie setzte sich auf, warf sie über ihn und rieb ihre Brüste gegen den rauhen Stoff seiner Tunika.

Als die unkontrollierbaren Zuckungen abgeklungen waren, legte er sie wieder hin und drang mit einem einzigen gezielten harten Stoß tief in sie ein.

Ihr Körper, der sich noch erholte vom letzten Anschlag seiner Leidenschaft, wurde in einen neuen orgasmischen Rhythmus gezwungen. Sie arbeiteten gegenseitig am Orgasmus des anderen, ihre Körper bewegten sich in voller Harmonie, bis sie wieder von den Kräften der Lust geschüttelt wurde und vor unbezähmbarer Wonne aufschrie.

Stunden schienen vergangen zu sein, als sie die Augen aufschlug und sich vergewissern mußte, wo sie war. Sand ... überall Sand. Er lag noch neben ihr, sein Penis immer noch kräftig und geschwollen in ihr.

»Ich will dich immer bei mir haben, Marcella«, sagte er. »Ich habe oft genug mit mir selbst gerungen, aber jetzt weiß ich, was ich will. Ich werde dir eine schöne kleine Villa kaufen, in der ich dich besuchen kann, wann immer es möglich ist. Irgendwo in Süditalien oder Afrika. Dann kann ich auch noch zu dir kommen, wenn ich meine Karriere beim Militär beendet habe.«

»Das ist nicht das, was ich vom Leben erwarte«, sagte sie und fühlte sich verletzt. »Und ich will auch nicht dein Haus und dein Geld.«

»Das weiß ich, deshalb habe ich auch nicht von Geld gesprochen. Meine tiefen Gefühle sagen mir, Marcella, daß ich alles, was in meiner Macht steht, einsetzen will, damit du für immer in meinem Leben bleibst.«

Sie küßte ihn leicht auf den Mund. »Vielleicht weißt du jetzt, wie ich mich fühlte, als ich entschied, ich müßte dir folgen. Ich war nicht mehr in der Lage, logisch zu denken. Ich habe alle Einwände, daß du vielleicht nichts mehr von mir wissen willst oder eine andere Frau hast, zur Seite geschoben und bin dem gefolgt, was ich für mein Schicksal halte.«

»Leidenschaft führt zu starken Entschlüssen. Ich weiß nicht, wie ich es anstellen kann, aber ich will dich bei mir haben. Dafür würde ich alles geben.«

Sein Geständnis, das so unerwartet über seine Lippen kam, ließ ihr Herz höher schlagen und löste in ihrem Innern eine Welle der Freude aus.

»Ich weiß, daß ich nie eine große Rolle in dem Leben spielen werde, das du führen willst und mußt«, sagte sie. »Du wirst immer Ziele vor Augen haben, die ich nicht mit dir teilen kann. Die Menschen, die dich umgeben und mit denen du zu tun hast, würden mich mit ihren Konventionen ersticken. Aber ich will dich mein ganzes Leben lang begleiten.«

Sie wollte wissen – nein, sie mußte wissen, ob diese kleine Rolle, die sie in seinem Leben spielen wollte, nicht nur in ihrer Phantasie existierte, in ihrer Einbildung. Sie betete zu den Göttern, daß sie ihr diesen Wunsch erfüllten – es war nicht zuviel verlangt, nicht wahr?

»Mein Liebling, das steht doch außer Frage«, murmelte er. »Vielleicht wirst du nie eine öffentliche Rolle in meinem Leben spielen oder spielen wollen, aber du wirst immer wichtig für mich sein. Ich weiß nicht, ob diese außergewöhnliche Leidenschaft, die wir füreinander empfinden, von Dauer sein wird, aber ich möchte dir mehr sein als ein

Freund, auch mehr als ein Geliebter. Durch unsere Leidenschaft fühle ich, als wäre ich ein Teil von dir, und diese Tatsache kann uns niemand nehmen, das kann niemand zerstören.«

Ihre inneren Muskeln spannten sich an, und sie spürte das Zucken seines Glieds. Sie entspannte sich, um gleich darauf wieder die Muskeln spielen zu lassen. Sie drückte sich von unten gegen ihn, hob ihre Hüften an und stieß gegen seinen Schaft.

»Gaius«, flüsterte sie, »mein einzigartiger Geliebter.« Sie wiegten ihre Körper im weichen Sand, und das Flüstern des Windes begleitete sie mit seinem Liebeslied.

Er setzte jetzt zum Endspurt an, stieß mit kräftigen, gleichmäßigen Zügen in sie hinein, hielt ihre Schultern umfaßt und drückte sie eng an sich. Sie bäumte sich auf, ruckte ihm entgegen, und er galoppierte ins Ziel wie ein edles Rennpferd, das alle Beschränkungen aufgibt und nur noch dem Urinstinkt gehorcht.

Unter der heißen Sonne trieben sie sich gegenseitig zum Höhepunkt, stöhnend, schreiend, klammernd, einander haltend. Sie schlang ihre Schenkel um seinen Rücken, um ihn noch tiefer in sich spüren zu können, warf die Arme um seinen Hals und zog seinen Kopf herunter, um ihn voller Hingabe zu küssen.

Als der Höhepunkt sie überschwemmte, war er so intensiv, daß sie später glaubte, für eine Weile das Bewußtsein verloren zu haben. Lichter funkelten in einer Dunkelheit, die ewig zu sein schien, ihr Körper schien zu schweben und bewegte sich wie ein Schiff im Sand.

Sie schrie seinen Namen, und sie spürte, wie er die letzten Tropfen seines Samens in sie vergoß, und dann schloß sie die Augen und erkannte, daß sie bisher nicht gewußt hatte, was Glückseligkeit wirklich war.

# Einundzwanzigstes Kapitel

Sie kehrten lange vor den anderen zur Festung zurück, und um kein Aufsehen zu erregen, badeten sie nicht gemeinsam. Aber danach schlich sie zu seinen Räumen, und wenig später lagen sie nebeneinander in seinem kargen Schlafzimmer, sauber, wohlriechend und entspannt.

»Ich wüßte gern, was mit Lydia und mit Onkel und Tante geschehen ist«, sagte sie plötzlich.

»Oh, ich hätte es dir längst sagen sollen«, antwortete er schläfrig. »Ich habe sie kurz auf einem Schiff gesehen, als ich mich um die alte Frau gekümmert hatte. Jemand sagte mir, daß das Schiff nach Apulien führe. Du könntest sie dort ausfindig machen, wenn du willst.« Sie nickte, wurde im nächsten Moment aber abgelenkt, als er sie auf sich zog, ihre vollen Brüste zusammendrückte und beide Warzen in den Mund nahm.

»Laß uns jetzt für eine Weile an uns denken«, sagte er dann und streichelte über ihren Rücken. Leise wohlige Schauer ließen sie erbeben, als seine Finger behutsam die Kerbe zwischen den Backen ertasteten und dann weiter vordrangen, den Damm entlang zu ihren geschwollenen Lippen, die sie mit einem fein duftenden Öl eingerieben hatte.

Ihr Körper reagierte sofort, und obwohl sie es nach den nicht enden wollenden Orgasmen in der Wüste nicht für möglich gehalten hatte, schaffte er es mit unendlicher Sanftheit, sie wieder auf eine Ebene des Glücks zu heben, auf der sie ewig leben wollte. Ja, dachte sie glücklich, bevor sie einschlief, er ist mein Freund und mein Geliebter.

Später an diesem Tag, als die anderen Gäste ruhten, ließ Marcella sich im Speiseraum von Imilico ein kleines Glas Falerner einschenken, den sie mit Wasser verdünnte.

Gaius saß auf der Liege. Immer wieder warf sie einen Blick zu ihm hinüber. Er sieht um Jahre jünger aus, dachte Marcella. Ich habe ihn von seinen Sorgen ablenken können.

»Marcella und ich haben eine Idee«, sagte Imilico. »Sie ist nicht sicher, ob du zustimmen wirst, mein Herr, aber ich weiß, daß du nichts dagegen hast. Sie und ich zusammen haben genug Geld, um mich freizukaufen, und dann werden wir gemeinsam ein kleines Geschäft aufmachen.«

Gaius schaute argwöhnisch von Imilico zu Marcella. Die junge Frau hielt die Luft an.

»Wir haben die Frage deiner Freilassung schon verschiedentlich erörtert«, sagte Gaius. »Ich dachte, wir hätten festgelegt, daß du bis zum nächsten Jahr bleibst, bis dein Nachfolger sich ganz eingearbeitet hat. Warum plötzlich die Eile? Bin ich ein so harscher Herr, daß du frei sein willst, auch wenn das bedeutet, Geld von einer Frau anzunehmen? Eine Frau, die auch noch mittellos ist, möchte ich hinzufügen.«

»Mein Herr, ganz so ist es nicht. Es geht mir nicht darum, früher als geplant frei zu sein. Mein Nachfolger ist schon jetzt kundig auf allen erforderlichen Gebieten, aber ich würde auch nicht – wenn es nach mir ginge – alle Arbeiten auf einmal aufgeben. Außerdem ist Marcella nicht mittellos, sie hat sich was auf die Seite gelegt, was allerdings rasch aufgebraucht sein wird, wenn man es nicht klug investiert.«

»Was auf die Seite gelegt?« wiederholte Gaius. »In Rom war sie noch mittellos.«

»Das war ich nicht«, sagte sie. »Ich verfüge über eine größere Menge Gold.«

Er runzelte die Stirn. »Jetzt verstehe ich auch, warum deine Tasche so schwer war«, sagte er bedächtig. »Du mußt es in der Villa gefunden haben, in der wir unterwegs Rast gemacht haben, denn als der Maler die Tasche trug, hatte er keine Mühe damit, aber sie war verdammt schwer, als ich sie trug, als wir von der Villa zur Straße gingen.«

Sie lächelte. »Ich habe das Gold im Garten der Villa gefunden. Ich habe hart mit mir gerungen, ob ich es an mich nehmen sollte oder nicht. Die Goldstücke lagen überall im Garten verstreut herum, als hätte jemand sie in aller Hast weggeworfen. Schließlich habe ich mir gesagt, daß Fortuna mir den Schatz zukommen lassen wollte.«

»Inzwischen würden sie unter der Asche des Vulkans liegen«, sagte Gaius. »Ich habe gehört, daß einige Städte unter der Lava begraben sind. Nur die Spitzen der größten Häuser kann man noch sehen. Viele tausend Menschen sind umgekommen.«

Sie schüttelte sich.

»Marcella muß so schnell wie möglich eine Einkommensquelle finden«, sagte Imilico. »Sie wird erfolgreicher sein, wenn sie mit einem Freien arbeitet. Besonders, wenn er jemand ist, der sonst keine Ansprüche an sie stellt.«

Gaius schaute Marcella ernst an. »Und was für ein Geschäft wollt ihr ausüben?«

»Wie ich höre, habt ihr einen sehr bekannten Wagenlenker auf dem Weg von Pompeji getroffen,

Virius, der Unbesiegbare«, fuhr Imilico fort. »Virius hat Kontakte nach Syrien, und wir hoffen, daß er uns von dort Gläser und Flaschen besorgen kann. Ich werde diese Behälter mit Ölen und Parfüms füllen, die ich eigens zusammenstelle. Marcella wird die Vermarktung übernehmen, wird sie an wohlhabende Frauen in den Städten und Villen verkaufen und die Kontakte nutzen, die sie geknüpft hat, als sie mit mir unterwegs war. Es wird ein erfolgreiches Geschäft, wenn uns die Götter hold sind.«

Gaius stieß ein kurzes Lachen aus. Seine Augen glitzerten. Er stand auf und ging zur Tür. »Ich muß für ein paar Stunden in mein Arbeitszimmer«, sagte er. »Imilico, sage Claudius, wieviel du brauchst, und sage ihm, daß er die Angelegenheit in der üblichen Weise regeln soll. Marcella will von mir kein Geld nehmen, aber dir wird sie deine traditionellen Rechte nicht verweigern können.«

An der Tür blieb er stehen. »Das bedeutet, Marcella, daß wir gesetzlich und finanziell für viele Jahre aneinander gebunden sein werden, und es wird erforderlich sein, daß wir uns in regelmäßigen Abständen sehen.«

»Solange Imilico Mitglied deines Haushalts ist«, sagte sie vorsichtig.

Er warf ihr einen vergnügten, verliebten Blick zu und ging aus dem Raum.

»Alles läuft gut«, sagte Imilico voller Zuversicht und schloß Marcella in seine Arme.

»Wer ist Claudius?« fragte sie. »Er muß eine Menge Macht haben, wenn Gaius ihm solche Entscheidungen überträgt.«

»Hat er auch«, sagte Imilico ernst. »Als persönlicher Sekretär des Gaius Salvius Antoninus wird er nie eine bessere Position in seinem Leben erhalten. Und mein Herr hat eine große Stütze an ihm.« Er lächelte. »Claudius ist auch der Grund, warum ich in diesem Haushalt bleiben will.«

Am Abend schlemmten die Gäste und Offiziere. Es gab ein feines Mahl und den besten Wein. Jeder erzählte kleine Episoden vom Tagesausflug. Marcella warf verstohlene Blicke zu Caballius und Fulvia, die sich zurückhielten, aber guter Stimmung zu sein schienen. Marcella hoffte, daß sie ihre Frustrationen aneinander ausgelebt hatten.

Drei Legionäre sorgten für stimmungsvolle Tischmusik.

Niemand achtete auf sie, die Gäste waren zu sehr mit sich selbst beschäftigt. Man unterhielt sich über die schöneren Dinge des Lebens, über Kunst und Philosophie. Was für ein Unterschied zu den Gästen in der Taverne, dachte Marcella. Dort hatten sie über nichts als Sex gesprochen, und wenn sie das Thema erschöpft hatten, gaben sie sich dem Würfelspiel hin.

Als sich das Mahl dem Ende neigte, ging es weniger formell zu. Ein Gaukler brachte sie mit derben Späßen und geschickten Tricks zum Lachen.

Caballius schlenderte durch den Raum und ließ sich vor Marcellas Liege auf dem Boden nieder. Er warf Gaius einen flüchtigen Blick zu.

»Es wird dich interessieren«, sagte er mit gedämpfter Stimme, »daß ich das Bild mit deinen intimsten Stellen mitgebracht habe. Ich mußte es kurzfristig verkaufen, aber da ich wußte, daß mehr Potential darin steckt, habe ich es zurückgekauft.

Und heute abend werde ich es hier im Speiseraum versteigern. Es sei denn, du gehorchst endlich.«

Sie wurde bleich und stammelte: »Das würdest du nicht tun.« Sie atmete tief durch und fügte dann hinzu: »Wenn du mich als Hure hinstellst, beweist das doch, daß du solchen Umgang pflegst. Das muß für deine Frau sehr erniedrigend sein.«

Er lachte. »Es war Fulvias Idee, das Bild zurückzukaufen und es mit auf die Festung zu nehmen, um auf dich zu warten. Sie hat ein Gespür für solche Gelegenheiten. Eines habe ich mit meiner Frau gemeinsam: Wir warten schon seit Jahren auf eine Chance, Gaius Salvius Antoninus vom hohen Roß zu holen.«

»Du Bastard!« fauchte sie. »Ich werde nie gemeinsame Sache mit euch machen.«

»Es wird dir nichts anderes übrig bleiben«, sagte er. »Du befindest dich in einer Festung in der Wüste, es ist Nacht, und es gibt keine Möglichkeit, die Festung zu verlassen. Selbst wenn es dir gelänge, einen Soldaten dazu zu bringen, dich hinauszuschmuggeln, hätte man dich innerhalb einer Stunde wieder eingefangen.«

»In den Hades mit dir! Du hast keinen Funken Anstand im Leib!« Sie zitterte vor Wut und Angst, vor Wut auch deshalb, weil ihr nichts einfiel, um diesem Schicksal zu entgehen.

»Du hast keine Möglichkeit, dich und deinen Geliebten vor der Erniedrigung zu schützen – es sei denn, du tust, was ich sage. Und natürlich, was Fulvia dir sagt. Vergiß nicht, daß du selbst die Schuld an allem trägst. Sie war wie von Sinnen, als er sie öffentlich brüskierte, indem er mit dir hinausgefahren ist. Sie wollte ihren Zorn an mir auslassen, aber ich bin noch einmal davongekommen – weil ich ihr versprochen habe, daß sie ihren Spaß mir dir haben wird. Sie ist verrückt nach einem Dreier.«

Marcella schüttelte sich vor Widerwillen. »Ich will mit euren dreckigen Spielen nichts zu tun haben, und Gaius würde es mir nie verzeihen.«

»Nun gut, wie auch immer es ausgeht, ich werde der Gewinner sein«, raunte Caballius. »Fulvia und ich werden die Genugtuung haben, dich und Gaius in aller Öffentlichkeit bloßgestellt zu sehen, oder, wenn du dich doch noch anders entscheidest, werden Fulvia und ich viele Nächte unseren Spaß mit dir haben. Ehrlich, ich weiß nicht, für welche Variante ich mich entscheiden soll.«

Marcella bemerkte, daß Fulvia in ihre Richtung blickte, während Caballius zurück zu seinem Platz schlenderte. Der Gaukler beendete seine Vorführung.

Caballius verkündete: »Ich habe eine weitere Abwechslung anzubieten. Ich möchte ein Kunstwerk versteigern.«

Marcella betete zu Minerva und Juno, den Patroninnen der Frauen, ihr aus diesem Dilemma zu helfen, aber sie hatte selbst kein Vertrauen.

»Ein Kunstwerk?« fragte Gaius.

»Ein ganz besonderes Gemälde.«

Caballius gab ein Zeichen, daß man das Bild hereinbrachte. Der Auktionator sollte Brutus sein, der an diesem Abend besonders gepflegt aussah. Seine blauen Augen strahlten.

»Ich habe Marcella das Bild angeboten, weil sie eine Kunstexpertin ist, aber sie wollte den verlangten Preis nicht zahlen. Wenn sie ihre Entscheidung nicht revidiert, kann ich das Bild jetzt anbieten.

Nun, Marcella? Das ist deine letzte Gelegenheit, bevor das Gemälde enthüllt wird.«

Aus den Augenwinkeln sah sie, daß Fulvia diese Szene ebenso sehr genoß wie ihr Mann. Ihre Hüften wiegten sich leicht wie am Morgen im Wagen, als sie die blonde Sklavin beobachtet hatte. Sie hatte beide Ellbogen auf die Knie gestützt, das Kinn auf die Hände. Da sie auch den Oberkörper leicht vor und zurück wiegte, konnte sie bei jeder Bewegung ihre Brüste reizen.

»Ich finde, Marcella sollte den Preis zahlen!« rief sie mit einer unnatürlich hohen Stimme.

Marcella sah, wie Gaius' Blick von ihr zu Fulvia schweifte. Der Ausdruck auf seinem Gesicht war nicht zu deuten. Vielleicht war dies das letzte Mal, daß er dich überhaupt anschaut, dachte Marcella niedergeschlagen.

Er hatte ihr Leben gerettet und sie vor Schaden bewahrt. Er hatte sie seinen wichtigen Gästen vorgestellt und hatte zugesagt, Imilico früher die Freiheit zu geben. Und als Gegenleistung würde sie ihm in wenigen Augenblicken eine peinliche und erniedrigende Situation bescheren.

Erst vor drei Tagen war sie bei ihm in der Festung eingetroffen, und wehmütig dachte sie an die wunderschönen Stunden zurück, die sie seither verbracht hatten. Das alles würde jetzt vorbei sein, unwiederbringlich verloren.

In dieser Nacht würde der geheime Konvoi die Rückreise antreten. Ursprünglich hatte Gaius sie mit dem Konvoi zurückschicken wollen.

Jetzt war es vielleicht die letzte Chance für sie, ihm und ihr die entsetzliche Verlegenheit zu ersparen.

Sie konnte irgendwie das Bild an sich bringen und in einem der Wagen verstecken. Auf diese Weise würde sie das Bild haben, ohne den Preis zahlen zu müssen.

Sie brauchte nur Zeit.

»Nun, entscheide dich«, rief Fulvia.

»Ich kaufe das Bild«, rief sie so leicht, wie es ihr möglich war. »Warum sollte ich es nicht kaufen? Der Preis ist eine Unverschämtheit, aber ich werde ihn zahlen.«

Caballius lachte triumphierend. »Ich wußte, daß du nicht widerstehen würdest.«

Fulvia grinste zu Marcella hinüber, es war ein unangenehmes, unheilvolles Grinsen, und Marcella lief es kalt über den Rücken. Am liebsten hätte sie sich übergeben.

»Das war aber eine schlechte Verkaufsstrategie, Caballius«, meinte Gaius und warf sich ein paar Trauben in den Mund. »Einer von uns wäre vielleicht bereit gewesen, mehr für das Bild zu zahlen.«

Marcella starrte ihn an, und beinahe wäre ihr das Herz stehen geblieben. Sie schluckte ein paarmal und sagte dann bestimmt: »Der Handel ist abgeschlossen. Ich bin Käuferin des Bildes.«

»Wenn du darauf bestehst«, sagte er lächelnd. »Aber ich möchte trotzdem deinen Kunstgeschmack kennenlernen. Mich interessiert, was du zu diesem ›unverschämten Preis‹ erworben hast. Es geschieht nicht oft, daß wir in dieser Einöde mit kulturellen Dingen konfrontiert werden. Außerdem gehört es zu den Vorschriften, daß ich über jeden Handel informiert sein muß, der in dieser Festung geschlossen wird.«

»Nein, Liebling Gaius.« Sie hauchte diese Worte,

und wahrscheinlich hatte er sie auch gar nicht verstanden. »Es ist nicht, was es zu sein scheint. Du verstehst nicht …«

Sie bemerkte, daß die Gäste sie neugierig und gespannt musterten, überrascht von der intimen Anrede.

»Du hast recht, Gaius«, rief Caballius gehässig, ein grausames Lächeln im Blick. »Einer der Gäste wird in deinen Augen nie mehr so sein wie früher, wenn du dieses Bild gesehen hast, deshalb hast du jedes Recht, es zu sehen.«

Brutus schaute zu Gaius, um dessen Befehl zu hören. Marcella verfolgte hilflos, wie ihr Geliebter eine Handbewegung machte, aus der hervorging, daß er das Bild enthüllt sehen wollte. Marcella schlug die Hände vors Gesicht. Sie konnte nicht hinschauen.

Es entstand ein langes Schweigen, dann machte sich die Anspannung bei den meisten Gästen Luft. Die meisten konnten nicht glauben, was sie sahen. Einige kicherten, andere lachten laut auf. Selbst einige Frauen glucksten verschämt.

Lucius stieß ein wildes Gelächter aus. »Die Dame hat einen ausgezeichneten Geschmack, Gaius! Und einen seltenen Sinn für Humor! Was hast du dafür bezahlt, Marcella? Ich wette, es war weniger als ein Aureus! Wenn du mir das Bild verkaufst, verdopple ich den Preis!«

»Ich verdreifache!« rief einer der Tribune.

»Nein, ich muß es haben! Ich will es in Rom herumzeigen! Das wird eine Sensation!« rief Lucius. »Ich biete zehn Goldmünzen!«

Marcella hörte die totale Verachtung in Fulvias Stimme und das Versprechen kurz bevorstehender

Bestrafungen für ihren Mann. Erst jetzt wagte Marcella einen scheuen Blick auf das Bild.

Es zeigte Caballius, im groben, übertriebenen Stil gemalt, den sie mehrmals in Pompeji gesehen hatte. Der Kopf war zu groß für den Körper, und im Hintergrund produzierten sich mehrere Huren auf schamlose Weise.

Sein Penis war in leuchtenden Farben gezeichnet und sehr detailgetreu, und jedem Betrachter war klar, daß es dem Maler vor allem auf dieses Stück angekommen war.

Aber es war übertrieben winzig.

Und schlaff.

Später an diesem Abend, als sich die Gesellschaft allmählich auflöste, ging Marcella zu den Unterkünften. Bei sich trug sie einen Beutel mit den Goldstücken, die Lucius ihr für das Bild gegeben hatte. Imilico, Brutus und Nicodemes tranken still in einer Ecke und schauten sich an, völlig zufrieden mit sich selbst.

Sie setzte sich, ohne aufgefordert worden zu sein, und bediente sich aus der Karaffe mit Wein.

»Wer ist der Maler?« fragte sie, nachdem sie einen Schluck getrunken hatte.

Die zwei Soldaten schauten sich an, und gemeinsam blickten sie dann auf Imilico, der verlegen dreinschaute.

»Caballius konnte sich mit dem Prahlen über seine Trophäe nicht zurückhalten«, sagte Brutus. »Er hat mir gesagt, daß du das Mädchen auf dem Gemälde bist, obwohl ich nicht glaube, daß du so eine Art Mädchen bist. Das Mädchen auf dem Bild ist ein naives kleines Ding, und du hast eine reife Ausstrahlung, so ganz die Frau von Welt.«

Marcella nippte am Glas, um ihn bei dieser Aussage nicht anschauen zu müssen.

»Ich war erst einen Tag hier«, fuhr er fort, »da wußte ich schon alles über ihn und Fulvia. Ich muß sagen, er war mir zuwider, und deshalb habe ich mit diesen beiden darüber gesprochen, und wir kamen zu dem Schluß, daß er eine Lektion verdient hat.«

Imilico ergänzte: »Wie wir gehört haben, muß eine Hure ihn bei einem dieser vulgären Wettbewerbe in Rom gedemütigt haben – ganz Rom kennt die Geschichte, und auch hier in der Festung hat sie schon die Runde gemacht. Wahrscheinlich kennt man jede Einzelheit im gesamten Weltreich.« Er grinste verlegen. »Es war Nicodemes' Idee, ein paar Huren in den Hintergrund des Bildes aufzunehmen, um Caballius an die Stunde seiner größten Schmach zu erinnern.«

»Wir wußten natürlich nicht, daß er das Bild an diesem Abend versteigern lassen würde, das hat er uns erst im letzten Moment gesagt«, erklärte Nicodemes lachend. »Deshalb wurde der Streich, den wir ihm spielen wollte, zu einer öffentlichen Blamage.«

»Ich bin euch was schuldig«, sagte sie und legte Lucius' Gold auf den Tisch. »Dies hier möchte ich bei euch lassen, um meine Schuld zu tilgen.«

»Wir sind quitt«, sagte Nicodemes. »Wir sind sicher, daß du nicht das Mädchen auf dem Bild sein kannst, aber trotzdem wäre es Caballius gelungen, dich und Gaius in arge Verlegenheit zu bringen. Niemand von uns will, daß er das Gespött der

Leute wird – das würde sich auch negativ auf das gesamte Militär auswirken. Deshalb haben wir eingegriffen.«

Sie ließ das Geld auf dem Tisch liegen, als sie ging.

Viel später trat Gaius in ihr Zimmer. Er zog sich schweigend aus und setzte sich auf ihr Bett. Sie zog langsam ihre Kleider aus und beobachtete sein Gesicht. Sie sah, daß er lüstern auf ihre Brüste schaute.

»Was war eigentlich heute abend los?« fragte er schließlich.

»Glaube mir, du willst die Einzelheiten nicht hören.«

»Brutus, Nicodemes und Imilico haben in den letzten Tagen irgend etwas ausgeheckt. Sie haben sich sehr seltsam verhalten. Fulvia und Caballius waren so voller Gift und Galle, daß ich ihnen gesagt habe, sie könnten den Konvoi nehmen, wenn sie abreisen wollten. Inzwischen werden sie schon weg sein. Offenbar hast du etwas mit der Angelegenheit zu tun gehabt, um was geht es also? Wie kam der Mann dazu, ein so entlarvendes Bild von sich selbst zu enthüllen?«

»Ich habe Lucius' Gold nicht mehr, und ich habe für das Bild nichts gezahlt«, sagte sie. »Mehr mußt du über diese Sache nicht wissen. Sie ist abgeschlossen.«

»Wenn ich es nicht besser wüßte«, fuhr er nachdenklich fort, »würde ich sagen, daß Imilico das Bild gemalt hat. Er hat eine künstlerische Ader, obwohl ich noch nicht gesehen habe, daß er auch

Porträts malt. Meistens malt er Gartenszenen. Vögel und Blumen. Im Stadthaus in Sabratha hat er einige Wände bemalt. Man kommt sich wie auf dem Land vor.«

Sie legte sich aufs Bett, und sein Blick nahm einen hungrigen Ausdruck an, als er ihren grazilen Körper betrachtete.

»Ich glaube, wir sollten aufhören zu reden«, sagte sie, zog ihn zu sich und küßte ihn. Sie drängte die Zunge zwischen seine Lippen, und plötzlich empfand sie leidenschaftliche Lust auf ihn, die sie nicht länger im Zaum halten konnte. Sie war sicher, daß sie seiner nie überdrüssig werden würde. Ohne ihn würde sie sich von nun an stets unvollkommen fühlen.

Er grätschte über sie, legte eine Hand auf ihre Brust und drückte sie genüßlich. Er streichelte über die Nippel, nahm sie nacheinander zwischen Daumen und Zeigefinger und spielte behutsam mit ihnen, bis sie dick geschwollen waren und aufrecht standen. Er beugte sich über sie und wollte die Brustwarzen saugen, aber sie rutschte rasch unter ihm weg und nach unten.

Sie nahm seinen steifen Phallus in den Mund und hielt die prallen Hoden vorsichtig in der Hand. Sie ging mit dem Kopf auf und ab und schwelgte in dem Bewußtsein, ihm Lust zu bereiten.

»Oh, Marcella«, hörte sie ihn ächzen.

Sie leckte über die Spitze, während sie mit einer Hand am Schaft auf und ab fuhr und wie immer überrascht war von der seidigen Haut des harten Stabs. Sie bestimmte die Geschwindigkeit des Aufs und Abs, und er begann zu stöhnen und versuchte, sich ihr zu entziehen, aber sie hielt seine Schenkel mit den Armen umschlungen und ging jede seiner Bewegungen mit. Sie wollte seine Ekstase schmecken.

»Nein«, rief er heiser, »das mußt du nicht ... Ich will ... ich will dich doch ...«

Aber es war zu spät für erfolgreiche Proteste, mitten im Satz brach er ab, stieß tief in die feuchte, warme Mundhöhle und versprühte den Balsam seiner Leidenschaft, und sie schluckte, bis ihr schwindlig war.

Er fiel zur Seite und zog sie eng an sich, hielt sie mit beiden Armen umschlungen und drückte sie an sein Herz.

Er schlief bis in die Nacht hinein, und sie war zufrieden, neben ihm zu liegen und sein würziges männliches Aroma zu riechen. Sie fühlte sich von den Göttern auserwählt, daß es ihr vergönnt war, in diesen Stunden der höchsten Verletzlichkeit so nahe bei ihm sein zu dürfen.

Sie wurde wach, als er sie küßte und ihr Gesicht betrachtete, als würde er nicht müde, ihre Schönheit zu genießen. Ein Finger strich behutsam über ihren empfindlichen Liebesknopf.

»Davon hast du geträumt«, sagte er lächelnd. »Ich habe dein Gesicht beobachtet und bemerkt, wie du allmählich erregt wurdest. Es war ein wunderschöner Anblick, die steigende Lust in deinem Gesicht zu sehen. So unschuldig. Du strahlst eine außergewöhnliche Reinheit aus, Marcella, was beinahe eine Unverschämtheit ist, wenn man weiß, wie lüstern du sein kannst.«

Ihr Geschlecht war heiß wie ein glühender Ofen, und seine Finger bearbeiteten sie wie ein Instrument. Sie stemmte ihm ihren Unterleib entgegen und spreizte die Schenkel, um ihm ungehinderten Zugang zu ermöglichen.

»So eine winzige kleine Blüte, und doch so mächtig«, flüsterte er und schaute zu, wie die Klitoris zuckte.

Sie öffnete den Mund und küßte ihn, und mit seiner freien Hand strich er kundig über ihre festen Brüste. Sie stöhnte in seinen Mund hinein, und dann schlugen auch schon die Wellen der Lust über ihr zusammen, und mit einem wohligen Strecken kam sie zu einem Höhepunkt, mit dem sie so rasch gar nicht gerechnet hatte.

Bevor die Wellen abgeklungen waren, schob er sich auf sie und stieß tief in sie hinein, und dabei hörten sie nicht auf, sich zu küssen.

In vollkommener Harmonie wiegten sich ihre Körper, als folgten sie einer verborgenen Musik. Er stieß zuerst langsam und bedächtig zu, dann nahm er Tempo auf, bis ihr Körper zu zittern begann und sie spitze kleine Schreie ausstieß.

Eine kleine Ewigkeit wiegten sie sich in absoluter Glückseligkeit. Zeit und Raum schienen an Bedeutung verloren zu haben, während sie sich im Ozean der sinnlichen Freuden tummelten.

ENDE

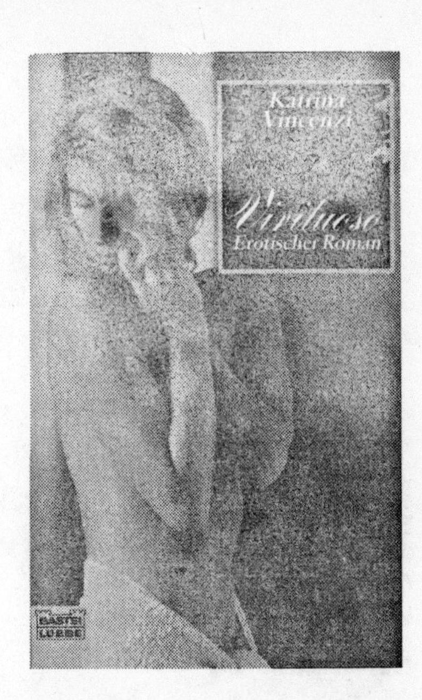


**Band 14 167**
**Katrina Vincenzi**
**Virtuoso**
**Deutsche Erstveröffentlichung**

Mika und Serena leben zurückgezogen in ihrer Schweizer Villa. Seit Mikas tragischem Unfall, der seinen kometenhaften Aufstieg als Star-Geiger abrupt beendete, will er niemanden mehr sehen.
Aber die sinnenfrohe Serena will das ändern, und als die begnadete Geigerin Franca nach Genf kommt, um das Erfolgsgeheimnis des Virtuosen Mika zu lernen, läßt sich Serena diese Chance nicht entgehen. Es beginnen die aufregendsten Wochen im Leben der jungen Menschen, Wochen voller Musik, Sinnlichkeit und Erfüllung.

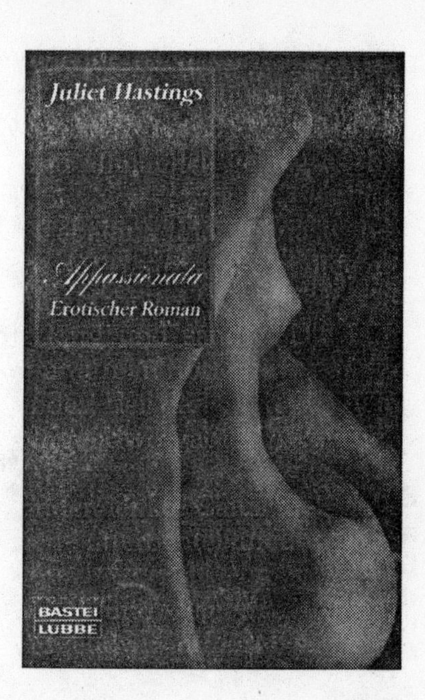


**Band 13 919**
**Juliet Hastings**
**Apassionata**
**Deutsche Erstveröffentlichung**

Tess Challoner hat sich durchsetzen können: Sie spielt die Carmen in einer neuen Londoner Produktion, die so freizügig wie ungewöhnlich sein soll. Eine Gelegenheit, die die junge Sängerin nicht verpassen darf.
Aber Tess hat kaum Lebens- und Liebeserfahrung. Um die Carmen überzeugend spielen zu können, muß sie viel mehr über Sehnsucht und Leidenschaft wissen. Tony Varguez, der gutaussehende und eifersüchtige Tenor, übernimmt diese Aufgabe.
Die Verwicklungen beginnen, als Tess sich in ein neues Besetzungsmitglied verliebt ...

**Band 13 934**

**Françoise Rey**

**Der Duft deiner Haut**

**Deutsche Erstveröffentlichung**

»Sieh Dir doch an, wie Dein Mann sich in Szene setzt, herumscharwenzelt, der einen nachstellt, eine zweite begleitet und eine dritte auf dem Tisch flachlegt, wie er hier schmachtend schaut, dort Schweinereien flüstert, Hand, Knie, Mund vorschiebt und heißatmig ein Treffen vorschlägt, ein gemeinsames Mittagessen, ein Schäferstündchen von fünf bis sieben...«

Es ist nicht einfach, die Geliebte eines verheirateten Mannes zu sein, und oft weint sich eine Frau darüber bei ihrer besten Freundin aus. Dieses erotische Tagebuch ist anders: Hier klagt die Geliebte der Ehefrau ihr Leid, denn der unersättliche Liebhaber stellt gleich mehreren anderen Frauen nach. Doch sie will den Kampf um den geliebten Mann nicht aufgeben und läßt sich auf eine *ménage à trois* ein ...